BRENDA JOYCE

MORTELLEMENT VÔTRE - 3

Vengeance
sous la neige

ROMAN

*Traduit de l'américain
par Catherine Plasait*

Titre original
DEADLY AFFAIRS

Éditeur original
St. Martin's Parperbacks published by St. Martin Press
Précédemment paru sous le titre :

Une enquête de Fransesca Cahilll- Un cadavre sous la neige

Pour la traduction française
© Éditions J'ai lu, 2006

1

— Que pensez-vous de celle-ci, mademoiselle Cahill ?

Francesca Cahill s'exhortait à la patience, ce qui n'était pas facile. Elle baissa les yeux sur la pièce de soie abricot que lui présentait Maggie Kennedy.

— Elle est aussi ravissante que les autres, répondit-elle.

Était-il déjà 9 heures ? Son père avait-il remarqué qu'il lui manquait un de ses journaux du matin ? Qu'il s'était volatilisé ? Seigneur, cet essayage se terminerait-il un jour ?

Francesca avait deux cours à Barnard, un établissement d'études supérieures très sélect réservé aux femmes. Elle s'y était inscrite en secret et, jusqu'à présent, elle n'avait pas été démasquée par sa mère, qui détestait l'idée qu'on pût traiter sa fille cadette de bas-bleu.

Qu'elle fût une intellectuelle – et une réformatrice avec un R majuscule – ne pouvait qu'interférer avec les projets de Julia Van Dyck Cahill qui rêvait que sa fille fasse un beau mariage, et dans les plus brefs délais.

Francesca laissa échapper un lourd soupir.

— Ce bleu vous va à merveille, mademoiselle Cahill, murmura Maggie, agenouillée aux pieds de la jeune fille.

— Je vous en prie, madame Kennedy, appelez-moi simplement Francesca, dit-elle avec un sourire.

La couturière leva la tête, et lui retourna son sourire timidement.

— Ainsi, le bleu vous plaît ? Je vous en ferai un tailleur. Le tissu se tient bien, il sera parfait pour une veste courte et une jupe.

— Certainement, acquiesça Francesca distraitement.

Andrew était sans doute descendu prendre son petit-déjeuner et s'était aperçu qu'il n'y avait que le *Times* et *La Tribune*. Dieu du ciel ! Qu'est-ce qu'il lui avait pris de donner une interview à ces journalistes, mardi dernier, devant le *Plaza* ? Apparemment, l'orgueil avait pris le pas sur le bon sens. Avec un peu de chance, cependant, rien ne filtrerait de cette interview, à présent. Les quotidiens de la veille regorgeaient de détails sur l'affaire Randall, mais son nom n'était mentionné nulle part.

Bien qu'elle eût fait arrêter la meurtrière.

— Et que diriez-vous d'un rouge de Chine pour une robe du soir ? suggéra Maggie en se redressant. C'est une couleur que la plupart des blondes ne supportent pas, mais sur vous, ce sera magnifique.

— Oh, j'adore le rouge !

Maggie lui jeta un regard étrange, comme si elle sentait que la jeune fille ne se souciait guère des dix toilettes qu'elle était en train de lui commander.

— J'ai une passion pour le rouge, insista Francesca.

C'était faux ! Depuis le meurtre de Randall et l'enlèvement du petit Burton, le rouge lui évoquait immanquablement le sang.

Maggie se dirigea vers le vaste lit à baldaquin jonché de coupons de tissu, et, les sourcils froncés, se mit à fouiller parmi les soies et les velours.

— Quelque chose ne va pas, madame Kennedy ? s'inquiéta Francesca.

— Non, non, répondit Maggie en se tournant vers elle, un échantillon de tissu rouge sombre à la main. C'est juste que j'ai été tellement surprise quand vous m'avez dit que vous aviez besoin d'autant de nouvelles tenues.

Francesca lui offrit son plus beau sourire.

— Ma mère sera aux anges quand elle apprendra que je m'intéresse enfin à ma garde-robe !

C'était vrai !

Maggie était une jeune femme rousse, qui avait certainement été ravissante autrefois, mais qu'une vie de labeur avait abîmée précocement. Elle devait avoir sept ou huit ans de plus que Francesca, qui en avait vingt. Mais elle était mère de quatre enfants, dont l'aîné, Joel, un gamin de onze ans, était l'assistant de Francesca. Elle l'avait engagé récemment, et il lui avait été d'une aide précieuse dans l'affaire Burton comme dans l'assassinat de Paul Randall. Il l'avait du reste sortie à deux reprises de situations plus que périlleuses. Il connaissait comme sa poche les bas-fonds de la ville, particulièrement le Lower East Side – ce qui n'était évidemment pas le cas de Francesca. Il lui avait même appris à soudoyer les gens pour en tirer des informations.

— Joel n'arrête pas de parler de vous, mademoiselle Cahill. Il vous admire tant !

Francesca sourit.

— C'est un garçon merveilleux !

— Il a souvent des démêlés avec la police, objecta Magggie.

— Je sais. Mais il n'est pas mauvais. Pas du tout. Au contraire, même.

Maggie parut soulagée. Connaissait-elle seulement toutes les activités de son fils ? C'était un «kid», un enfant pickpocket, dont la photographie figurait dans les fichiers de la police.

— Cela me fait plaisir que vous pensiez cela, fit Maggie en déployant le tissu rouge. Vous serez la reine du bal, avec une robe coupée dans ce brocart.

Francesca contempla l'étoffe, qui ne correspondait pas du tout à sa personnalité. Elle était d'un naturel sérieux et, bien qu'elle eût accepté toutes les suggestions jusqu'à présent, elle hésitait, songeant à Rick Bragg, le préfet de police de la ville. Son pouls s'accéléra. Elle ne l'avait pas vu depuis mardi, depuis ce bref échange intime sur les marches du *Plaza*.

— Vous croyez vraiment que je peux porter une couleur aussi sensuelle ? risqua-t-elle.

— Oh, oui ! s'écria Maggie, les yeux brillants.

Lorsqu'elle souriait ainsi, les années semblaient s'effacer comme par magie, et elle redevenait jeune, vibrante, jolie.

Francesca savait qu'elle n'aurait pas dû penser à Bragg en choisissant cette robe. Après tout, ils n'étaient qu'amis, rien de plus. Et cela ne changerait jamais – il était marié. Certes, sa femme était une épouvantable créature qui parcourait l'Europe en compagnie de ses nombreux amants. Bragg ne l'avait pas vue depuis quatre ans, et il ne souhaitait pas la voir. Il l'entretenait généreusement alors que le fonctionnaire qu'il était gagnait un salaire relativement modeste, et elle dépensait sans compter. Dieu merci, elle était à l'étranger ! songea Francesca.

Elle n'avait jamais rencontré Leigh Anne, et n'y tenait pas. Mais elle la méprisait, et tant pis si elle se montrait injuste !

— Je ne sais pas si ce sera possible, Maggie, dit-elle, mais j'ai une soirée mardi prochain. La fiancée de mon frère, Sarah Channing, donne un bal en l'honneur de sa cousine, Bartolla Benevente. Apparemment, la comtesse vient d'arriver en ville, et...

Maggie sourit.

— Vous savez que je travaille souvent le soir. Je devrais pouvoir terminer la robe pour la semaine prochaine, mais il nous faudra un dernier essayage la veille.

Pour la première fois depuis l'arrivée de Maggie, Francesca éprouvait un enthousiasme sincère. Elle imaginait déjà le regard de Bragg lorsqu'elle descendrait l'escalier dans cette robe rouge. En fait, elle était certaine qu'il n'aurait d'yeux que pour elle.

— J'aimerais qu'elle soit assez hardie, dit-elle.

— Très décolletée devant et dans le dos, acquiesça vivement Maggie. J'ai un patron qui sera parfait. Attendez, je vais vous le montrer.

Elle alla fouiller dans sa vieille mallette de cuir.

Francesca savait que sa réaction était ridicule. Elle n'aurait pas dû se soucier de susciter l'admiration de Bragg, surtout avec cette robe. Mais elle était incapable de s'en empêcher. Elle soupira, soudain immensément triste.

— Ça va ? s'enquit Maggie avec douceur, le patron à la main.

Francesca se ressaisit aussitôt.

— Très bien, assura-t-elle. C'est celui-ci ?

Elle jeta un coup d'œil à la pendule. 9 h 20 ! Elle n'allait pas tarder à partir pour l'université.

— Oui, répondit Maggie. Je peux réduire un peu le décolleté, si vous le souhaitez. Et ajouter deux petites manches.

Elle montra un autre morceau de papier.

— Le dos peut être aussi moins plongeant.

Le cœur de Francesca se mit à battre la chamade tandis qu'elle s'entendait répondre en s'empourprant légèrement :

— Je l'aime bien ainsi.

Oserait-elle porter une robe aussi provocante ?

Et Bragg avait-il vu le *Sun* ? Avait-il lu ce que ce roquet d'Arthur Kurland avait écrit sur elle ? Comment diable ce dernier avait-il entendu parler de son rôle dans l'affaire Randall ? Il ne faisait même pas partie des journalistes auxquels elle avait accordé une interview.

— Bien, fit Maggie en rangeant le patron. J'en ai terminé pour aujourd'hui. Vous avez commandé deux tailleurs, deux jupes, trois chemisiers, deux robes de jour et une robe du soir. J'aimerais beaucoup vous aider à choisir les souliers assortis, mademoiselle Cahill.

Francesca allait lui répondre de sélectionner ce que bon lui semblerait quand on frappa à la porte. Avant qu'elle ait le temps de répondre, sa sœur, Constance, pénétra dans la pièce… et écarquilla les yeux.

— Que se passe-t-il ? demanda-t-elle en parcourant la chambre du regard.

Elle ressemblait énormément à Francesca. D'ailleurs, on les prenait souvent pour des jumelles. Constance était l'aînée ; elle avait vingt-deux ans, les cheveux et le teint plus clairs que ceux de sa sœur, qui avait la peau dorée, et une chevelure qui chatoyait du blond chaud au miel. Sinon, toutes deux avaient de grands yeux bleus, des pommettes hautes, un joli petit nez et des lèvres pleines. Elles étaient universellement considérées comme d'authentiques beautés.

— J'ai un essayage, répondit Francesca, espérant que sa sœur se contenterait de cette explication. J'ai commandé quelques robes à Mme Kennedy. Constance, Mme Kennedy. Madame Kennedy, ma sœur, lady Montrose.

Maggie ouvrit de grands yeux devant Constance, qui, contrairement à Francesca, était extrêmement sophistiquée, sans parler du fait qu'elle avait épousé un Anglais et se trouvait ainsi pourvue d'un titre de noblesse.

Constance était vêtue d'un superbe ensemble bleu pâle finement rayé de blanc. Il était encore tôt, mais elle portait au cou trois rangs de topazes bleues fermés au centre par un camée. Sur ses cheveux, rassemblés en chignon sur la nuque, était perché un charmant chapeau assorti à sa tenue. Ses gants de peau fine étaient eux aussi d'un bleu doux.

— Bonjour, fit Constance avec un sourire aimable. Ainsi, tu te commandes des robes, Francesca ? Que t'arrive-t-il ? Serait-ce la pleine lune ? À moins que ce ne soit ces enquêtes…

Francesca lui adressa un regard ennuyé.

— Voilà un an que maman me supplie de m'acheter de nouvelles tenues, coupa-t-elle.

— Je dirais plutôt deux! rectifia sa sœur.

— Je n'avais pas le temps! se défendit Francesca.

— Ni l'envie...

— Cela fait déjà un moment que j'avais l'intention de m'en occuper.

— Oh, et quand? Avant tes cours, après les enquêtes, ou pendant la nuit?

— Chut!

Constance éclata de rire.

— Oh, ça va, Francesca! Franchement, c'est parfait! J'ai hâte de voir ce que...

Elle s'interrompit en apercevant le brocart rouge entre les mains de Maggie.

— Tu as choisi *cela*?

Francesca croisa les bras.

— Mme Kennedy m'assure que ce sera superbe.

— Je vois, fit Constance, espiègle. C'est Bragg...

— Pas du tout! s'insurgea Francesca, consternée. Au fait, Constance, Mme Kennedy est la mère de Joel.

— Euh, je dois vous laisser, intervint Maggie en hâte. J'ai fait prévenir le contremaître que j'étais indisposée, mais je lui ai promis d'être là à midi. J'aimerais commander les tissus avant de me rendre à l'atelier.

Maggie travaillait dans la journée chez Moe Levy, et confectionnait la nuit des toilettes pour une clientèle privée. Francesca admirait son courage. En réalité elle n'avait absolument pas besoin de nouvelles tenues, mais elle tenait à aider la famille Kennedy.

— Merci d'être venue, dit-elle en raccompagnant Maggie à la porte. D'autant que je vous ai prévenue au dernier moment.

— Merci à vous, mademoiselle Cahill, répondit Maggie avec chaleur.

— Je vous en prie, appelez-moi Francesca.

Maggie hésita.

— J'essaierai, mademoiselle Cahill, murmura-t-elle en rougissant.

— Parfait !

Maggie partie, Constance scruta sa sœur, sérieuse soudain.

— Ne commence pas ! s'écria Francesca.

— Très bien. Mais j'espère que tu ne choisis pas une toilette aussi spectaculaire pour un homme *marié* ! Je sais combien tu es têtue, Francesca. Je t'en supplie, dis-moi que cela n'a rien à voir avec Bragg.

— Absolument rien, mentit Francesca. Nous sommes amis, ajouta-t-elle sincèrement. C'est tout ce qu'il y a entre nous, et il n'y aura jamais rien d'autre.

Cela faisait mal, mais à la douleur se mêlait une certaine résignation. Durant ces derniers jours, elle en était arrivée à accepter ce qui ne pouvait être changé.

Encore que...

De toute façon, jamais il ne divorcerait. C'était un homme d'honneur, et qui avait des ambitions politiques de surcroît !

Des ambitions dont elle était fière.

— Bon, si ce n'est pas pour te pavaner devant lui, alors ce doit être par charité, hasarda Constance.

Francesca soupira.

— J'abandonne. Elle travaille tellement dur pour élever ses quatre enfants...

— N'en dis pas davantage. C'est bien ce que je pensais.

Constance rejoignit sa sœur et la serra spontanément dans ses bras.

— Tu es la meilleure personne que je connaisse.

Francesca lui prit la main.

— Constance... comment vas-tu ? Et Neil ? risqua-t-elle après une brève hésitation.

Constance prit une profonde inspiration, et détourna les yeux.

— Il va bien. Oublions ce qui est arrivé la semaine dernière. C'est du passé. Seuls comptent le présent et l'avenir.

Son sourire semblait plaqué sur son visage.

Francesca n'en revenait pas. Sa sœur ne suggérait tout de même pas qu'ils faisaient comme si elle n'avait pas quitté son mari deux nuits, avec leurs deux filles ? Comme s'il ne l'avait pas trompée, la poussant à se réfugier chez une amie ?

— Avez-vous eu l'occasion de parler, Neil et toi ?

— Mais nous parlons tous les jours ! s'écria Constance d'une voix un peu trop haut perchée. Hier soir encore, nous discutions du nouvel opéra de Reinhold, ainsi que de la fiscalité de la ville. Tout va bien, Francesca. Très bien.

Inquiète, Francesca scruta sa sœur, qui se détourna vivement. Si seulement Constance exprimait ses sentiments. Ce qu'elle avait ressenti en découvrant que son mari avait une maîtresse. Neil Montrose n'était pas seulement un aristocrate. Il était aussi beau, fier, intelligent, c'était un excellent père et, jusqu'à ces derniers temps, un époux irréprochable. Si Neil était son mari – et lorsqu'elle était plus jeune, Francesca avait plus ou moins rêvé qu'il le fût – elle aurait envie de mourir. Et elle le détesterait sans doute.

Ou peut-être pas.

Elle ignorait ce qui s'était passé entre Neil et Constance, mais jusqu'à ces derrières semaines, elle l'admirait, le croyait digne de respect. Cela dit, qui était-elle pour décider que sa sœur devait se comporter de telle manière ou éprouver tel sentiment ? D'autant qu'elle ne savait absolument pas ce qui s'était vraiment passé entre eux !

Peut-être leur rendrait-elle visite un peu plus tard, afin de tâter le terrain, de s'assurer qu'elle allait aussi bien que Constance le prétendait. Oui, c'était une bonne idée.

— Tu es là bien tôt, remarqua-t-elle, changeant radicalement de sujet. Veux-tu que nous prenions le petit-déjeuner ensemble ?

Elle se demandait pourquoi sa sœur n'était pas avec son mari, en train de boire son café en lisant *La Tribune*, comme à l'accoutumée.

— Volontiers, répondit Constance. Au fait, papa est très ennuyé. Il n'arrive pas à mettre la main sur le *Sun* d'aujourd'hui, or tu sais combien il tient à ses trois quotidiens !

Francesca esquissa un sourire de pure forme.

— Pauvre papa ! Le livreur aura fait une erreur. Ou peut-être s'agit-il d'un nouvel employé.

— Oui, c'est sans doute ça.

Francesca croisa discrètement les doigts. Si son père tombait sur le *Sun*, qu'elle lui avait subtilisé sans l'ombre d'un remords, il ne pourrait ignorer le gros titre qui s'étalait en une :

LA FILLE D'UN MILLIONNAIRE CAPTURE
UNE MEURTRIÈRE AVEC UNE POÊLE À FRIRE.

Le train aérien de la Neuvième Avenue passa au-dessus de la tête de Francesca avec un bruit d'enfer, laissant derrière lui un nuage de fumée et de suie.

Elle venait juste d'en descendre. La rue était verglacée et la neige presque noire. Autour d'elle, des travailleurs pauvrement vêtus s'exprimaient dans toutes les langues. Beaucoup se hâtaient en direction de l'usine qui se dressait un peu plus loin.

Francesca chercha un fiacre des yeux.

Elle avait passé une matinée épouvantable. Non seulement elle avait eu des difficultés à se concentrer tant elle s'inquiétait pour cet article du *Sun*, mais son professeur de biologie lui avait donné un avertissement en raison de ses notes, qui avaient chuté dangereusement.

Elle ne s'était quand même pas donné tout ce mal pour s'inscrire et trouver de quoi payer ses études – en partie grâce à Constance – pour échouer maintenant.

Mais étudier tout en se lançant dans une carrière de détective se révélait plus que difficile…

Son père allait forcément tomber sur le *Sun*, songea-t-elle de nouveau, et elle savait qu'elle ne parviendrait pas à l'amadouer. Pas cette fois, en tout cas. Quant à sa mère, elle serait furieuse, or c'était une femme qu'il valait mieux ne pas contrarier. Hôtesse hors pair, réputée pour organiser des manifestations à but social, financier ou politique très courues, Francesca ne se souvenait pas de l'avoir jamais vu perdre une bataille.

Cela dit, que pourrait-elle faire ? Francesca n'était plus une enfant qu'on pouvait punir. Du reste, toute petite déjà, elle avait le même caractère entier et déterminé. Fleur bleue dans l'âme, elle n'hésitait jamais à défendre la cause des opprimés. Ainsi à sept ans, alors qu'ils vivaient à Chicago, elle avait vendu de la citronnade à la sortie de l'église pendant un an afin de récolter de l'argent pour les orphelins.

Elle n'avait été punie qu'une fois. Peu après leur emménagement à New York, alors qu'elle avait huit ans, elle était partie explorer sa nouvelle ville. Cela lui avait coûté cher ! On l'avait privée d'école pendant deux jours. Aucun châtiment n'aurait pu la toucher davantage car, contrairement à bien des enfants, elle adorait l'école.

Elle aperçut soudain un fiacre, et se précipita sur la chaussée, la main tendue. Hélas, elle posa le pied sur une plaque de glace, et se retrouva sur les fesses.

— Bon sang, ce n'est pas mon jour ! pesta-t-elle.

Une main se posa sur son bras.

— Ça va, mademoiselle ?

Un homme d'âge moyen, en manteau sombre et chapeau melon, était penché sur elle.

— Ça va, je vous remercie, dit-elle tandis que le gentleman l'aidait à se relever.

— Vous devriez faire attention, dit-il en touchant poliment son chapeau avant de s'éloigner.

Le fiacre s'était arrêté à sa hauteur, et Francesca y monta, la hanche douloureuse.

— 300, Mulberry Street, s'il vous plaît, dit-elle au cocher.

— C'est pas le quartier général de la police ?

— Si, répondit Francesca avec un grand sourire.

— Vous paraissez bien joyeuse pour une dame qui va voir les flics, commenta-t-il.

Elle continua de sourire tout en s'installant sur la banquette de cuir. Elle était affreusement nerveuse. Elle n'avait pas vu Bragg depuis deux jours, mais il lui semblait que cela faisait deux ans. C'était la première fois qu'elle se rendait au quartier général de la police sans pouvoir prétexter d'un nouvel indice ou d'un renseignement à transmettre au préfet de toute urgence.

Elle ne pensait cependant pas que Bragg se formaliserait qu'elle passe ainsi, de manière impromptue. Certes, c'était plutôt osé. Mais après tout, ce n'était pas non plus une visite de courtoisie. Il avait sûrement lu le *Sun*, et il compatirait, il pourrait même la conseiller sur l'attitude à adopter vis-à-vis de ses parents. Elle était persuadée qu'il voudrait en parler avec elle.

Peut-être même s'inquiétait-il pour elle…

Elle avait le souffle un peu court quand elle pénétra dans le hall en effervescence, arborant son air le plus professionnel. Le quartier général de la police se trouvait au cœur d'un quartier assez mal famé où les voyous et les escrocs côtoyaient les proxénètes et les prostituées. Francesca était effarée que cette faune exerce ses sordides occupations sous le nez de la police. En fait, cela stupéfiait la plupart des citoyens, aussi Bragg avait-il doublé le nombre d'agents chargés de surveiller le quartier.

À l'intérieur, les téléphones sonnaient, le télégraphe crépitait. Des sergents se tenaient derrière un long comptoir afin de recevoir les plaintes et de répondre à toutes sortes de questions. Un ivrogne était enfermé dans une cellule, non loin de l'ascenseur. Deux journalistes, bloc-notes en main, interrogeaient les policiers qui l'avaient arrêté.

Francesca reconnut l'un d'entre eux : Arthur Kurland, qui était devenu son ennemi personnel au cours du mois écoulé. C'était d'ailleurs lui qui avait étalé son histoire à la une du *Sun*.

Elle s'apprêtait à demander au comptoir si elle pouvait monter, mais craignant que Kurland ne la voie, elle préféra se diriger droit vers l'escalier. Autant profiter du fait qu'il lui tournait le dos... Décidément, songea-t-elle, cet individu semblait se trouver là chaque fois qu'elle rendait visite à Bragg. Il se pourrait bien qu'il commence à se poser des questions...

Arrivée sur le palier intermédiaire, elle risqua un coup d'œil dans le hall. Kurland se tenait à présent en bas des marches, et il l'observait, pensif. Comme leurs regards se croisaient, il sourit en lui adressant un petit geste de la main.

Francesca se sentit rougir, et se dépêcha de grimper la deuxième volée de marches. Connaissant Kurland, elle ne serait pas étonnée de lire dans le *Sun* du lendemain : *La fille d'un millionnaire amoureuse d'un préfet de police marié.*

Le cœur battant, elle atteignit l'étage et chassa Kurland de ses pensées. Il était agaçant, rien de plus, mais à l'avenir, elle avait tout intérêt à l'éviter le plus possible. Peut-être avait-elle aussi intérêt à ne plus rendre d'aussi fréquentes visites à Bragg, maintenant qu'elle savait qu'il était marié...

Cela ne l'enchantait guère. Elle était déterminée à ne pas perdre son amitié. C'était un réformateur, comme elle. Et l'un des hommes les plus nobles, les plus honnêtes qu'elle ait jamais rencontrés. Elle l'admirait tant !

Et puis, ils formaient une excellente équipe !

Un long couloir se déroulait devant Francesca à l'extrémité duquel il y avait un espace ouvert avec des bureaux où travaillaient la plupart des inspecteurs. Pour l'heure, tout était calme, le silence à peine troublé par des chuchotements, le cliquetis d'une machine à écrire, un rire bref.

La porte de Bragg était ouverte, et elle s'en approcha. La pièce, meublée simplement, contenait deux bureaux dont celui auquel Bragg était installé. Renversé contre le dossier canné de son siège, il discutait au téléphone. Il vit Francesca dès qu'elle apparut sur le seuil, et leurs regards se verrouillèrent.

Elle lui sourit, immobile.

Il lui retourna son sourire sans la quitter des yeux.

Tandis qu'il terminait sa conversation, Francesca le contempla. Le sang apache qui coulait dans ses veines se devinait à son teint mat et à ses pommettes hautes. En revanche, ses cheveux étaient fauves, striés de mèches plus claires, et ses yeux avaient la couleur de l'ambre. Francesca avait remarqué la façon dont les femmes le regardaient. Il était tout simplement saisissant ! Le genre d'homme qui faisait tourner les têtes et battre les cœurs, qui dégageait une telle autorité, un tel magnétisme, que les conversations s'interrompaient lorsqu'il pénétrait dans une pièce.

Pour l'heure, il était en bras de chemise, ce qui mettait sa musculature en évidence. Il avait les épaules larges, les hanches étroites, et, contrairement à la plupart des hommes, pas un pouce de graisse. Son corps athlétique était tout simplement parfait.

Francesca le savait d'autant mieux qu'elle s'était trouvée par deux fois dans ses bras. Bien sûr, cela n'arriverait plus jamais !

Il posa enfin le combiné et se leva. Il y avait dans ses yeux un sourire à faire fondre la glace.

Francesca se sentit sourire en réponse. Ses sentiments étaient tellement forts qu'il lui vint à l'esprit que cela pouvait être trop dangereux, du moins pour elle, sinon pour eux deux. Elle chassa vite cette pensée, car elle ne voyait pas d'alternative à l'amitié qu'ils partageaient désormais.

Elle ferma la porte.

— Francesca, dit-il en contournant son bureau. Quelle bonne surprise !

— J'espère que vous ne m'en voulez pas de passer ainsi à l'improviste. Je n'ai aucune affaire à vous soumettre, cette fois !

— Dieu merci ! s'écria-t-il en riant. Donc, c'est une visite de courtoisie ? ajouta-t-il en lui effleurant le bras.

Elle se débarrassa de son manteau bordé de vison, et il l'accrocha à une patère.

— En quelque sorte, répondit-elle. Je rentrais de l'université, et j'ai eu envie de passer vous saluer.

Allait-il enfiler sa veste ? Il ne le fit pas, et c'était quelque peu troublant.

— Comment se porte mon étudiante préférée ? s'enquit-il, taquin.

Le sourire de Francesca s'effaça.

— Je suis à la traîne. Je risque d'échouer en biologie.

— Vous ? Échouer ? J'en doute. Je ne vous vois pas rater quoi que ce soit. Non seulement grâce à votre intelligence, mais surtout à cause de votre détermination.

Elle en rougit de plaisir.

— Vous avez une telle confiance en moi !

— En effet.

Leurs regards s'unirent. L'innocence de l'amitié s'évanouit, remplacée par autre chose de beaucoup plus fort. Ils se tenaient tout près l'un de l'autre, et Francesca regretta une fois de plus qu'il ne soit pas libre. S'il l'était, il la prendrait dans ses bras, pour un baiser merveilleusement intime.

Il se racla la gorge.

— Il est normal que vous soyez à la traîne, reprit-il d'une voix mal assurée. Quand avez-vous le temps

19

d'étudier ? Il vous faut travailler, vous occuper d'œuvres charitables, résoudre des affaires criminelles… Ce ne sont pas là des conditions favorables pour suivre des études supérieures !

— Je reconnais que ce n'est pas facile d'être à la fois réformatrice, détective et étudiante, répliqua-t-elle sérieusement.

— Certes… Qu'est-ce qui ne va pas, Francesca ? Je vous sens tracassée. J'espère que c'est seulement à cause de votre emploi du temps surchargé.

Il fixait sur elle un regard pénétrant, et elle se demanda s'il faisait allusion à cette vérité enfin dévoilée qui les séparait, à savoir le fait qu'il était marié. À moins qu'il ne pense plutôt au *Sun* ?

— Comment ai-je pu leur accorder une interview ? s'exclama-t-elle. Comment, Bragg ? Avez-vous lu le *Sun* ?

Il sembla amusé.

— Oui. Vous aviez mérité cet article, Francesca. Auriez-vous des ennuis ?

— Pas encore. J'ai caché le journal, et j'ai entendu dire que mon père était fort contrarié. Si mes parents ont vent de cette histoire, c'en est fait de moi. J'en suis certaine.

— Peut-être devriez-vous vous asseoir, suggéra-t-il, toujours amusé.

— C'est vraiment si drôle ? s'écria Francesca.

Il la guida vers un vieux fauteuil au tweed élimé.

— Non, pas vraiment. Je suis désolé.

Elle s'assit et leva les yeux vers lui. Il souriait encore !

— Bragg, si je suis punie comme une petite fille, je ne verrai pas ce qu'il y a de comique !

— Excusez-moi. Mais vous vous êtes mise en danger, Francesca, lui rappela-t-il, cessant de sourire.

Le sujet avait beau être sérieux, le regard doré continuait à lui faire battre le cœur. Elle s'agrippa aux bras du fauteuil.

— J'ai été en danger *très brièvement*, rectifia-t-elle.

— Vous niez, à présent ? Vous avez été ligotée, Francesca ! Sur un lit, par une meurtrière et son complice, qui plus est.

Ses yeux lançaient des éclairs.

— Je ne savais absolument pas ce qui allait se passer quand je suis allée chez eux, se défendit Francesca.

— Vous étiez en danger, Francesca, insista-t-il, et vous savez que je n'approuve pas du tout ! Vous devriez peut-être réviser votre jugement sur ce métier dont vous vous êtes entichée. Détective est une profession à haut risque, et vous êtes une jeune femme.

— Mais nous sommes partenaires. Et je suis un bon détective, vous l'avez reconnu vous-même.

— Un excellent détective, admit-il à contrecœur.

— Je ne peux pas abandonner maintenant. Êtes-vous sur une nouvelle affaire ? enchaîna-t-elle vivement.

Il se percha au bord de son bureau.

— Mes hommes travaillent sur toutes les enquêtes, Francesca, vous le savez. Mes relations personnelles avec Eliza Burton m'ont poussé à m'impliquer dans cette affaire d'enlèvement, et le fait que Randall ait été le père de Calder m'a incité à m'occuper de ce meurtre.

Calder Hart était le demi-frère de Bragg. Ils avaient eu la même mère, Lily Hart, morte alors que Bragg n'avait que onze ans et Calder neuf. Le père de Bragg, Rathe Bragg, ayant appris l'existence de ce fils illégitime, avait pris les deux garçons chez lui. À l'époque, Rathe travaillait aux côtés du président Grover Cleveland, et ils résidaient à Washington. Plus tard, les Bragg étaient retournés brièvement à New York, puis le mariage de leur fille Lucy les avait conduits au Texas. Francesca avait cependant entendu dire que Rathe et Grace allaient bientôt revenir à New York avec quelques-uns de leurs cinq enfants. Les aînés étaient indépendants, supposait-elle.

Calder avait été soupçonné dans l'assassinat de son père, car il détestait ce dernier qui avait refusé de le reconnaître.

Bragg soupira.

— Pourquoi ne vous mettriez-vous pas provisoirement en congé ? Ce serait le meilleur moyen de tranquilliser vos parents s'ils apprennent ce qui s'est passé dans l'affaire Randall. Et ce serait aussi un bon moyen d'améliorer vos notes à l'université.

— Ainsi, il n'y a rien d'intéressant en ce moment ? murmura Francesca, déçue.

— Pour l'heure, ma priorité est de nommer un chef de la police, ce dont je n'ai pas eu le temps depuis un mois que je suis en poste.

Elle se redressa, sa curiosité piquée.

— Et vous avez trouvé un homme digne d'assumer cette responsabilité ?

Une étincelle amusée s'alluma dans ses yeux.

— Il y a tout de même quelques honnêtes gens parmi nous, Francesca.

— Ravie de l'apprendre !

La police de la ville était notoirement corrompue, et réformer son département était le souci immédiat de Bragg. D'ailleurs, il avait récemment muté trois cents agents dans l'espoir qu'ils auraient plus de mal à exercer leurs actions néfastes dans un nouvel environnement.

— Vous avez un candidat en tête ? insista Francesca.

— Je pense au capitaine Shea.

— Shea ? répéta-t-elle, étonnée.

L'homme, qu'elle avait souvent vu derrière le comptoir, lui semblait plutôt falot.

— N'est-ce pas généralement un inspecteur que l'on nomme à ce poste ? reprit-elle.

— C'était le cas jusqu'à présent, confirma-t-il. Mais Shea est un homme droit, à défaut d'être énergique. Je crois qu'il s'en sortira si on le motive suffisamment.

Francesca admirait profondément Bragg, et elle regretta une fois de plus qu'il ne soit pas libre.

Il dut le sentir, car il ne détourna pas les yeux, et durant les longues secondes qui suivirent, l'espace entre eux se rétrécit, se chargea d'électricité. Si seulement les circonstances étaient différentes! S'il n'avait pas cédé à une impulsion de très jeune homme en s'éprenant de Leigh Anne! Il l'avait épousée sans vraiment la connaître, mais à cela, on ne pouvait plus rien.

Il se leva abruptement, comme pour mettre de la distance entre eux. Francesca ne bougea pas. Cela lui paraissait soudain si évident – elle voulait plus que de l'amitié. Elle en fut terrifiée. Elle devait *à tout prix* s'interdire ce genre de pensées!

— Vous avez raison, bien sûr. Je devrais renoncer aux enquêtes pour un temps.

Il se retourna, son regard chercha le sien. Il n'était pas du genre à s'en laisser conter, surtout avec elle.

— J'en serais très heureux, Francesca, dit-il doucement.

Il s'inquiétait pour elle, il n'aimait pas la savoir en danger, elle ne l'ignorait pas. Elle se leva enfin. Il était retourné derrière son bureau, et le meuble massif les séparait, désormais.

— Mais nous formons quand même une formidable équipe, ne put-elle s'empêcher de lui rappeler.

Il la contempla un instant, les poings sur les hanches, visiblement tendu. Elle remarqua une fois de plus la musculature de ses avant-bras.

— Nous formons une bonne équipe, reconnut-il.

Elle leva les yeux vers lui, toute rose de plaisir.

— Puis-je vous donner un conseil, Francesca?

— Bien sûr, Bragg, ce n'est même pas la peine de demander, répondit-elle, la main crispée sur son réticule.

— Concentrez-vous sur vos études pour l'instant. Si peu de femmes obtiennent des diplômes universitaires. Je sais que les diverses enquêtes vous ont pris beaucoup de temps, mais c'est peut-être le moment de penser à vous, et d'apaiser vos parents… Ainsi, je n'aurai pas à parcourir la ville en tous sens afin de vous retrouver, ajouta-t-il avec un sourire.

— Mais j'aime tellement parcourir la ville avec vous ! répliqua-t-elle.

Il ne souriait plus.

— Moi aussi. Voilà, je l'ai avoué. Vous êtes exceptionnelle, et travailler avec vous a été une expérience unique, excessivement agréable. Mais, je vous le répète, le danger qui va de pair avec ce métier est trop important pour une femme, y compris vous, Francesca. Heureusement, les femmes ne travaillent pas dans la police, sinon parfois en tant que secrétaires.

Theodore Roosevelt en avait engagé une, naguère.

— Je vais me concentrer sur mes études, déclara-t-elle. Vu mon retard, je n'ai pas le choix. Vous avez gagné, Bragg. À partir de maintenant, j'ai l'intention de me comporter comme une jeune fille convenable.

Il sourit.

— Nous verrons combien de temps cela durera ! Vous voulez parier ?

— Bragg ! s'indigna-t-elle en riant. Vous essayez de me corrompre !

— On dirait, oui.

— Un dollar ? Non, attendez, j'ai une meilleure idée.

Il plissa les yeux.

— Allez-y…

Elle avala sa salive, se refusant à analyser ses motivations.

— Accompagnez-moi au nouveau spectacle du *Waldheim Theatre*.

Il parut légèrement surpris, mais se reprit bien vite.

— D'accord. Je vous donne, disons… deux semaines.

— Entendu ! acquiesça-t-elle. Je me consacre à mes études jusqu'à la fin du mois.

— C'est ce que nous verrons ! ironisa-t-il.

Il fallait qu'elle tienne bon ! Il allait l'accompagner au théâtre, et peut-être souperaient-ils ensuite. Il porterait un smoking, et elle sa nouvelle robe rouge. Ce serait une magnifique soirée, même s'ils étaient simplement amis. Ils pourraient même danser, un peu plus tard…

— Francesca?

Le ton était un peu dur, comme s'il avait lu dans ses pensées.

Elle se rendit compte qu'elle devait avoir l'air rêveuse, et se mordit la lèvre. Ils demeurèrent ainsi, sans bouger, les yeux dans les yeux. Devinait-il la profondeur de ses sentiments? Au cours des semaines passées, elle était devenue une femme, une femme consciente de ce que signifiait le désir, de la différence entre le besoin et le simple désir. Elle le voulait comme amant, physiquement, mais plus encore, elle avait besoin de lui comme ami, en tant qu'homme.

Naturellement, ils ne seraient jamais amants. Et elle ne pourrait pas non plus songer à lui comme à un banal ami.

Il se détourna enfin, et feuilleta distraitement un dossier. Le silence était pesant, à présent, et chargé de tension. Peut-être avait-elle eu tort de venir à l'improviste, finalement. Mais si elle ne l'avait pas fait, ils n'auraient pas engagé ce pari… qu'elle avait bien l'intention de gagner. Le jour viendrait-il où il lui serait plus facile de le voir, de l'aimer, et de rester seulement son amie? Soudain, elle eut peur. Car elle sut qu'elle n'y parviendrait jamais.

— Bien, fit-il en lui lançant un regard de biais. J'apprécie votre compagnie, mais je dois me remettre au travail.

— Et moi, je dois rentrer à la maison pour étudier, rétorqua-t-elle d'une voix un peu voilée.

Il alla chercher son manteau et l'aida à l'enfiler. Francesca était intensément consciente de ses mains sur elle. Il l'accompagna jusqu'à la porte qu'il n'ouvrit pas.

Elle se rappela leur conversation sur les marches du *Plaza*, et ne put s'empêcher de demander doucement:

— Regrettez-vous ce que vous m'avez dit l'autre jour ?

Il hésita fugitivement.

— Non.

Elle s'épanouit intérieurement, mais s'efforça de conserver une expression aussi neutre que possible.

— Moi non plus, Bragg.

Il hocha la tête un peu brusquement, et elle sortit.

— Tu as de la visite, Francesca.

Francesca venait juste de remettre son manteau, son manchon et ses gants à un domestique. Elle se tourna vers sa mère, inquiète.

La voix de Julia était sèche, son attitude nettement réprobatrice. Blonde, les yeux bleus, les traits fins, elle rappelait ses filles en plus âgée. À plus de quarante ans, c'était une belle femme que beaucoup d'hommes contemplaient avec une discrète convoitise.

— Bonjour, maman, la salua Francesca avec nervosité

Sa mère avait lu le *Sun*, elle en aurait mis sa main au feu.

Avant que celle-ci ait le temps de répondre, Andrew apparut en haut de l'escalier, en veste de smoking blanche. Dès qu'il aperçut sa fille, son visage se ferma.

— Je vais vous expliquer, murmura Francesca.

— Que vas-tu expliquer ? demanda Andrew en les rejoignant, sa femme et elle. Que tu as fait la première page du *Sun* ? Qu'une fois de plus, tu t'es fourrée dans une histoire incroyablement dangereuse ? Qui ne regardait, me semble-t-il, que la police ?

Francesca prit une profonde inspiration, ne sachant trop par où commencer.

— Je suis effondrée, enchaîna sa mère. Effondrée que ma fille ait affronté un tueur et se soit mise en danger. Cela ne peut plus durer, Francesca. Tu as dépassé les bornes.

Julia fit signe au domestique qui attendait avec un superbe manteau de zibeline. Ce dernier vint le lui poser sur les épaules.

— Je commence à me demander si ma brillante fille n'a pas tout bonnement perdu l'esprit, renchérit Andrew.

Francesca tressaillit. Jamais son père ne lui parlait sur ce ton.

— J'ai beaucoup aidé la police, souffla-t-elle.

— Tu t'es immiscée dans les affaires de la police depuis l'arrivée de Bragg, corrigea Julia. Tu me crois aveugle ? Je vois très bien ce qui se passe.

— Il ne se passe rien du tout, protesta faiblement Francesca en jetant un bref coup d'œil à son père.

Il savait que Bragg était marié, songea-t-elle tout à coup. Et il ne lui en avait rien dit. Pour quelle raison ?

— Nous sortons, mais nous reparlerons de tout cela demain matin, Francesca, l'avertit sévèrement sa mère.

Tandis qu'il enfilait son manteau, Andrew la regarda d'un air si sombre que Francesca comprit qu'elle était en fort mauvaise posture. Elle ne fut pas soulagée lorsque ses parents quittèrent la maison. Mais que diable pouvaient-ils faire ? Elle était adulte, tout de même !

Elle s'efforça de se détendre, et se tourna vers Bette qui lui tendait une carte délicatement gravée sur un plateau d'argent. Elle la parcourut, curieuse. Elle ne croyait pas connaître cette Mme Lincoln Stuart.

Elle remercia Bette, et se dirigea vers le petit salon.

C'était une pièce intime, joliment décorée. Les murs étaient peints en jaune pâle, et les tissus se déclinaient dans toutes les teintes de jaune et d'or, avec quelques pointes de bleu marine et de rouge.

Mme Lincoln Stuart était assise sur un sofa. Elle se leva à l'entrée de Francesca.

Un peu plus âgée que celle-ci, elle était plutôt banale, en apparence. En revanche, sa chevelure bouclée couleur châtaigne était superbe ; on ne pouvait pas ne pas la remarquer. Vêtue d'un élégant tailleur vert, elle portait au doigt un gros diamant jaune. Son mari était de toute évidence fortuné. Et elle était visiblement bouleversée.

— J'espère que vous ne m'en voudrez pas de me présenter ainsi chez vous, mademoiselle Cahill, dit-elle d'une voix légèrement enrouée.

Son regard exprimait une profonde inquiétude.

Francesca lui sourit avec chaleur.

— Mais pas du tout, assura-t-elle, avant d'ajouter: Nous sommes-nous déjà rencontrées?

— Non, mais un jeune garçon m'a remis ceci, l'autre jour.

Mme Stuart lui tendit une carte de visite.

Francesca la reconnut aussitôt, naturellement. Elle avait fait imprimer ces cartes chez *Tiffany*, après l'affaire Burton.

Francesca Cahill
Détective privé d'exception
810 Cinquième Avenue, New York
Accepte toutes les affaires

— Il s'agit sans doute de mon assistant, Joel Kennedy, dit Francesca, ravie.

Elle lui avait récemment confié la tâche de lui trouver des affaires. Mme Stuart était-elle une cliente potentielle? Elle en avait le cœur battant d'anticipation.

— Je ne connais pas le nom de ce garçon. Mais je suis terrorisée, et je n'ai personne vers qui me tourner, avoua Mme Stuart.

Elle avait de grands yeux verts. Sa beauté n'était pas de celles qui frappent dès l'abord, mais elle était bien réelle, songea Francesca. Et la jeune femme semblait au bord des larmes.

— Asseyez-vous. Je vais sûrement pouvoir vous aider, quel que soit votre problème…

De toute évidence, Mme Stuart était là en tant que cliente… Son deuxième cas officiel!

La jeune femme sortit de son réticule un mouchoir assorti à son ensemble.

— Appelez-moi Lydia, je vous en prie. J'ai lu l'article du *Sun*, mademoiselle Cahill. Vous êtes une héroïne, et quand je me suis rendu compte qu'il s'agissait de la même personne que celle mentionnée sur la carte, j'ai su que c'était vous que je devais voir.

— Je ne suis pas une héroïne, Lydia, dit Francesca, qui avait du mal à contenir son excitation. Excusez-moi...

Elle s'empressa d'aller fermer la porte afin que personne ne risque de surprendre leur conversation. Elle ne songeait plus du tout à cesser ses enquêtes policières ! Ne fût-ce que provisoirement. En fait, elle ne pensait même plus à ses études. Elle revint en hâte vers sa visiteuse – sa cliente ? Jusque-là, elle avait offert ses services gratuitement. Une personne qui la paierait ferait d'elle une vraie professionnelle.

Avec un faible sourire, Lydia lui tendit un morceau de papier où étaient inscrits un nom, *Rebecca Hopper*, et une adresse : *40 Est, 30e Rue.*

— De quoi s'agit-il ? s'enquit Francesca.

L'expression de Lydia changea, exprimant le plus profond dégoût.

— Mme Hopper est veuve, et c'est là qu'elle habite. Je soupçonne mon mari d'avoir une aventure avec elle, mais je veux connaître la vérité.

Francesca écoutait en silence.

— Je suis certaine qu'il y sera ce soir, poursuivit Mme Stuart. Il a prétendu qu'il travaillerait tard et ne rentrerait pas dîner.

Mme Hopper habitait une demeure d'angle. Toutes les fenêtres du rez-de-chaussée étaient allumées, une seule à l'étage.

Cela faisait des années que Francesca n'avait pas grimpé à un arbre, et elle regrettait amèrement de ne pas être allée chercher Joel. Il lui aurait été bien utile.

Le souffle court, les mains gelées, car elle avait ôté ses gants, elle chercha un trou où poser le pied dans l'énorme arbre qu'elle escaladait, collée au tronc.

Elle avait décidé de prendre le problème à bras-le-corps. Il était 21 heures, et après un rapide examen des lieux, elle en avait déduit qu'en grimpant à ce grand arbre, elle avait toutes les chances d'épier directement les amants. En fait, si Lydia avait raison, l'affaire serait résolue avant même d'avoir commencé.

Francesca avait atteint la branche maîtresse, et elle s'y accrocha des deux bras, une jambe passée par-dessus. Sa jupe la gênait, mais elle n'avait pas pensé à s'habiller en homme, car elle n'imaginait certes pas qu'elle serait contrainte à de telles acrobaties ! Au prix d'un énorme effort, elle passa l'autre jambe sur la branche et s'y agrippa. Puis elle baissa les yeux.

Vu d'en bas, l'arbre ne lui avait pas paru aussi immense. À présent, la joue contre l'écorce rugueuse, les paumes à vif, le sol lui paraissait bien éloigné.

Si elle lâchait prise, elle tomberait sur la neige durcie par le gel. Elle se casserait certainement un membre ou, pire, le cou !

Mais il n'était pas question qu'elle laisse sa couardise prendre le dessus ! Elle se redressa avec précaution. Lorsqu'elle fut à califourchon sur la branche, elle respira un peu mieux. Elle était en bonne voie !

Hélas, elle découvrit qu'il lui faudrait se mettre debout si elle voulait voir ce qui se passait dans la chambre.

Elle s'aperçut dans la foulée qu'elle était tournée du mauvais côté, le tronc de l'arbre derrière elle. Seigneur, cela devenait par trop dangereux !

Elle ne pouvait voir la chambre, et elle courait un grand risque si elle essayait de se retourner. Alors, que faire ?

Elle n'avait pas le choix. Il fallait qu'elle se retourne. Il le fallait. Parce que Mme Stuart était sa première véritable cliente.

Elle leva la jambe droite et se retrouva assise sur la branche, les deux jambes pendant dans le vide du même côté. Situation pour le moins précaire ! Maintenant, il fallait qu'elle se retourne, mais elle n'osait pas bouger.

Ce fut alors qu'elle perdit l'équilibre.

Elle poussa un cri en se sentant glisser, tenta d'attraper la branche dans sa chute, pensa un instant qu'elle avait réussi, mais ses mains lâchèrent, elle chuta dans le vide.

Elle crut sa dernière heure arrivée.

Elle se reçut sur l'épaule et le flanc, puis sa tête heurta le sol.

Elle remua avec précaution, histoire de s'assurer qu'elle était encore entière. La neige était moins gelée qu'elle ne l'avait redouté, et elle s'y était enfoncée. Elle bougea les doigts, les orteils, puis les mains, les jambes.

Et se pétrifia soudain.

Il lui semblait avoir touché quelque chose, sous la neige. Quelque chose de poisseux, et de solide ?

Elle s'assit en tremblant, baissa les yeux sur ses mains.

L'une était pâle dans la lumière de la lune, l'autre présentait des taches sombres.

Son cœur se mit à battre follement.

Elle frotta ses doigts les uns contre les autres. Seigneur, non !

Elle s'agenouilla en hâte et entreprit de creuser dans la neige. Un morceau de laine brune tachée de sang encore frais apparut.

Quelqu'un avait été récemment enterré sous la neige ! Cette personne était peut-être encore vivante !

Elle creusa frénétiquement, et finit par dégager un visage. Il s'agissait d'une femme. Les yeux bleus sans vie étaient vitreux, les traits, un masque de pure terreur. Ils lui semblèrent vaguement familiers. Puis elle vit sa gorge.

Elle se releva d'un bond et ne put retenir un hurlement. Dans la chair pâle, une croix ensanglantée avait été tracée.

Francesca cria aussi parce qu'elle avait reconnu la morte...

C'était la femme qui avait failli l'aborder deux jours auparavant, devant le *Plaza*. Celle qui s'était enfuie en courant.

2

Francesca essayait de se faire invisible, tâche pour le moins difficile! Deux agents de police gardaient le corps de la défunte, tandis que deux inspecteurs passaient la cour au peigne fin, à la recherche d'indices. Un fourgon supplémentaire descendait la rue, et la rutilante automobile de Bragg venait de se garer le long du trottoir.

Francesca était bouleversée. Il n'y avait pas d'erreur possible, la morte était bien la femme qui la regardait avec angoisse tandis qu'elle répondait aux questions des journalistes. Lorsqu'elle avait voulu s'approcher d'elle, l'inconnue avait fait volte-face et s'était enfuie. Elle avait failli être renversée par un fiacre.

Francesca ferma les yeux, oppressée. Seigneur, si elles s'étaient parlé, cette femme serait peut-être encore en vie!

En entendant la portière de la voiture de Bragg claquer, elle s'efforça de se ressaisir.

Après avoir découvert le corps, elle avait rapidement regardé autour d'elle, mais l'assassin avait pris soin d'effacer ses traces. Les seules empreintes de pas étaient les siennes. Sans perdre davantage de temps, elle était allée tambouriner à la porte de Mme Hopper – pour s'apercevoir qu'elle était au numéro 42, et que Mme Hopper habitait la maison voisine. Le couple qui vivait dans la demeure qu'elle avait épiée avait aussitôt envoyé un domestique prévenir la police. Plutôt que d'attendre avec eux à l'intérieur, Francesca était ressortie et avait longé la rue à la recherche de l'arme du crime – Bragg lui avait dit un jour qu'on la trouvait en général non loin de la victime.

Pour l'instant, elle le regardait approcher, le souffle court. Et cela ne devait rien à la joie de le revoir…

Elle ne savait pas ce qu'il faisait là, mais elle le devina. Murphy, l'un des inspecteurs, la connaissait. Après lui avoir posé quelques questions, il lui avait demandé de ne pas quitter les lieux. Il avait certainement averti Bragg de sa présence.

Leurs regards se croisèrent par-dessus le champ de neige ensanglanté. Tête nue, son manteau sombre ouvert, il marcha droit vers le corps. Il s'agenouilla tout en parlant à Murphy. Francesca aurait aimé entendre leurs échanges.

Elle craignait qu'il ne soit furieux en la trouvant une fois de plus sur une scène de crime. Ce n'était pourtant pas sa faute, tenta-t-elle de se persuader. Il n'empêche qu'elle se sentait coupable.

Il se releva enfin, sans prendre la peine d'épousseter la neige sur ses genoux, et s'approcha d'elle. Elle ne parvint pas à lui sourire.

— Étrange de vous rencontrer ici, dit-elle d'une voix crispée.

— Je suis sous le choc, dit-il sans un sourire, le regard dangereusement brillant.

— Ce n'est pas ce que vous pensez, Bragg…

— Avez-vous, oui ou non, découvert le cadavre ? coupa-t-il.

Elle releva le menton.

— Je l'ai découvert.

— Dites-moi que ce n'est pas vrai ! C'est tout simplement inacceptable, Francesca ! Il y a *une semaine*, je vous ai trouvée avec un autre cadavre. L'auriez-vous déjà oublié ?

— Bragg, je vous en prie, murmura-t-elle en lui effleurant la main. C'était différent ! Mlle de Labouche m'avait engagée pour l'aider à se débarrasser du corps. Alors que je suis littéralement *tombée* sur celui-ci par pur hasard.

Elle se rendit compte qu'elle tremblait.

— Vous êtes « tombée » sur le corps ? répéta-t-il, incrédule.

Elle acquiesça et leva les yeux vers l'arbre.

— J'étais là-haut.

— Dans l'arbre ?

Il était de plus en plus stupéfait.

Elle hocha la tête.

— J'ai eu de la chance de ne pas me rompre le cou, observa-t-elle.

Elle obtint le résultat escompté.

— Vous allez bien ? s'inquiéta-t-il aussitôt.

Elle lui montra ses mains écorchées en guise de réponse.

Il les prit dans les siennes, les lâcha.

— Je vois que je vais encore être obligé de vous poursuivre à travers la ville, Francesca. Que faisiez-vous dans cet arbre ? Non, laissez-moi deviner. Vous êtes sur une nouvelle affaire.

Sa colère était visible. Mais elle avait complètement oublié leur pari… qu'elle avait perdu. Contrariée, elle contemplait son beau visage en imaginant la soirée au théâtre, le souper, la danse, qu'ils ne partageraient pas.

— Vous avez un nouveau client, reprit-il, l'air sombre.

Elle acquiesça lentement.

— Oui. Mais il y a autre chose…

— Je vous avais donné deux semaines, coupa-t-il, les dents serrées. Cela ressemble plutôt à deux heures, Francesca.

— En effet. Bragg…

— Qui a eu besoin de vos services, et que faisiez-vous dans cet arbre ?

Elle ouvrit la bouche pour répondre, se ravisa.

— C'est confidentiel.

Il eut un sourire mauvais.

— Qui a eu besoin de vos services, et que faisiez-vous dans cet arbre ? répéta-t-il durement.

Elle ne jugea pas prudent de s'entêter.

— Mme Lincoln Stuart soupçonne son époux de la tromper. J'espionnais cet homme. Sauf que… je n'étais pas dans le bon arbre. La supposée maîtresse du mari habite le numéro 40, pas le 42.

— Vous biaisez, Francesca.

— C'est vrai, reconnut-elle. Je connais la victime, Bragg.

Il écarquilla les yeux.

— *Quoi ?*

Elle avala sa salive.

— La femme qui a failli être renversée devant le *Plaza*. C'est elle, Bragg. Je vous ai dit qu'elle voulait me parler, qu'elle avait des ennuis, mais vous ne m'avez pas crue !

Les larmes lui montaient aux yeux, et il lui passa le bras autour des épaules. Elle se laissa aller contre lui.

— C'est ma faute, murmura-t-elle. Si j'avais…

— Vous êtes sûre ? Cette femme est bien celle qui se trouvait devant le *Plaza* ?

Elle hocha la tête en s'accrochant à lui.

— Je l'ai plaquée au sol afin qu'elle ne passe pas sous les roues du fiacre, Bragg. J'étais couchée sur elle, j'ai vu son visage de près. Je suis sûre de moi, tout à fait sûre, et si j'avais insisté, elle serait peut-être encore en vie !

— Non ! Vous n'avez rien à vous reprocher, ce n'est pas votre faute, Francesca.

Il lui releva doucement le menton.

— Ne vous infligez pas ce poids, ajouta-t-il d'une voix pressante.

Elle baissa les yeux.

— Vous avez vu la croix sur sa gorge ? demanda-t-elle.

— Oui.

Il l'observait avec attention, et elle s'efforça de se reprendre. Il tourna alors les talons, et rejoignit les inspecteurs qui se tenaient près du cadavre. Ils étaient quatre, à présent. Francesca reconnut le plus petit, l'inspecteur Newman. Malheureuse, elle suivit Bragg.

— Je veux qu'on la conduise à la morgue en prenant toutes les précautions possibles. Qu'on ne déplace même pas ses mains. Et avant cela, il faut la photographier.

— La photographier ? s'étonna Murphy, un colosse au gros ventre.

— Oui. Laissez deux hommes pour monter la garde près d'elle en attendant que le soleil se lève. Et trouvez-moi un photographe. Je veux les photos de la victime exactement comme elle est maintenant, comme elle a été trouvée. Qu'on ne lui ferme même pas les yeux.

Les inspecteurs échangèrent un coup d'œil. Le préfet n'avait pas tous ses esprits !

Francesca était déconcertée par sa requête, elle aussi, mais elle devait admettre que ce n'était pas une mauvaise idée.

— Que l'on mette un cordon de sécurité autour de cette cour, ordonna Bragg. Et qu'on l'examine de fond en comble. Je veux l'arme du crime cette nuit, ainsi que tous les indices qu'aurait pu laisser l'assassin.

— Du genre ? demanda Murphy.

— Un lambeau de tissu. Une allumette. Une pièce de monnaie. Je veux que vous m'apportiez tout ce que vous trouverez dans la cour, que cela vous semble appartenir au meurtrier ou non.

Francesca s'interrogeait. Pourquoi Bragg se chargeait-il de cette enquête ? N'avait-il pas assez de travail comme cela ?

Elle était inquiète, et soupçonneuse. Il se tramait quelque chose de plus important qu'il n'y paraissait, mais quoi ?

— Je vous demande pardon, monsieur, intervint un inspecteur, il y a bien trente centimètres de neige dans cette cour. Comment… ?

— Tamisez-la comme de la farine, l'interrompit Bragg avant de se tourner vers Francesca. Mademoiselle Cahill ? Je vous raccompagne.

Elle se hâta d'obtempérer, et ils se dirigèrent ensemble vers son automobile.

— Avez-vous beaucoup chamboulé la scène du crime ? s'enquit-il.

— J'ai déterré le corps, et j'ai un peu marché autour.

Il s'arrêta, se retourna.

— Murphy !

— Oui, monsieur ?

— Envoyez un agent à la résidence des Cahill. Il rapportera les souliers que Mlle Cahill porte en ce moment. Avant de pelleter la neige, vérifiez toutes les empreintes de pas. Avec les chaussures de Mlle Cahill, vous saurez lesquelles sont les siennes.

— Bien, monsieur.

L'inspecteur était pratiquement au garde-à-vous.

— Si vous découvrez d'autres empreintes – ce dont je doute –, faites-les dessiner. Peut-être un jour identifierons-nous notre tueur grâce à la taille de ses pieds.

— Bien, monsieur, répéta Murphy, visiblement fort impressionné.

— C'est tout, inspecteur. Nous allons devoir vous emprunter vos souliers, ajouta Bragg à l'intention de Francesca.

— Peu importe. Pourquoi ces photographies, Bragg ? demanda-t-elle, intriguée, tandis que, dans son esprit, des images de la jeune femme vivante se superposaient à celles de la morte.

Il lui ouvrit la portière du côté passager sans répondre.

— Bragg ? insista-t-elle.

Il soupira.

— Vous l'apprendrez tôt ou tard, je suppose. Je suis sûr que l'un des journalistes qui traînent en permanence au quartier général fera le rapprochement.

Elle se raidit.

— Quel rapprochement ?

— Ce n'est pas la première victime. Une autre jeune femme a été tuée exactement de la même manière, il y a un mois, juste après que je suis entré en fonction. En tout cas, les deux crimes semblent identiques.

— Il y avait une croix sur sa gorge ?

Elle en avait le cœur à l'envers.

— Oui. Et ses mains étaient aussi jointes sur la poitrine, comme si elle priait.

Cela, Francesca ne l'avait pas remarqué. Elle frissonna.

— C'est pourquoi vous avez demandé des photos ? Pour le cas où cela se reproduirait ?

— Oui. Au cas où notre tueur frapperait une troisième fois.

Elle le fixait.

— Nous avons affaire à un fou.

— On dirait, acquiesça-t-il.

La longue automobile ronronnait doucement. Francesca se tourna à demi afin d'observer Bragg, bien qu'elle n'eût pas intérêt à s'attarder. Ses parents rentraient toujours vers 23 heures, et il fallait qu'elle soit à la maison avant eux.

Bragg était demeuré silencieux et pensif durant le court trajet. Elle savait ce qui le tracassait.

Elle non plus ne pouvait oublier l'expression terrorisée de la malheureuse à la gorge mutilée, mais penser à elle vivante devant le *Plaza* était encore pire. Elle ferma les yeux, l'horrible vision refusa de disparaître.

Pourquoi n'avait-elle pas insisté ? Pourquoi l'avait-elle laissée s'enfuir ?

— Je ne veux pas que vous vous mêliez de cette affaire, Francesca, déclara Bragg d'un ton grave.

— Bragg...

Elle était déjà impliquée, ne s'en rendait-il pas compte ?

— Il s'agit d'un dément. C'est autrement plus dangereux que l'enlèvement du petit Burton ou le meurtre de Randall.

Elle ravala sa réplique.

— Très bien.

Qui était cette jeune femme ? De toute évidence, elle se sentait en danger, mais pourquoi le tueur l'avait-il choisie, elle ? Quelle relation y avait-il entre les deux victimes ?

— Vous avez une cliente, à présent, non ? reprit-il.

— Qui était la première victime ? demanda Francesca d'un ton déterminé.

— Francesca !

— Je suis curieuse, c'est tout, répondit-elle en croisant les doigts.

Elle détestait mentir, surtout à lui, mais un minuscule mensonge dans l'intérêt de la justice lui semblait acceptable.

— La curiosité est un vilain défaut, répliqua-t-il en sortant de la Daimler.

Il contourna la voiture afin d'aller lui ouvrir sa portière.

— Que je ne vous trouve pas sur mon chemin au cours de cette enquête !

Il était tout à fait sérieux, et peut-être avait-il raison ? Elle avait une cliente – et une réputation professionnelle à établir.

— Je vous le promets, dit-elle en souriant.

Comme elle descendait de voiture, elle glissa sur une plaque de verglas, et il la rattrapa de justesse.

Alors elle oublia tout, les meurtres, le tueur fou, tandis qu'ils demeuraient l'un contre l'autre, immobiles.

C'était si dur ! songea-t-elle en fixant la bouche de Bragg.

Il finit par la lâcher.

— Bonne nuit, Francesca.

— Bonne nuit, murmura-t-elle, le souffle court.

Il fit le tour de la voiture, ouvrit sa portière, et s'arrêta un instant avant de s'engouffrer à l'intérieur.

— Si vous êtes libre, j'ai des places pour samedi. Nous pourrions peut-être dîner ensuite.

— Pardon?

— Il se trouve que j'ai des billets pour *The Greatest World*, expliqua-t-il, avant d'esquisser un sourire.

Elle le lui rendit. Et l'espace d'un instant, la mort disparut pour laisser la place au rêve et à l'amour. Il avait déjà pris les billets pour le spectacle dont elle lui avait parlé!

— Bien sûr, je suis libre, Bragg. Et dîner ensuite serait merveilleux.

— Plus question de jouer au détective! lui rappela-t-il avant de monter dans la Daimler.

Elle se contenta de sourire.

Vendredi 7 février, midi

Francesca fut convoquée dans les appartements de sa mère à midi, ce qui ne la surprit pas, étant donné que celle-ci ne quittait jamais sa chambre le matin. Mais lorsqu'elle pénétra dans son boudoir, une vaste pièce aux murs ocre, ornée de tapis orientaux, elle découvrit son père, assis sur un sofa, ses lunettes perchées au bout du nez. Elle s'arrêta net.

Il leva les yeux, ôta lentement ses lunettes et annonça:

— Elle est là.

Qu'est-ce qu'il faisait à la maison? Pourquoi n'était-il pas à son bureau? Francesca l'avait délibérément évité ce matin-là en sautant le petit-déjeuner pour se précipiter à l'université.

Julia sortit de sa chambre, vêtue d'une somptueuse robe vert émeraude. Elle arborait une expression sévère.

— Où étais-tu ce matin, Francesca?

Elle n'hésita pas. Elle avait craint que sa mère ne lui demande où elle se trouvait la veille au soir.

— À la bibliothèque.

— Assieds-toi, ordonna Andrew.

Tandis qu'elle obéissait, il jeta un journal sur une table basse au plateau d'ivoire. Francesca frémit en reconnaissant le *Sun* de la veille.

— Tu n'imagines pas le choc que j'ai reçu en lisant cet article, déclara son père.

— J'ai failli en avoir une attaque ! renchérit Julia qui, toujours debout, fusillait sa fille du regard.

— Je peux tout vous expliquer.

— D'après ce journaliste, reprit Andrew avec un calme inquiétant, tu as maîtrisé la meurtrière *toi-même*, à l'aide d'une poêle à frire.

L'article ne précisait pas que cela s'était passé après que Mary et son frère, Bill Randall, l'avaient ligotée sur un lit. Elle n'en avait pas parlé aux reporters, sans doute par orgueil. Et bien lui en avait pris…

— Ce n'est pas aussi grave qu'il y paraît, assura-t-elle. Après avoir rencontré ce petit escroc, je me suis rendu compte qu'il ne pouvait pas être l'assassin, et que Bragg l'avait arrêté à tort. Alors je suis allée chez les Randall parce qu'il y avait certains éléments qui ne collaient pas. Franchement, j'essayais juste d'aider Bragg et de servir la justice. Je n'avais aucune intention d'affronter un tueur. À la vérité, jusqu'au dernier moment, j'ignorais de qui il s'agissait.

Elle devait faire très attention à ce qu'elle disait…

Andrew bondit sur ses pieds.

— Tu as aussi rencontré un escroc ? Il ne te suffisait pas de te rendre seule chez les Randall ? Mais enfin, Francesca, que t'est-il passé par la tête ?

— Je n'imaginais pas affronter un assassin, répéta-t-elle. Je voulais simplement aider…

Andrew était l'homme le plus courtois de la terre, mais il lui coupa la parole, rouge d'indignation :

— Je ne le supporterai pas ! Je ne supporterai pas de voir ma fille sillonner la ville à la recherche de bandits et de meurtriers. C'est le travail de la police, Francesca.

Tu dois absolument cesser ce genre d'activité. En fait, je te l'ordonne.

— Je ne suis plus une enfant ! protesta-t-elle. Vous ne pouvez pas me traiter comme si je l'étais. D'autant qu'il ne m'est rien arrivé, finalement.

Elle lança un coup d'œil à sa mère.

— Jamais je n'ai été aussi furieuse, assura celle-ci.

Francesca avait le cœur lourd.

— J'ai consacré ma vie aux malheureux, répliqua-t-elle. Comment aurais-je pu ne pas me rendre utile dans cette affaire ? J'ai résolu l'énigme, j'ai démasqué la coupable.

— Le pire, c'est que je te comprends mieux que personne, poursuivit Julia sans l'écouter. Tu me prends pour une sotte, Francesca ? Je sais que tu es aussi passionnée que déterminée. Tu as décidé, je crois, que tu étais un genre de détective. Et tu t'es jetée à corps perdu dans cette nouvelle passion, comme tu l'as fait pour la réforme. Oh, je te connais !

Francesca ne pouvait détacher son regard de celui de sa mère. Oui, Julia la comprenait, et rien n'en sortirait de bon !

— Moi, ce que j'ai compris, intervint Andrew en élevant la voix, c'est que tu as caché le journal afin que ta mère et moi ne puissions pas le lire. Donc, à présent, tu nous dissimules des choses, tu nous trompes ? Tu nous *mens* ?

— Papa ! Je ne mens pas, vous le savez ! s'insurgea Francesca.

Pourtant, d'une certaine manière, son père avait raison. Elle était devenue une adepte de la tromperie et de la dissimulation parce que c'était indispensable dans sa nouvelle profession. Dieu merci, ils n'avaient pas vu ses cartes de visite !

— J'ai peut-être passé certains faits sous silence, de temps à autre, mais uniquement pour ne pas vous inquiéter. Mes intentions étaient bonnes. Je voulais aider, pas heurter qui que ce soit.

Andrew la fixait d'un air sombre.

— Je vous l'avais bien dit, Andrew, qu'elle réagirait ainsi, commenta Julia, les bras croisés.

— Ta mère a raison, dit-il, il est grand temps de te trouver un mari.

Francesca eut l'impression que son univers basculait. Elle fixa son père, atterrée. Sur ce sujet – qu'elle reste célibataire, bas-bleu et réformatrice –, il l'avait toujours soutenue. En fait, jusqu'à présent, il ne s'était pas montré pressé de la voir mariée. Au point qu'elle le soupçonnait de ne pas souhaiter qu'elle quitte la maison.

— Vous ne le pensez pas vraiment, papa, articulat-elle.

— Si, il le pense, intervint sa mère. Nous avons passé la moitié de la nuit à parler de toi. Je ne supporterai pas que ma fille traîne dans les bas-fonds à pourchasser des voyous et des assassins.

— Un homme, le bon, pourrait avoir un effet apaisant sur toi, Francesca, renchérit Andrew. Depuis que Bragg a été nommé préfet de police, depuis qu'il est arrivé en ville, tu joues les détectives.

Francesca était pétrifiée. Un seul homme lui conviendrait jamais, et c'était Bragg. Elle n'épouserait personne d'autre.

— Vous ne pouvez tout de même pas tenir Bragg pour responsable ! protesta-t-elle. Il n'a rien à voir avec tout ceci, maman. En fait, il a essayé je ne sais combien de fois de me dissuader de me mêler d'affaires criminelles.

— Je ne suis pas aveugle, Francesca, répondit Julia, quelque peu radoucie.

Francesca sentit le désespoir l'envahir, aussitôt suivi par la peur. Que voulait dire sa mère ? Avait-elle deviné qu'elle éprouvait des sentiments pour le préfet ?

— Nous sommes amis, c'est tout, crut-elle bon de préciser.

— Et il ne doit rien y avoir d'autre. Andrew m'a récemment appris qu'il était marié. Quoi qu'il en soit, je vais me mettre sérieusement à la recherche d'un époux qui te convienne.

Incrédule, Francesca se tourna vers son père.

— Vous ne pouvez pas être d'accord, papa! De toute façon, on ne me traînera pas de force devant l'autel. Vous ne m'obligerez pas à me marier!

Francesca vit son père hésiter, et elle s'engouffra dans la brèche.

— Vous savez que je me marierai un jour, papa, mais il faudra que cet homme soit le bon. Or on ne peut pas faire surgir un tel homme comme par magie!

Sentant aussi que son mari cédait du terrain, Julia intervint:

— Je m'efforcerai de trouver le bon, Francesca. En attendant, plus d'enquêtes. Vous devriez parler à Bragg, ajouta-t-elle à l'adresse de son époux. Je suis certaine qu'il n'approuve pas du tout l'intervention de Francesca dans les affaires de la police. Dites-lui combien nous sommes inquiets.

— J'en ai bien l'intention, déclara Andrew.

Bragg et lui étaient tous deux des réformateurs passionnés, ils s'admiraient réciproquement et partageaient une solide amitié.

— Il ne savait rien, papa. Je ne lui avais pas dit où j'allais, et si je l'avais fait, il me l'aurait interdit. C'est la pure vérité!

Julia secoua la tête.

— J'ai un déjeuner. Je serai à la maison ce soir, et nous dînerons ensemble, déclara-t-elle, mettant un terme à la discussion.

Francesca aurait mis sa main à couper que sa mère resterait pour la surveiller.

Elle quitta la pièce, et Francesca se tourna vers son père.

— Ainsi, vous saviez, n'est-ce pas?

Il sursauta.

— Je savais quoi?

— Que Bragg était marié.

Elle avait du mal à ne pas laisser transparaître ses sentiments.

— Il te l'a dit ?

— Oui, répondit-elle calmement.

Il la scruta, visiblement soucieux.

— J'ai rencontré sa femme une fois, peu de temps après leur mariage, à Boston. Donc, oui, je savais qu'il était marié.

Francesca ferma les yeux, se rappelant le moment où Bragg lui avait révélé qu'il était marié à une femme qu'il n'avait pas vue depuis quatre ans, et qu'il n'aimait plus. À cet instant, ses rêves et ses espoirs avaient volé en éclats. Jamais elle n'oublierait ce qu'elle avait ressenti. Elle se ressaisit, risqua un petit sourire.

— Pourquoi ne m'en avez-vous pas parlé, papa ?

Il eut l'air surpris.

— L'aurais-je dû ? Vous vous connaissiez à peine, tous les deux. J'ignorais pourquoi son épouse n'était pas ici, avec lui. Je ne sais pourquoi, dans tous les articles sur Bragg, la presse n'a jamais fait allusion à elle. Mais un homme a droit à sa vie privée, et jamais je n'ai demandé à Rick ce qui n'allait pas. J'étais certain qu'il te traiterait avec respect, puisque tu es ma fille. Que s'est-il passé, en réalité ?

Francesca savait qu'elle devait s'exprimer avec la plus grande prudence.

— Nous sommes devenus amis pendant l'affaire Burton. Nous avons tellement de points communs ! Je ne me rappelle pas exactement quand ni pourquoi il m'a parlé de Leigh Anne, mais c'est une histoire tragique, et je crois, moi aussi, qu'un homme a droit à sa vie privée, aussi n'en dirai-je pas davantage.

— Vous avez en effet beaucoup en commun, et c'est bien dommage qu'il ne soit pas célibataire. Il serait parfait pour toi.

Andrew consulta sa montre de gousset.

— J'ai un déjeuner professionnel. Il faut que j'y aille. Sois raisonnable, Francesca, ajouta-t-il dans un sourire en lui déposant un baiser sur la joue.

De toute évidence, il faisait allusion aux risques qu'elle prenait dans ses enquêtes.

— Je vous promets d'essayer de me tenir à l'écart du danger, à l'avenir, dit-elle, et elle était sincère. Vous n'allez pas vraiment m'obliger à me marier, papa, n'est-ce pas? Vous avez dit cela sous le coup de la colère, non?

Il hésita.

— Je veux te voir heureuse, Francesca, tu le sais. Alors non, je ne te bousculerai pas pour que tu te maries. Cependant je suis de l'avis de ta mère, il serait sage de songer sérieusement à t'établir, ce qui signifie chercher un prétendant qui te convienne.

Francesca respira. Elle avait gagné un peu de temps, et son père commençait à se rendre à ses raisons. C'était déjà ça!

— Merci, papa.

— Bonne journée, ma fille!

Francesca le regarda quitter la pièce. Il ne tarderait pas à se ranger de son côté. Julia, en revanche, c'était une autre histoire! Maintenant qu'Evan était fiancé, elle allait consacrer toute son énergie à la quête d'un mari pour sa fille.

Francesca soupira.

Il faudrait la traîner de force devant l'autel! se promit-elle.

Sur cette image déplaisante, elle quitta à son tour le boudoir de sa mère.

Elle était à son secrétaire, penchée sur ses notes de biologie, quand Constance pénétra dans sa chambre. Cela tombait bien, car elle était incapable de se concentrer sur son travail. Ses pensées revenaient sans cesse à la jeune morte qu'elle avait découverte sous la neige. Si elle se sentait un peu moins coupable, sa résolution de trouver l'assassin s'était renforcée. Et elle songeait aussi à sa nouvelle cliente.

— Cela ne t'arrive jamais de frapper ? lança-t-elle néanmoins à sa sœur.

— La porte était ouverte, répliqua celle-ci gaiement. De quoi ai-je l'air ?

Francesca battit des paupières, déconcertée, car sa sœur était parfaite, comme toujours. Elle portait une robe rose pâle d'une élégance irréprochable, et ses yeux bleus scintillaient. À vrai dire, elle semblait tout à fait heureuse, ce qui enchanta Francesca. Peut-être n'avait-elle pas exagéré lorsqu'elle avait dit qu'il fallait oublier le passé. Peut-être que Neil et elle avaient vraiment fait la paix, et que tout était rentré dans l'ordre.

— Tu n'as jamais été aussi jolie, et je dois ajouter que tu me sembles d'excellente humeur !

— Je le suis, répondit Constance, joyeuse.

Elle pirouetta sur elle-même, et le sourire de Francesca disparut. Elle bondit sur ses pieds.

— Mon Dieu ! j'avais oublié ! Nous sommes vendredi... tu devais déjeuner avec Calder Hart.

Constance eut un petit sourire modeste.

— En effet. À 13 heures. Je suis simplement venue te demander si tu ne trouvais pas cette robe un peu trop collet monté, trop sage.

— Collet monté ? Sage ? répéta Francesca, éberluée.

— Eh bien, ce rose fait un peu virginal, non ?

— Tu as perdu l'esprit ? s'écria Francesca. Tu ne peux pas déjeuner avec lui !

Calder était un coureur de jupons notoire. Il n'essayait même pas de s'en défendre, au contraire, il s'en vantait plutôt ! Et il ne faisait aucun doute pour Francesca qu'il avait jeté son dévolu sur sa sœur. Les femmes mariées étaient ses proies préférées, il ne s'en cachait pas. En dépit du fait qu'il eût une maîtresse, et des relations avec deux ravissantes « sœurs » dans une maison close...

— Je peux et je le ferai, rétorqua Constance. Du reste, nous en avons déjà parlé. Alors, ai-je l'air trop sage ?

Elle se dirigea vers la coiffeuse, et étudia son reflet dans le miroir d'un air anxieux.

— Comment peux-tu te mettre en frais pour lui ? Et ton mari dans tout cela ? protesta Francesca en la rejoignant.

Leurs regards se croisèrent dans la glace.

— Hart est un ami, c'est tout, et je ne fais rien de mal, se défendit Constance en rougissant légèrement. Je sais que c'est un coureur, mais beaucoup de femmes mariées apprécient un flirt sans conséquence de temps à autre.

— Ce n'est pas ton genre, rétorqua Francesca.

— J'ai changé. Ses attentions me plaisent. À t'entendre, on dirait que tu n'as pas confiance en moi, Francesca. Il ne s'agit que d'un déjeuner !

— Oh, Constance, j'ai confiance en toi. C'est de *lui* que je me méfie. Il a en tête de te séduire.

— Au cours d'un déjeuner ?

Sa sœur leva les yeux au ciel, mais s'empourpra davantage.

— Combien paries-tu qu'il te proposera une promenade ensuite ? Et dans sa voiture, je suis certaine qu'il passera à l'attaque.

— J'y vais avec mon propre coupé, objecta Constance.

— Alors, il t'invitera à aller admirer sa collection d'œuvres d'art !

— Je l'ai déjà vue.

Elles rougirent toutes deux à ce souvenir. La collection de Hart était plutôt scandaleuse. L'une des toiles de l'entrée était absolument sacrilège, et dans le grand salon trônait une femme nue en position non équivoque.

— Je suis sûre qu'il a encore des dizaines de tableaux à l'étage, dans ses appartements privés, marmonna Francesca.

Elle comptait bien avoir une conversation sérieuse avec Hart !

— Oh, je t'en prie ! Enfin peu importe, nous avons rendez-vous à 13 heures, je dois te laisser.

— N'y va pas, s'il te plaît, l'implora Francesca en la suivant dans le couloir. Je suis inquiète, Constance. Que se passera-t-il quand Neil l'apprendra ?

— Il s'agit seulement d'un déjeuner, lança Constance par-dessus son épaule tandis qu'elles descendaient l'escalier. Du reste, je n'ai pas l'intention de lui dire quoi que ce soit… puisqu'il n'y a rien à dire.

Francesca avait un mauvais pressentiment. Il ne sortirait rien de bon de ce flirt.

— Où le retrouves-tu ?

— Au *Sherry Netherland*, répondit Constance avant de se retourner brusquement. Pourquoi ?

— Je devrais peut-être vous chaperonner.

— Je ne pense pas. En fait, je crois me rappeler que tu l'as suggéré mardi dernier, et que Hart a fermement décliné ta proposition.

Les bras croisés, horriblement contrariée, Francesca regarda sa sœur descendre les dernières marches. Hart et Constance avaient outrageusement flirté, récemment, dans la salle à manger du *Plaza*. Francesca savait que Hart l'aimait bien, mais ce jour-là, c'était comme si elle n'existait pas.

Pourquoi ? Après tout, Constance et elle se ressemblaient énormément. Était-ce qu'il la trouvait trop sage ? Non qu'elle fût jalouse, absolument pas. Elle était amoureuse de Bragg.

Hart le savait, naturellement. Et Bragg demeurait son demi-frère, en dépit de la rivalité et de l'animosité qui régnait entre eux.

Francesca soupirait lorsque sa sœur l'appela :

— Francesca ! Mme Kennedy demande à te voir.

Étonnée, elle descendit en hâte, s'interrogeant sur la raison de cette visite inattendue. Maggie Kennedy n'aurait-elle pas dû être à son travail ?

En arrivant dans le grand hall orné de colonnes corinthiennes et de panneaux de marbre, Francesca reconnut avec plaisir la tête ébouriffée de Joel, mais son sourire s'évanouit lorsqu'elle vit que Maggie avait les yeux rouges et un mouchoir roulé en boule à la main.

Constance échangea un bref regard avec sa sœur, et s'éclipsa. Francesca se précipita vers Maggie.

— Que s'est-il passé, madame Kennedy ? Venez vous asseoir, je vous en prie.

— Merci.

Tout en les guidant vers le petit salon, Francesca interrogea Joel du regard.

Maggie se laissa tomber dans un fauteuil. Elle était au bord des larmes. Francesca s'agenouilla devant elle et lui prit les mains.

— Ce n'est pas une histoire de robes, j'imagine. Il est arrivé quelque chose de grave ?

Incapable de parler, Maggie hocha la tête.

Joel se tenait près d'elle. C'était un petit garçon mince dont le teint pâle contrastait de manière saisissante avec ses yeux noirs et sa tignasse sombre.

— Son amie a passé l'arme à gauche, lâcha-t-il brutalement. Plus froide qu'un bloc de glace.

— Mon Dieu ! souffla Francesca.

Maggie inspira à fond.

— Je suis désolée, mademoiselle Cahill.

— Francesca. Je vous en prie, ne le soyez pas.

— Je... je suis bouleversée, balbutia la couturière. Voyez-vous, je viens seulement d'apprendre... J'étais à l'atelier... Mary avait travaillé quelques mois chez Moe Levy, l'année dernière. C'est comme ça que nous nous sommes rencontrées.

Son visage se décomposa de nouveau. Francesca tira un petit fauteuil et s'assit.

— Reprenez tout depuis le début, suggéra-t-elle.

— Il faut que vous trouviez l'assassin, intervint Joel. C'était une gentille dame, et elle avait pas de mari, juste deux petites filles.

— Tu sais que je ferai de mon mieux.

Il hocha vigoureusement la tête.

— Je sais.

— Joel, murmura Maggie en tendant la main vers son fils.

Il s'en empara, et elle s'accrocha à sa petite main comme s'il était le plus fort des deux.

Francesca en eut le cœur serré d'émotion. Elle voulait un fils comme Joel, intelligent, loyal, et tellement adorable... Elle se raidit, stupéfaite. Jamais auparavant elle n'avait eu envie d'un enfant! Elle avait toujours supposé qu'elle en aurait un jour, naturellement, mais là c'était un désir intense, presque physique.

Or elle n'en aurait jamais. Parce que l'homme qu'elle aimait n'était pas libre, et qu'elle n'épouserait personne d'autre.

— La police est venue à l'atelier avec un portrait d'elle, commença Maggie, et elle parlait à voix si basse que Francesca dut se pencher pour l'entendre. Ils ont demandé si quelqu'un la reconnaissait, et je me suis aussitôt manifestée. Ils m'ont prise à part et ils m'ont posé des questions. Je me suis doutés qu'il s'était passé quelque chose d'horrible. Mais pas à ce point-là!

— Ils vous ont annoncé qu'elle était morte?

— Oui. Une femme a découvert son corps hier soir, enterré sous la neige. Ils n'ont pas voulu me dire comment elle était morte, juste qu'il s'agissait d'un crime.

Francesca en demeura muette. Seigneur! L'amie de Maggie était la femme qu'elle avait découverte la veille!

— Mademoiselle Cahill? s'inquiéta Maggie.

Francesca déglutit.

— Qui était-ce, Maggie?

— Elle s'appelait Mary O'Shaunessy, une jeune femme charmante. Elle avait deux filles de trois et six ans. Elle n'a jamais parlé de son mari, mais à mon avis, il les a quittées il y a longtemps. Elle était couturière, jusqu'à ce qu'elle se fasse engager comme camériste chez des particuliers, il y a quelques mois. Elle était tellement contente!

— Chez qui travaillait-elle ? Où habitait-elle ? Croyez-vous que ses voisins accepteront de me parler ? débita Francesca d'une traite. A-t-elle laissé entendre qu'elle se sentait en danger ?

— Jamais, mademoiselle Cahill. Et je ne me rappelle plus où elle travaillait, mais je suis certaine que l'un de ses voisins saura vous répondre. Ce sont des braves gens, ils vous parleront, mademoiselle Cahill.

— Je peux vous emmener chez elle, si vous voulez, proposa aussitôt Joel. Y a trop longtemps qu'on n'a pas travaillé sur une affaire.

Impulsivement, Francesca lui ébouriffa les cheveux.

— Tu as raison. Je ferai mon possible pour élucider ce meurtre, madame Kennedy, déclara-t-elle d'un ton résolu.

Maggie, qui s'était ressaisie, parut soulagée.

— Merci. Je savais que vous nous aideriez. C'est un acte abominable, mademoiselle Cahill. Mary était un rayon de soleil. Et ses pauvres petites…

Francesca lui tapotait affectueusement la main quand elle entendit la voix de son frère dans le hall. Apparemment, il demandait où elle se trouvait à un domestique. Il semblait d'excellente humeur, ce qui était une seconde nature chez lui.

Maggie se leva.

— Je dois retourner à l'atelier, sinon on va me renvoyer. Surtout qu'hier, déjà, je me suis absentée.

Francesca la raccompagna dans l'entrée.

— S'ils vous menacent de vous congédier, dites-le-moi, je parlerai à votre directeur.

Mary esquissa un sourire de remerciement.

La veste ouverte, la cravate dénouée, Evan s'approcha de sa démarche souple.

— Ah, te voilà ! lança-t-il à sa sœur. J'ai quelque chose à te demander.

Après avoir jeté un coup d'œil curieux à Joel et à sa mère, il glissa le bras autour des épaules de Francesca.

— Comment se porte la spécialiste de la poêle à frire?

— Ce n'est pas drôle! répliqua Francesca en se dégageant. Tu sembles diablement joyeux, aujourd'hui.

— J'ai passé hier une fort intéressante soirée, dit-il.

Il se tourna vers Maggie, les sourcils froncés.

— Bonjour, la salua-t-il. Ne nous sommes-nous pas déjà rencontrés?

Maggie baissa les yeux.

— Non.

— Evan, voici Mme Kennedy, et son fils, Joel. Mon frère, Evan.

— Ah, c'est lui qui sort avec Grace Conway, ajouta Joel, les yeux brillants d'admiration.

Grace Conway était comédienne. C'était aussi la maîtresse d'Evan, bien qu'il fût – à contrecœur – fiancé à Sarah Channing. Francesca n'avait jamais entendu parler d'elle avant de découvrir sa relation avec son frère, car Grace interprétait des vaudevilles dans des théâtres populaires. Mais de toute évidence, Joel connaissait la belle rousse, et Maggie aussi, à en juger par son air gêné.

Le silence se fit.

Evan avait légèrement rougi.

— Eh bien, dit-il, je vois que ton petit brigand d'ami est au courant de ma vie privée.

— Je suis désolée, murmura Francesca, mortifiée.

— Qu'est-ce que ça peut faire? fit Joel en regardant alternativement le frère et la sœur. Elle est belle, et on l'a vue au théâtre l'année dernière. Je l'oublierai jamais!

Evan le prit par le bras.

— Viens un peu avec moi, jeune homme.

Il l'entraîna à l'autre bout du hall et se pencha pour lui parler à l'oreille. Il n'y avait rien de brutal ou de désagréable dans son attitude, et Francesca retint un sourire. Joel, décontenancé, devint cramoisi.

— Je suis navrée, dit Francesca à Maggie.

— Moi aussi. Je ne voulais pas embarrasser votre frère. Je parlerai à Joel. Il ne connaît rien aux bonnes manières, mademoiselle Cahill, mais c'est ma faute.

Francesca éprouva une bouffée de sympathie pour la jeune femme.

— Certainement pas !

— Si. Je connais la différence entre votre milieu et le mien, mais je n'ai pas eu le temps d'enseigner les bonnes manières à Joel, et ça ne me paraissait pas si important... jusqu'à présent.

Elle jeta un coup d'œil à Evan qui revenait avec un Joel toujours écarlate.

— Pardonnez-nous, monsieur Cahill, dit-elle. Nous avons été parfaitement impolis.

Evan lui sourit, mais il semblait de nouveau un peu perplexe.

— Ne vous excusez pas. Lorsque l'on franchit certaines limites, il faut en affronter les conséquences, je suppose.

Évitant le regard d'Evan, Maggie se tourna vers son fils.

— Joel ? Nous devons partir.

— Vous allez bien, madame Kennedy ? s'enquit soudain Evan en tendant la main vers elle comme pour la retenir.

Elle l'évita telle une pouliche nerveuse.

— Je vais bien, murmura-t-elle sans le regarder. Merci encore, mademoiselle Cahill.

— Je ferai tout ce que je pourrai, promit Francesca. Puis-je garder Joel un peu ? Je veillerai à ce qu'il soit chez vous pour le dîner.

— Bien sûr.

— Je vous raccompagne, proposa aimablement Evan.

Maggie se contenta de hocher la tête, et elle le laissa l'escorter jusqu'à la porte qu'un valet lui ouvrit.

Evan revint vers sa sœur en hâte.

— Elle a pleuré ? demanda-t-il d'un air un peu soucieux.

Francesca hésita, puis répondit, après avoir lancé un regard d'avertissement à Joel :

— Elle vient de perdre une amie très chère.

— Je suis navré. Si j'avais su, je me serais montré plus aimable.

— Tu as été très aimable, le rassura Francesca.

Evan jeta un coup d'œil à la porte close.

— Je jurerais que nous nous sommes déjà rencontrés, murmura-t-il.

— J'en doute, Evan. Elle est couturière.

Il haussa les épaules.

— C'était peut-être à l'une des représentations de Grace.

— Peut-être. Alors, pourquoi me cherchais-tu ? J'allais sortir.

Il revint à elle.

— Ton ami le préfet a appelé. Il a demandé que Sarah et moi nous joignions à vous samedi soir, pour une sortie au théâtre.

Francesca le fixa sans répondre.

— Quelque chose m'échappe ? hasarda-t-il.

— Non, non, nous avions envisagé d'assister à ce nouveau spectacle musical qui a reçu des critiques si élogieuses. Il ne serait pas convenable que nous nous y rendions seuls, et, apparemment, Bragg a pensé que vous aimeriez peut-être venir aussi.

— J'ai accepté, parce que je ne voyais pas comment refuser courtoisement. Mais nous ne nous attarderons pas, si cela ne t'ennuie pas.

Francesca ne savait plus que penser. De toute évidence, Evan n'avait aucune envie de passer du temps avec sa fiancée. Et de façon tout aussi évidente, Bragg avait cherché à rendre l'événement parfaitement innocent en invitant un autre couple.

Elle se rendit compte qu'elle était affreusement déçue, alors qu'elle n'en avait pas le droit.

Elle s'ébroua, et se tourna vers Joel. C'était mieux ainsi. Elle avait été folle de rêver d'une soirée romantique. Et puis, elle avait bien d'autres soucis en tête.

— Que dirais-tu d'un rapide déjeuner avant d'aller interroger les voisins de Mary O'Shaunessy?

Cet enfant avait besoin de se remplumer un peu!

— Vous avez entendu mon estomac gargouiller? demanda-t-il avec un sourire épanoui.

— Non, mais je crois qu'il reste de la dinde rôtie *et* de la tarte aux pommes.

3

Vendredi 7 février, 14 heures

Comme leur fiacre descendait la Cinquième Avenue, Francesca avait été très tentée de s'arrêter au *Sherry Netherland*. En fait, elle avait reconnu l'élégant attelage de Hart garé non loin de l'établissement. Mais elle avait plus important à faire pour le moment.

Mary O'Shaunessy avait habité sur l'avenue C, à l'angle de la 4e Rue. Le quartier, surpeuplé et sinistre, n'était qu'une suite de bâtiments délabrés. Bien que l'on fût en plein jour, Francesca se sentait mal à l'aise. Elle n'aimait pas les individus louches qui traînaient aux coins de rues, et un groupe de gamins massés près d'un pilier lui flanqua la chair de poule. Ils ne jouaient pas aux cartes ni aux dés, non, ils se contentaient de lorgner les passants d'un air morne.

— Pardonne-moi si je me trompe, dit-elle après avoir payé leur course, mais est-ce que ce n'est pas un gang, Joel ?

Lui aussi semblait un peu inquiet.

— Les regardez surtout pas, lui conseilla-t-il à voix basse. Ouais, c'est les Mugheads. De vrais vicieux. Je pensais pas qu'ils seraient là de si bonne heure, m'dame. Dommage qu'on vous remarque tant !

Elle eut une pensée pour ses parents. Si elle était en danger, elle ne savait pas qui elle redouterait le plus des Mugheads ou d'eux. Joel avait accéléré le pas, et elle l'imita. Elle se retourna fugitivement, mais une grosse charrette s'était arrêtée devant le pilier, lui bouchant la vue. Il y avait très peu de circulation dans cette rue, nota-t-elle avec étonnement.

Puis elle se rendit compte que le quartier se composait principalement d'appartements – elle n'avait vu que deux tavernes et une épicerie –, et supposa que les gens étaient trop pauvres pour disposer de moyens de locomotion.

Comme elle jetait de nouveau un coup d'œil pardessus son épaule, elle s'aperçut que l'un des voyous la fixait sans vergogne. C'était un grand garçon roux, efflanqué, la casquette posée de biais sur le crâne. Il croisa son regard et sourit en donnant un coup de coude à son camarade.

— Les regardez pas ! siffla Joel.

À présent, les cinq garçons les dévisageaient ouvertement.

— On y est, annonça Joel en tirant un verrou rouillé.

La porte s'ouvrit en grinçant sur une petite entrée. Une odeur fétide les prit instantanément à la gorge.

— Elle vivait ici ? s'exclama Francesca, horrifiée.

— Les filles et elle partageaient une pièce avec deux autres familles. Dont les Jadvic.

— Des Polonais ? fit-elle en sortant un mouchoir de son réticule.

Elle le porta à son visage. De toute évidence, quelqu'un avait été récemment malade dans la cage d'escalier.

— Je crois, répondit Joel tandis qu'ils gravissaient les marches.

Arrivés sur le palier, il alla cogner à la première porte.

— Madame Jadvic ! cria-t-il. Vous êtes là ? C'est Joel Kennedy ! Madame Jadvic ?

Le battant s'entrouvrit sur une vieille femme à bajoues, vêtue d'une robe qui avait dû être jaune autrefois. Elle les considéra d'un air soupçonneux.

— C'est moi, Joel Kennedy, grand-mère Jadvic. Et une amie à moi, Mlle Cahill. On peut entrer ? Ça pue, dans le couloir !

Le visage de la femme s'adoucit, et elle ouvrit en grand.

Francesca pénétra dans une pièce meublée d'un fourneau, d'une table, de deux chaises branlantes et de cinq matelas. Sur quatre d'entre eux, des enfants d'âges divers jouaient avec des poupées de papier et un soldat de plomb. La plus jeune, une petite fille de deux ou trois ans, suçait une tétine. Une autre porte était partiellement ouverte, et Francesca aperçut un homme qui dormait, d'autres matelas, un petit bureau.

Elle avait déjà vu des appartements modestes, mais jamais aussi surpeuplés et inhumains que celui-ci.

Elle parvint néanmoins à sourire à la vieille femme.

— Bonjour, madame Jadvic. Je suis Francesca Cahill, se présenta-t-elle en tendant la main.

La Polonaise se contenta de la regarder.

— Qu'est-ce que vous voulez ? demanda-t-elle avec un fort accent slave.

Francesca désigna la petite fille blonde avec la tétine.

— Est-ce la fille de Mary O'Shaunessy ?

Avant que la vieille ne puisse répondre, la porte d'entrée s'ouvrit sur une femme en manteau marron. L'ourlet en était décousu, mais elle portait un foulard rouge tout neuf sur ses cheveux blonds, et son regard était vif. Elle haussa les sourcils.

— Joel ?

— Bonjour, madame Jadvic. Voilà Mlle Cahill, qui vient des beaux quartiers.

— Je vois ça, fit la jeune femme dont l'accent était moins prononcé que celui de sa belle-mère.

Francesca aurait été incapable de lui donner un âge. Vingt ans, trente, quarante ?

— Mlle Cahill est détective, expliqua Joel. Elle est là pour le meurtre de Mary. Pour trouver l'assassin.

Francesca avait sorti de son réticule une de ses cartes qu'elle tendit à Mme Jadvic. Celle-ci posa sur la table un sac en papier qui contenait des courses.

— Je sais pas lire, dit-elle.

— Je suis détective, madame Jadvic, répéta Francesca. Et Maggie Kennedy m'a demandé de l'aider. Elle veut savoir qui a tué Mary O'Shaunessy, et pourquoi.

Mme Jadvic se mordit la lèvre, et ses yeux s'emplirent de larmes.

— Ces deux petites sont à elle. On peut pas les garder. On peut vraiment pas.

Francesca regarda la gamine aux grands yeux bleus qui avait abandonné sa tétine. Puis elle se tourna vers l'autre, toute maigre, avec des cheveux d'un châtain terne et les mêmes yeux bleus. Elle se demanda si elle ne pourrait pas ramener ces enfants chez elle en attendant de les placer dans une famille d'accueil. Puis elle se rappela qu'elle était d'une certaine manière en période probatoire vis-à-vis de ses parents. Les petites devraient provisoirement trouver refuge dans un foyer, ou un orphelinat, comprit-elle avec un coup au cœur.

L'aînée dut deviner ses pensées, car elle s'empara de la main de sa sœur et la serra si fort que celle-ci laissa échapper un petit cri de protestation.

— Je vais leur trouver une maison, déclara Francesca en se tournant vers Mme Jadvic. Combien de temps pouvez-vous les garder chez vous ?

— Je n'ai pas de quoi les nourrir. Je n'arrive déjà pas à donner à manger aux miens, soupira Mme Jadvic. Avec Mary, c'était différent. Elle me remettait cinq dollars chaque semaine pour elles ; elle rentrait le samedi soir, puis elle retournait chez les Janson le lundi matin.

Francesca sortit son bloc-notes et écrivit : *Janson*.

— Connaissez-vous leur adresse ? demanda-t-elle.

— Ils habitent Madison Square, au 24, je crois.

C'était là que vivait Bragg, songea-t-elle en écrivant.

— Avez-vous…

Elle s'interrompit.

Bragg habitait Madison Square, dans une ravissante maison, avec son serviteur, Peter. Il disposait de plusieurs chambres à coucher. Oh, il serait sûrement furieux, mais ne pourrait-il garder les petites jusqu'à ce qu'elle trouve une solution ? Elle avait le cœur brisé à l'idée de les envoyer dans un orphelinat.

— M'dame ? fit Joel, intrigué.

Francesca s'humecta les lèvres.

— Madame Jadvic ? La police est-elle venue ici ?

— Oui, mais je n'étais pas là. Ils ont dit qu'ils repasseraient. Ma belle-mère leur a parlé des petites. Un des inspecteurs a promis d'envoyer des gens qui se chargeraient de les placer.

Comme des sacs de pommes de terre ! s'indigna Francesca.

— Nous n'avons pas beaucoup de temps, murmura-t-elle.

— Quoi ? intervint Joel.

— Pouvez-vous préparer les affaires des filles, madame Jadvic ? Je connais quelqu'un qui les accueillera provisoirement.

Elle s'approcha de l'aînée.

— Bonjour. Comment t'appelles-tu ? Moi, c'est Francesca. Ma nièce m'appelle taty Francesca.

L'enfant la considéra d'un regard soupçonneux et ne répondit pas.

— C'est Katie, et sa sœur s'appelle Dot, lança Joel.

Spontanément, Francesca caressa les cheveux de Katie, mais celle-ci recula, l'air sombre, hostile. Francesca sourit alors à Dot qui la gratifia à son tour d'un sourire à faire fondre un iceberg !

La jeune fille revint à Mme Jadvic.

— Mary semblait-elle inquiète, ces derniers temps ? Avait-elle le sentiment que sa vie était en danger ?

Mme Jadvic secoua la tête.

— Non. Elle était contente de son nouveau travail. Elle arrivait avec de la nourriture et des babioles pour les petites, et elle chantonnait souvent.

Francesca serra les poings. La vie pouvait être tellement injuste !

— Quand l'avez-vous vue pour la dernière fois ?

— Dimanche.

Donc, elle-même l'avait vue plus récemment, mardi dernier. Peut-être que dimanche Mary ne se sentait pas encore menacée.

— Et son époux ?

— Elle n'en parlait jamais… Je pense que les petites n'ont pas le même père.

Francesca hocha la tête en espérant qu'elle ne rougissait pas.

— Où Mary travaillait-elle, avant les Janson ? Combien de temps ? Et quand ?

— Elle travaillait dans un petit atelier avec quatre autres couturières, sur Broadway, sans doute du côté de la 18e Rue. Elle servait chez les Janson depuis cinq ou six semaines, moins de deux mois, en tout cas. Ils sauraient mieux vous le dire que moi.

La grand-mère avait déballé les provisions, qui consistaient en une miche de pain rassis, trois œufs, quelques pommes de terre germées et une tranche de bacon. Mme Jadvic prit deux manteaux à une patère ainsi que quelques écharpes, puis elle s'empara d'un petit sac de toile. Elle tendit le tout à Francesca.

— Il y a là-dedans de quoi les changer et leurs robes du dimanche. Mary était très pieuse.

Francesca remit le sac à Joel.

— Est-ce que quelqu'un d'autre était proche de Mary ? Quelqu'un à qui je pourrais parler ?

— Elle était très amie avec Maggie Kennedy. Vous pourriez aussi essayer quelques-unes de ses camarades à Broadway.

— C'est tout ?

— Il y a aussi son frère, répondit Mme Jadvic. Mike O'Donnell.

Francesca frappa au numéro 11, Madison Square. La porte s'ouvrit presque aussitôt sur Peter, un colosse de près de deux mètres. Blond, les yeux bleus, il avait tout du Suédois. Il parlait peu, mais Bragg affirmait que c'était toujours à bon escient. Totalement dévoué à son maître, il aurait fait n'importe quoi pour lui. La première fois que Francesca l'avait vu, elle l'avait pris pour un officier de police.

— Bonjour, Peter, le salua-t-elle, joviale.

Ce dernier hocha la tête, regarda les deux fillettes qui encadraient la visiteuse en suçant un sucre d'orge avec application, puis le fiacre qui attendait devant la maison, et enfin Joel, un sac de toile à la main.

— Il y a une urgence, Peter, enchaîna Francesca qui, prenant son courage à deux mains, le contourna pour pénétrer dans la maison. Ces deux petites filles n'ont plus de foyer. Je les aurais bien emmenées chez moi, mais j'ai quelques problèmes avec mes parents, en ce moment. De toute façon, je vais leur trouver une nouvelle maison – dans la semaine, je vous le promets. Mais en attendant, elles doivent rester ici. Je vous enverrai une gouvernante pour s'occuper d'elles.

Peter demeura impassible.

— Le préfet est-il au courant ?

— Je suis en route pour le quartier général, dit-elle vivement. Vous connaissez Bragg. Il ne jetterait pas ces deux innocentes à la rue. Je suis certaine qu'il les accueillera à bras ouverts.

— Appelez-le, s'il vous plaît, répondit Peter. Le téléphone est par là.

Il se dirigea vers le bureau, qui se trouvait juste avant le salon. Francesca lâcha la main des fillettes, ferma soigneusement la porte derrière elles et Joel, et rejoignit Peter.

Il était déjà dans le bureau et lui tendit l'appareil.

Comme elle s'en emparait, un flot de souvenirs la submergea, et elle demeura un instant immobile. La pièce ne contenait en tout et pour tout qu'une table de travail, une chaise et un gros fauteuil fatigué. Il y avait encore trois cartons de livres non déballés, remarqua-t-elle. La dernière fois qu'elle était venue ici, Bragg l'avait embrassée avec passion.

Le lendemain, il s'en était excusé, et lui avait révélé l'existence de Leigh Anne.

— Mademoiselle Cahill ?

Elle sursauta, tirée d'une rêverie à la fois doulou-reuse et douce. Elle reposa le combiné sur son socle.

— Bragg vous a-t-il parlé de la femme qui a été assas-sinée hier soir ?

Il acquiesça.

— Elle s'appelait Mary O'Shaunessy, et ce sont ses filles.

Si Peter fut surpris, il n'en montra rien.

— Je vais persuader Bragg de les garder, continua-t-elle. Environ une semaine. Mais je crois préférable de m'entretenir en tête à tête avec lui.

Peter ne cilla pas.

— Je vous en prie, Peter, murmura Francesca.

Il hocha enfin la tête, et elle crut le voir rougir tan-dis qu'il se détournait. Il sortit du bureau et retourna dans l'entrée où Dot faisait pipi par terre sous l'œil indifférent de sa sœur.

— Nous devons nous arrêter encore une fois avant le quartier général… et notre visite à Mike O'Donnell, annonça Francesca à Joel alors que le fiacre s'ébran-lait.

Elle n'en revenait pas ! Dot avait fait pipi par terre. Elle n'avait pas eu l'idée de demander où se trouvaient les toilettes. Elle en avait été horrifiée, alors que Peter n'avait pas eu un battement de cils. Il avait nettoyé les dégâts pendant qu'elle changeait la culotte de la petite.

Francesca pria pour que cela ne se reproduise pas. Elle doutait que Bragg fasse preuve du même flegme !

— Au *Sherry Netherland*, cocher, s'il vous plaît ! lança-t-elle.

— Pourquoi on va là-bas ? s'étonna Joel.

Francesca lui tapota la main. Il s'était enveloppé les mains de vieux chiffons afin de se protéger du froid, et elle décida de lui acheter une paire de gants, et d'offrir de nouveaux vêtements aux filles. Il fallait aussi qu'elle s'occupe de dénicher une gouvernante… Elle avait tant à faire que la tête lui tournait. Et la biologie ?

Elle avait promis de refaire le devoir sur le système digestif des mammifères qu'elle avait raté. Seigneur ! Une tâche de plus à noter sur son agenda.

— Ma sœur y déjeune, répondit-elle, et je dois la voir ; c'est urgent.

Il fallait absolument qu'elle sache ce qui se passait entre Hart et Constance.

— Il est 3 heures de l'après-midi, objecta Joel.

— Qu'un déjeuner dure deux heures n'a rien d'extraordinaire, assura Francesca. Je ne serais même pas étonnée qu'ils y soient encore dans une demi-heure.

Joel cligna des yeux, visiblement stupéfait.

— Vous mangez tant que ça, vous, les riches ?

Elle s'esclaffa.

— Ce n'est pas ça, Joel. Nous sortons déjeuner afin de rencontrer un ami, de bavarder, de passer un moment agréable. La nourriture est très secondaire.

Il la fixa, incrédule.

— Y a que les riches pour traiter un bon repas comme ça !

Elle ne pouvait que lui donner raison…

À quelle agence de placement allait-elle avoir recours pour trouver une gouvernante, se demanda-t-elle soudain. Et pourrait-elle en engager une à crédit ? Le métier de détective lui coûtait cher en fiacres et en pourboires. Et les allers et retours à Barnard n'arrangeaient pas les choses. En outre, elle s'était promis d'acheter un certain nombre d'accessoires indispensables à sa profession. Dont un petit revolver.

Elle soupira. Elle s'en occuperait dès le lendemain.

Un quart d'heure plus tard, le fiacre s'arrêtait devant le *Sherry Netherland*. Le cocher les ayant attendus lorsqu'ils étaient chez les Jadvic, le prix de la course se révéla exorbitant. Elle paya et descendit, Joel sur les talons. Les portiers la saluèrent, puis ils virent le garçon et lui barrèrent le passage.

Francesca leur offrit son plus beau sourire.

— Bonjour. Pouvons-nous entrer ?

— Pas de gamin des rues ici, dit l'un d'eux.

— Je vous demande pardon, je suis Francesca Cahill, la fille d'Andrew Cahill. Joel Kennedy est mon ami, et mon assistant, il vient avec moi.

Elle sortit l'une de ses cartes de visite qu'elle tendit au portier.

— À moins, poursuivit-elle, que je ne m'adresse au directeur de ce prestigieux établissement, où je dîne souvent avec mes parents ?

— Hé ! Vous êtes la jeune dame qui a pincé l'assassin de Randall ? demanda un autre chasseur.

Francesca acquiesça, à la fois surprise et fière.

— Joe, c'est elle qui a attrapé la meurtrière, avec une poêle à frire ou un truc de ce genre. C'était dans le journal !

Ils échangèrent un coup d'œil, et s'effacèrent devant elle.

— Toutes nos excuses, mademoiselle Cahill.

Tout à coup Francesca avait l'impression d'être un personnage important. Elle lança un regard étonné à Joel, puis tous deux pénétrèrent dans le luxueux hall de l'hôtel.

Elle se dirigeait vers le restaurant lorsque le maître d'hôtel s'approcha avec un sourire désolé.

— Je crains qu'il ne soit trop tard pour déjeuner, mademoiselle.

Francesca ne répondit pas. Seules trois tables étaient encore occupées, elle repéra donc aisément sa sœur et Hart.

Il lui avait pris la main, mais elle se dégagea en riant. Alors il se pencha en avant pour lui parler. Constance semblait troublée, émue.

Francesca ne parvenait pas à détourner les yeux du couple. Même de loin, Hart était le genre d'homme que les femmes remarquent. Bronzé, le cheveu sombre et épais, les épaules larges, il portait un costume noir et une chemise blanche.

Ce qui lui allait fort bien.

Comme s'il se sentait observé, il tourna la tête.

Malgré la distance, elle perçut sa surprise, puis sa satisfaction.

Il se leva sans la quitter des yeux.

Francesca s'adressa au maître d'hôtel.

— Ma sœur déjeune avec M. Hart. J'ai un message urgent à lui transmettre.

— Dans ce cas, allez-y, je vous en prie, dit-il aimablement.

Joel et Francesca entrèrent dans la vaste salle à manger.

Hart les attendait, debout. Quant à Constance, elle ne souriait plus du tout. Si un regard avait pu tuer, Francesca serait tombée raide morte.

Il y avait une bouteille vide sur la table, et il restait quelques gorgées dans le verre de Constance tandis que celui de Hart était vide.

— Quelle merveilleuse surprise ! fit-il lorsqu'ils arrivèrent à sa hauteur.

Il avait une voix terriblement sensuelle et, de manière fort inopportune, Francesca se rappela qu'il aimait rendre visite à deux prétendues sœurs en même temps. Daisy et Rose travaillaient dans une maison close, et elle les avait rencontrées lors de sa dernière enquête. Elle ne put chasser de son esprit la vision choquante de Hart avec ces deux ravissantes créatures.

— Nous passions par là, lança-t-elle gaiement.

— Je n'en doute pas, commenta Constance froidement.

— Eh bien, du bordeaux au déjeuner ? observa Francesca.

— Le vin était de qualité, de même que le repas… et la compagnie, dit Hart en souriant avec chaleur à

Constance qui baissa les yeux. Salut, petit! ajouta-t-il à l'intention de Joel.

Celui-ci lui lança un regard noir.

— Je m'appelle Kennedy.

— Je vois que votre galopin d'assistant n'a pas amélioré ses manières, remarqua Hart sans se formaliser. Je vous en prie, ne me dites pas que vous êtes sur une nouvelle piste!

— Je ne trouve rien à redire à ses manières, répliqua Francesca.

— Toujours à défendre l'opprimé... C'est tellement charmant, Francesca.

Elle fut ravie, car elle le sentait sincère.

— Pourrais-je changer en l'espace d'une nuit? plaisanta-t-elle.

— J'espère bien que non! dit-il en riant. J'en serais atterré! Que deviendrais-je sans une amie aussi exceptionnelle?

Elle sourit. Il flirtait avec elle, et elle adorait cela.

— Vous seriez complètement perdu, j'en suis certaine, riposta-t-elle avant de se tourner vers Constance. As-tu bien déjeuné?

Hart la regarda aussi, les yeux brillants.

— Lady Montrose?

— Merveilleusement, répondit Constance.

Son regard s'était uni à celui de Hart, et une sorte de vibration passait entre eux.

— Et qu'as-tu choisi? s'enquit Francesca avec aigreur, histoire de la tester.

— Je suis heureux que vous ayez apprécié, intervint Hart. Je pense qu'un déjeuner au restaurant, avec moi, est exactement ce que le médecin vous a prescrit.

— Je le pense aussi, dit Constance. Cela fait bien longtemps que je n'ai pas passé un moment aussi agréable.

— C'est également mon sentiment...

À cet instant, Francesca remarqua que sa sœur s'était changée avant son rendez-vous avec Hart. Elle portait une robe bleu saphir moulante, au profond décolleté. Oubliée la sage robe rose !

— Qu'as-tu pris ? insista Francesca d'une voix un peu haut perchée.

Constance et Hart se tournèrent vers elle.

— Je ne me souviens plus, avoua Constance qui rougit légèrement.

Hart se mit à rire de bon cœur, et son regard glissa sur la poitrine de Constance. Francesca eut envie de gifler sa sœur !

— Si nous y allions ? dit Hart. Je m'en veux de mettre un terme à un si parfait déjeuner, mais j'ai un important rendez-vous à 16 h 15.

Il fit signe à un serveur de lui apporter l'addition.

— Et moi, je dois rentrer, renchérit Constance en se levant.

Hart se précipita pour tirer sa chaise, et elle s'appuya à lui.

— Merci, dit-elle d'une voix voilée.

— Seigneur ! marmonna Francesca.

Constance n'entendit pas, mais Hart lui adressa un clin d'œil. De toute évidence, il s'amusait beaucoup.

Le serveur s'approcha, et il signa l'addition.

— Mesdames ?

Comme ils se dirigeaient tous vers la sortie, il saisit Joel par l'épaule.

— Les dames d'abord, Kennedy.

Joel renifla, mais il laissa Francesca et Constance marcher devant eux.

Constance n'adressa pas la parole à sa sœur, ne lui jeta pas même un regard. Elle était visiblement fort contrariée par sa présence. Comme ils quittaient l'établissement, elle hâta le pas. Francesca reconnut son élégant coupé, à une voiture de l'attelage de Hart. Le cocher, Clark, ouvrit la portière dès qu'il aperçut sa maîtresse.

Francesca hâta le pas également, et elles distancèrent Joel et Hart. Furieuse, Constance se tourna enfin vers sa sœur.

— À quoi joues-tu exactement, Francesca ?

— À te sauver.

— Et qui te dit que j'ai besoin d'être sauvée ?

— Toutes les femmes convenables ont besoin d'être sauvées d'un homme comme Hart.

Constance mit les poings sur les hanches.

— Si je ne connaissais pas tes sentiments pour Bragg, je te croirais jalouse !

— Je ne le suis pas, répliqua vivement Francesca, tout en ayant la curieuse impression que ce n'était pas tout à fait vrai. Je ne veux pas que tu sois victime du charme considérable de cet homme… sans parler de son expérience.

— Je ne suis victime de rien ni de personne, riposta sèchement Constance. Et je te suggère de t'occuper de ta vie avant de juger la mienne.

Hors d'elle, elle se tourna vers son cocher.

— Vous permettez ? fit la voix de Hart juste derrière elles.

Francesca sursauta. Les avait-il entendues ? Elle recula, tandis que Hart prenait le bras de Constance, qui s'épanouit visiblement.

— Quand aurai-je de nouveau le plaisir de vous inviter à déjeuner ? demanda-t-il d'une voix douce.

Quel séducteur !

Constance hésita légèrement.

— Il faut que je consulte mon agenda. La semaine prochaine, peut-être ?

Il parut déçu.

— La semaine prochaine ? Mais c'est une éternité, lady Montrose !

— J'en doute, fit-elle en riant, coquette.

Il s'inclina sur sa main gantée.

— Votre mari a de la chance, dit-il en la regardant droit dans les yeux.

— C'est moi qui en ai, murmura-t-elle en détournant le regard.

Hart sourit, mais il avait l'air songeur, et Francesca eut envie de lui flanquer un coup de pied dans le tibia.

Il aida Constance à monter en voiture, et claqua la portière. Tandis que Clark regagnait son siège, Hart recula d'un pas, souriant toujours à Constance, qui lui adressa un petit signe d'adieu sans daigner jeter un seul coup d'œil à sa sœur.

— Ils sont fous, ces amoureux ! grommela Joel en secouant la tête d'un air dégoûté.

Fugitivement, Francesca souhaita que Montrose entende parler de ce déjeuner et qu'il tance sa femme de belle manière. Aussitôt, elle se reprocha sa mesquinerie.

Pourtant il fallait bien que quelqu'un protège Constance, or qui d'autre mieux que Neil ?

Hart revenait vers eux.

— Puis-je vous proposer ma voiture ? Je me rends à quelques rues d'ici. Ensuite, Raoul vous conduira où vous voudrez.

Francesca hésita visiblement.

— Qu'y a-t-il ? Ma compagnie ne vous plaît plus ?

Il semblait se moquer d'elle.

— Vous êtes visiblement un expert dans l'art de plaire, Hart, répliqua-t-elle avec brusquerie.

Il lui prit le bras et se tourna vers Joel.

— Allons-y, petit. Je vous accompagne.

Tous trois se dirigèrent vers son élégant attelage dont le cocher, en livrée bleu roi, avait pris soin d'ouvrir la portière. Les quatre chevaux noirs étaient splendides, les banquettes de cuir rouge et les accessoires de bronze. Sans Raoul, qui semblait sorti des bas-fonds, on aurait dit un véritable carrosse royal. De taille moyenne, costaud, l'homme était certainement originaire d'un pays latin. Il salua tout le monde de la tête, mais il n'avait ni les manières ni la présence d'un serviteur. Indifférent, bougon, il semblait s'ennuyer à mourir.

Hart aida Francesca à monter en voiture, laissa Joel y grimper et s'installer en face de la jeune femme.

— Sacré bel équipage ! commenta le gamin avec une grimace écœurée.

Hart s'assit à côté de Francesca.

— Alors, Kennedy, pourquoi est-ce que tu ne m'aimes pas? demanda-t-il d'un ton plaisant.

Joel lui jeta un regard têtu.

— Parce que vous êtes pas quelqu'un de bien, répondit-il carrément.

Hart éclata de rire, et se tourna vers Francesca.

— Votre petit compagnon a-t-il raison?

— Non, répondit-elle. Je suis sûre qu'il y a du bon quelque part en vous, Hart.

— Ainsi, aujourd'hui, c'est Hart. Pas Calder. Vous êtes encore fâchée contre moi…

Il la contemplait comme s'il la trouvait fascinante.

— Votre sœur a peut-être raison, reprit-il.

Francesca rougit.

— Pardon?

— Je n'ai pas pu m'empêcher d'entendre.

Elle croisa les bras.

— Je ne sais absolument pas de quoi vous parlez.

Il lui prit la main, et malgré ses efforts, elle ne parvint pas à se dégager.

— Etes-vous jalouse, Francesca? s'enquit-il doucement.

— Non! cria-t-elle, beaucoup trop vite, beaucoup trop fort.

Il en fut visiblement ravi.

— Et lâchez-moi! ajouta-t-elle sèchement.

Il obéit en riant.

— Vous n'avez aucune raison d'être jalouse, affirmat-il, plus sérieux, cette fois. L'amitié que nous partageons vaut bien mieux que n'importe quel marivaudage.

Francesca leva les yeux vers lui.

— Trouvez-vous que Constance et moi nous ressemblons? demanda-t-elle tout à trac. On nous prend souvent pour des jumelles.

— Nous en avons déjà parlé. La réponse est non.

Elle eut un petit coup au cœur, mais s'efforça de sourire.

— En effet, Constance est infiniment plus belle ; je l'ai d'ailleurs toujours pensé.

Il ouvrit de grands yeux.

— C'est vous la plus belle, Francesca.

Elle était stupéfaite.

— *Quoi ?*

Il détourna brièvement les yeux. Était-il gêné ? Et dans ce cas, pour quelle raison ?

— Pourquoi discutons-nous de beauté ? Et pourquoi vous, entre toutes les femmes, voudriez-vous être jugée sur votre apparence physique ?

— Je…

Elle était totalement déconcertée. Il la trouvait plus jolie que sa ravissante sœur ?

— Rappelez-vous, je suis un amateur d'art… de tout ce qui est beau. Je ne juge jamais un tableau seulement sur sa couleur, sa composition ou sa technique. Il y a un élément subjectif dans chaque jugement. Votre sœur et vous présentez des caractéristiques extérieures similaires, mais vous êtes en même temps si différentes. Cela reviendrait à comparer le soleil et la lune.

Elle le regarda dans les yeux.

— Vous ne cesserez jamais de m'étonner, Calder.

— Tant mieux, déclara-t-il, visiblement fort content. Et nous voilà revenus à Calder ?

— Apparemment… Ma sœur aime énormément son mari, ajouta-t-elle après une brève hésitation.

— Je ne suis pas d'humeur à subir un sermon, Francesca.

— Eh bien, vous en aurez tout de même un.

Il soupira en levant les yeux au ciel, tel un enfant las d'être grondé par ses parents.

— Elle aime Montrose, Calder ! enchaîna Francesca. Elle l'a aimé au premier regard, il y a cinq ans.

— Possible, murmura-t-il en regardant par la vitre.

— Vous ne pouvez pas courtiser quelqu'un d'autre ?

Il tourna la tête vers elle.

— Elle a accepté mon invitation à déjeuner, Francesca.

Francesca était ennuyée. Elle ne voulait pas en révéler trop sur la vie privée de Constance, car elle avait le sentiment qu'il s'en servirait à son avantage.

— Si je vous demandais, en tant qu'amie, de renoncer, le feriez-vous ? insista-t-elle.

— Non.

Elle en resta bouche bée.

— Votre sœur est une grande fille. Elle est tout à fait apte à diriger sa vie sans que vous vous en mêliez.

Elle croisa les bras, s'exhortant au calme.

— Elle vient de traverser des moments difficiles.

— Hum… À quel point ?

— Comme si j'allais vous le dire !

— Vous êtes si protectrice avec lady Montrose ! Je me demande pourquoi.

— C'est ma sœur ! s'écria-t-elle.

— Du calme, la taquina-t-il.

— Ainsi, vous ne m'accorderiez pas cette faveur ? Après tout ce que j'ai fait pour vous ?

Il y eut brusquement quelque chose de dangereux dans l'expression de Hart.

— Prenez garde. Vous pourriez vouloir utiliser cet atout à une autre occasion. Or une fois que vous l'aurez joué…

Il haussa les épaules.

— Vous êtes vraiment dénué de tout scrupule, souffla-t-elle.

— Il paraît, en effet.

— Je croyais que nous étions amis.

— Nous le sommes, mais cela ne modifie pas ma véritable nature. Vous savez bien : égoïste et terriblement intéressé.

— Oh, je vous en prie, répliqua Francesca, contrariée. Je vous connais mieux que vous ne le croyez. Vous n'êtes pas complètement intéressé.

Il eut un sourire de biais, tandis que la voiture s'immobilisait devant l'entrée principale du *Waldorf Astoria*.

— Nous en débattrons un autre jour.

Il attendit patiemment que son cocher vienne lui ouvrir la portière.

— Où Raoul doit-il vous déposer, le galopin et vous ?

Joel le fusilla du regard.

— Au quartier général de la police, répondit Francesca, tout miel.

Elle savait qu'elle obtiendrait une réaction. Les yeux de Hart s'assombrirent, mais son expression demeura impassible lorsqu'il ordonna à Raoul.

— 300, Mulberry Street.

L'homme hocha la tête.

Hart se tourna vers Francesca, le visage toujours impénétrable.

— Ainsi vous allez rendre visite à mon estimé et si respectable frère. Vous occupez-vous encore de crimes, ou est-ce une visite de courtoisie ?

Elle haussa les sourcils.

— Peut-être un peu des deux.

Il eut un sourire froid, ironique, tandis que Raoul refermait la portière. Francesca le regarda gagner l'entrée de l'hôtel.

Elle était encore contrariée, et elle se demandait bien pourquoi.

4

Bragg tournait à demi le dos à la porte quand Francesca s'arrêta sur le seuil de son bureau. Absorbé par sa conversation téléphonique, il ne semblait pas l'avoir remarquée. Elle allait frapper lorsqu'elle vit la photographie sur sa table de travail. Elle sut aussitôt de qui il s'agissait.

Incapable de s'en empêcher, elle traversa vivement la petite pièce à l'instant où Bragg se tournait vers elle. Sur la table encombrée se trouvait la photo de Mary O'Shaunessy allongée dans la neige, les mains jointes sur la poitrine, cette croix hideuse tracée sur la gorge.

Elle dut pousser un petit cri, car Bragg retourna rapidement la photo en lui lançant un regard noir. Mais c'était trop tard. À la lumière du jour, l'expression terrorisée de Mary dans la mort était plus qu'évidente. Francesca ferma les yeux. Elle avait eu cette même expression vivante. Pourquoi avait-elle changé d'avis et s'était-elle enfuie ?

Cette femme était la mère de Dot et de Katie. Et une personne merveilleuse aux dires de tous. Une fois de plus, Francesca éprouva une sourde fureur à l'égard de celui qui avait commis ce crime infâme.

— Merci, fit Bragg avant de raccrocher. Francesca ?

Elle tenta de sourire, n'y parvint pas.

— Bonjour, Bragg.

Elle avait une envie folle de se jeter dans ses bras, de poser la joue contre son torse musclé, mais c'était impossible.

— Désolé que vous ayez vu ça, dit-il sombrement. Je vous en prie, dites-moi que vous ne vous sentez plus responsable de sa mort ?

— J'essaie. Mary était jeune, belle, et elle avait deux petites filles qui se retrouvent orphelines. Il faut que nous découvrions le dément qui a fait ça ! s'écria Francesca avec passion.

Bragg fit lentement le tour de son bureau.

— Nous ? Vous ne participez pas à cette enquête, Francesca. Et comment savez-vous qu'elle avait deux filles ?

Le regard d'ambre clair était calme mais intense, tandis qu'il attendait patiemment sa réponse.

Elle soupira.

— Maggie Kennedy est venue me voir ce matin. Elle était malade de chagrin.

— Maggie Kennedy ? Aurait-elle par hasard un lien avec le petit voyou que vous aimez tant ?

— C'est sa mère, Bragg. Et Mary O'Shaunessy était sa meilleure amie, répondit Francesca.

Inutile de lui avouer qu'elle s'était sentie très impliquée dans cette affaire depuis l'instant où elle avait découvert le corps de Mary.

Il ouvrait de grands yeux.

— Ne me dites pas que Maggie Kennedy vous a engagée !

— Si, répliqua Francesca. Oh, Bragg, d'après ce que j'ai appris, Mary était un véritable rayon de soleil, et une merveilleuse mère ! Elle ne méritait pas cela, et à présent, ses deux petites filles sont orphelines !

Elle était consciente de tenter de l'amadouer pour qu'il accepte de garder les enfants chez lui, mais il n'en demeurait pas moins qu'elle pensait chacune de ses paroles.

Il s'approcha, lui releva le menton du doigt, et leurs regards se verrouillèrent.

— Qu'avez-vous fait, Francesca ? dit-il doucement en la scrutant.

Elle n'avait plus peur de lui, plus du tout ! Un long frisson la secoua de la tête aux pieds.

— Après avoir consolé Maggie, répondit-elle d'une voix un peu haletante, je suis allée avec Joel à l'appartement que Mary partageait avec d'autres personnes. Je crois que la police s'est déjà entretenue avec ces gens, les Jadvic.

Il laissa retomber sa main.

— Je ne veux pas que vous vous mêliez d'une affaire qui met en cause un tueur à l'esprit dérangé.

— C'est votre conclusion ? demanda-t-elle vivement.

— Sans commentaire.

— Bragg ! s'exclama-t-elle. Je ne suis pas journaliste.

— Je sais. Au fait, n'êtes-vous pas en train de marcher sur une corde raide ? Vous étiez censée vous consacrer à vos études, et en plus, vous avez cette nouvelle cliente, Mme Stuart. Comment l'affaire progresse-t-elle, Francesca ?

— N'essayez pas de détourner la conversation, dit-elle d'une voix suave, ça ne marchera pas.

— Que vais-je faire de vous ?

— Avez-vous des indices ? risqua-t-elle, têtue.

— Oui, mais je ne vous les communiquerai pas.

Son ton était ferme, son regard déterminé.

— J'ai fait un travail capital dans l'affaire du meurtre de Randall, lui rappela-t-elle, rusée.

Il ne répondit pas.

— Sans compter l'enlèvement du petit Burton, insista-t-elle.

— Vous êtes venue me persécuter ? Si c'est le cas, j'ai du travail.

— Bragg ! s'indigna-t-elle, sincèrement choquée. Je vous persécute ?

Soudain très las, il s'assit au bord de son bureau.

— Vous ne me persécuterez jamais, dit-il doucement. Je suis contrarié, c'est tout.

— À cause de cette affaire ? demanda-t-elle, pleine de sympathie, en s'asseyant en face de lui.

— Ça et la nomination que je viens de faire. Elle a été annoncée à la mairie il y a une heure. Au dernier moment, j'ai renoncé à Shea au profit de l'inspecteur Farr. Je ne crois pas que vous le connaissiez. C'est une source de tracas, il est beaucoup trop malin, et pas mal corrompu. Mais il semble avide de plaire – de *me* plaire, et je pense être capable de le canaliser.

Francesca tressaillit.

— Je l'espère.

— C'est un homme de Tammany Hall, précisa Bragg.

— Alors soyez sur vos gardes. Assurez-vous qu'il travaille bien pour vous, pas contre vous.

Bragg eut un sourire chargé d'affection.

— Comment se fait-il que vous soyez aussi intelligente ?

Elle s'empourpra de plaisir.

— Mon père a toujours encouragé ma liberté de pensée.

— J'en suis heureux.

Elle se contenta de sourire.

— J'ai invité votre frère et Mlle Channing pour le spectacle de demain soir, enchaîna-t-il. Et à dîner ensuite. J'espère que cela vous convient.

— Bien sûr !

— J'ai trouvé que ce serait plus convenable, ajouta-t-il.

— Je sais.

Elle songeait aux petites filles lorsqu'il reprit :

— Alors, que vous ont appris les Jadvic ?

— Pas grand-chose. Vos hommes sont-ils allés à l'atelier où travaillait Mary avant de servir chez les Janson ?

— Newman y est en ce moment même.

Francesca était contente : il parlait de l'affaire avec elle. Il dut soudain s'en rendre compte, car il se leva.

— Francesca...

— Je suis désolée. C'est plus fort que moi.

Elle n'osa pas aborder le sujet des Janson, et il y eut un silence qu'elle finit par rompre.

— Avez-vous un suspect ?

— Si c'était le cas, je ne vous le dirais pas.

— Bragg !

Elle était vraiment frustrée.

— Pardonnez-moi, mais ma décision est prise.

Il saisit la photo de Mary de façon que Francesca ne puisse la voir.

— Bragg ? risqua-t-elle, soudain nerveuse.

Il leva les yeux.

— J'ai une faveur à vous demander.

Il fronça les sourcils, et posa la photo.

— Je me doute…

— Laissez-moi aller jusqu'au bout, le pria-t-elle.

— Je me prépare déjà à dire non, la prévint-il en croisant les bras.

— Aimez-vous les enfants ? lâcha-t-elle à brûle-pour-point.

— Pardon ?

— Vous avez bien entendu. Aimez-vous les enfants ?

— Évidemment ! De quoi s'agit-il ? s'enquit-il, l'air suspicieux, à présent.

Elle prit une profonde inspiration.

— Katie et Dot ont perdu leur mère. Mme Jadvic ne peut pas les garder, et les autorités risquent de les séparer. Ce que je ne supporterai pas. Je les ai amenées chez vous, conclut-elle.

Il fallut à Bragg quelques secondes pour assimiler ses paroles.

— Vous *quoi* ? rugit-il.

Elle sursauta.

— Je vous en prie ! Vous avez de la place, elles sont adorables, et elles ont perdu leur mère…

— Il n'en est pas question ! cria-t-il.

— Mais vous avez dit que vous aimiez les enfants ! répliqua-t-elle sur le même ton.

— Certes. Mais je suis très occupé, je n'ai qu'un domestique, et je ne peux pas prendre soin de deux enfants !

Il était rouge de colère.

— Je vous en supplie. J'engagerai une gouvernante... Vous n'avez qu'un seul serviteur ?

Elle était choquée. Elle supposait qu'il avait au moins une cuisinière qui se chargerait aussi du linge.

— Peter, et c'est tout, confirma-t-il avec raideur.

Elle aurait dû s'en douter. Son salaire, relativement modeste, servait en grande partie à entretenir sa femme, qui vivait en Europe comme une princesse. Il n'avait tout simplement pas les moyens de s'offrir un autre domestique.

— Je suis désolée, murmura-t-elle.

— Pardon ? aboya-t-il.

— Je veux dire, je vais engager une nounou, même si ce n'est que pour quelques jours.

— Non.

— Bragg, il faut au moins que vous les rencontriez !

— Et pourquoi, je vous prie ? répliqua-t-il froidement, et elle se demanda si elle n'était pas allée trop loin.

— Ces petites filles sont perdues, répondit-elle doucement. Et il ne s'agit que d'une semaine ou deux ; le temps que je leur trouve une bonne famille d'accueil. Je vous aiderai...

— De quelle façon ? Avec toutes vos enquêtes, vous allez finir par échouer à vos examens.

Il ne cédait pas un pouce de terrain.

— Je n'arrive pas à y croire, murmura Francesca. Je pensais que vous m'aimiez bien. C'est terriblement important pour moi, et voilà que nous nous disputons...

— Je vous aime bien, répliqua-t-il. Mais vous ne semblez pas vous rendre compte de la pression que je subis. Le maire Low m'a déclaré clairement que je ne fermerais pas les débits de boisson le dimanche. Or je me sens moralement tenu de faire respecter la loi,

Francesca. Je vais donc me retrouver en opposition avec mon propre maire – un homme que, par ailleurs, j'admire sur le plan personnel, que je respecte, et en qui je crois.

— Je suis désolée, dit-elle sincèrement. Mais le sort de deux petites filles n'a rien à voir avec les lois bleues.

— Quand la presse aura vent du meurtre de Mary O'Shaunessy et qu'elle établira le lien avec celui de Kathleen O'Donnell, elle essayera de terroriser la ville et soufflera sur les braises de l'hystérie collective.

Francesca serra les bras autour d'elle. Elle ne lui avait jamais vraiment demandé de faveur, et elle était blessée par sa réaction.

Il soupira, la rejoignit, et la prit par les épaules.

— Ne m'obligez pas à me sentir coupable de refuser un fardeau que je ne peux assumer en ce moment.

— Je suis navrée. Je ne voudrais surtout pas ajouter à vos soucis, et si cela ne dépendait que de moi, j'emmènerais les petites chez moi. Mais c'est impossible, naturellement – à moins de mentir à mes parents, et je m'y refuse.

Elle était au bord des larmes.

Il la contemplait, détaillant chacun des traits de son visage, puis il crispa les mâchoires et l'attira à lui. Elle était dans ses bras, la joue contre sa poitrine !

Il était tellement parfait, tellement fort et solide !

— Je suis de l'argile entre vos mains, murmura-t-il.

Elle releva la tête.

— Ce n'est pas grave, je vais trouver quelqu'un d'autre pour prendre les petites...

Il la fit taire d'un baiser, puis il se redressa, visiblement surpris d'avoir cédé à une telle impulsion. Il s'écarta, mais elle demeura immobile. La sensation de ses lèvres sur les siennes, à peine un effleurement, l'avait bouleversée. Il lui semblait que son sang courait plus vite dans ses veines, bouillonnant telle une rivière en furie.

Il s'éloigna, releva le store et regarda distraitement les bâtiments bruns qui bordaient Mulberry Street.

Hormis un immeuble branlant qui abritait des appartements, il n'y avait que des maisons de plaisir et des débits de boisson dans le quartier. La rutilante Daimler était garée juste en dessous, Francesca l'avait aperçue avant d'entrer.

Elle se raidit soudain, tandis qu'une des paroles de Bragg semblait atteindre enfin son cerveau embrumé.

— O'Donnell ?

Il ne se retourna pas.

— La première victime. Elle s'appelait Kathleen O'Donnell.

— Mon Dieu, Bragg !

Elle se précipita vers lui et l'obligea à lui faire face, l'attrapant par les revers de sa veste.

— Qu'y a-t-il ?

— Vous ne savez pas ? Vous ne savez pas que Mary O'Shaunessy avait un frère, et que son nom est Mike O'Donnell ?

Tandis que le coupé s'engageait dans l'allée qui menait à sa demeure, Constance aperçut la voiture de Neil, un peu plus petite et moins récente que celle qu'il préférait la voir utiliser. Elle était garée devant la maison, et un lad ramenait les deux chevaux bais à l'écurie. Une bouffée de panique la saisit.

Dans son esprit, l'image de son athlétique époux se superposa à celle, troublante, de Calder Hart. Hart souriait, ostensiblement sensuel, tandis que les yeux turquoise de Neil étaient assombris par la colère. Son cœur se mit à battre follement.

Pourquoi avait-elle déjeuné avec Calder Hart, ce séducteur notoire ?

Et pourquoi, oui, pourquoi se tenait-elle là, devant cette jolie demeure dont elle avait l'impression qu'elle n'était plus la sienne ?

Pourtant, c'était bien son foyer, se rappela-t-elle, tandis que sa panique grandissait. Ce qu'avait fait Neil n'y changeait rien.

— Lady Montrose ?

Constance se rendit compte que Clark attendait devant la portière ouverte. Elle crut déceler de la pitié dans son regard, et elle rougit. Il était certainement au courant de la discorde qui régnait dans la famille. Mais il n'y avait plus de discorde ! se reprit-elle. Elle avait passé une semaine fort agréable. Neil et elle avaient assisté à un bal de charité, ils avaient bavardé amicalement, ils avaient même dansé comme si tout allait bien, comme s'il ne s'était jamais rien passé. Et Constance avait appris qu'Eliza Burton, la maîtresse de Neil, partait avec ses jumeaux passer l'hiver en France. Elle devait embarquer la semaine prochaine, et sa maison était en vente.

Eliza n'avait sûrement plus le temps de batifoler avec les maris des autres, et Neil avait de toute façon promis à Constance que cela ne se reproduirait plus. Or Neil ne donnait pas sa parole à la légère !

— Lady Montrose ?

Elle sursauta. La voix lui paraissait lointaine.

— Oui, Clark ? Je rêvassais, dit-elle d'un ton un peu trop joyeux.

Le cocher lui sourit en l'aidant à descendre.

Mais il y avait toujours cette nuance de pitié dans son regard…

La tête haute, Constance se dirigea vers le porche. Elle ne se souciait guère des éventuelles plaques de verglas. Dès l'enfance, on lui avait appris à marcher gracieusement quelles que soient les conditions.

Soudain, elle revit Francesca arpentant la salle de bal à grandes enjambées, histoire de défier leur professeur de maintien, et elle sourit. Si elle-même avait maîtrisé l'art de se déplacer en une journée, sa sœur avait toujours tendance à adopter une démarche de grenadier.

Constance atteignait la porte quand celle-ci s'ouvrit.

— Merci, Masters, commença-t-elle.

Mais les mots s'étranglèrent dans sa gorge.

Neil se tenait devant elle, son regard bleu soutenant le sien sans ciller. Il ne souriait pas.

«Il sait, songea-t-elle, affolée. Il sait que j'ai flirté avec Calder Hart!»

Il esquissa enfin un sourire et la prit par le bras.

— Je rentre tout juste, dit-il. Avez-vous eu un agréable déjeuner?

Elle était incapable de bouger, de parler, de sourire.

— Constance?

Il resserra son étreinte sur son bras. Il mesurait un mètre quatre-vingt-dix et approchait les cent kilos, mais il n'y avait pas une once de graisse sur son corps musclé. Et en dépit de sa corpulence, il avait tout d'un aristocrate là où d'autres auraient eu l'air de dockers. Peut-être était-ce dû à ses traits réguliers, à son nez droit, à ses yeux lumineux. À moins que ce ne fût son port altier. Ou bien encore cet air d'autorité qui émanait de toute sa personne, cette assurance qui poussait les autres hommes à rechercher ses conseils et à les écouter.

Il avait été marié une première fois, mais son épouse était morte moins d'un an après les noces dans un accident de voiture.

À ce jour, Constance ne savait pas s'il l'avait aimée. Elle ne lui avait jamais posé la question. Cela aurait été déplacé, comme une atteinte à sa vie privée. Pourtant, elle se le demandait souvent.

— Vous êtes souffrante? s'inquiéta-t-il. Je vous trouve bien pâle.

Elle sourit enfin et parvint à se dégager. Car son contact éveillait en elle des sentiments contradictoires: elle en était à la fois ravie et effrayée.

— Je vais bien. Avez-vous passé une bonne journée?

Elle se débarrassa de son manteau en lui tournant le dos. *Savait-il?*

— Fort bonne, répondit-il. Les actions de Midland Rails continuent à grimper, et Fontana Ironworks crève le plafond. J'ai ajouté de l'argent sur les fonds des enfants.

86

— J'en suis heureuse, souffla Constance sans se retourner.

Elle regardait le salon, dont les portes d'acajou étaient grandes ouvertes. Sur la table d'ébène se trouvait une pendule de bronze. Presque 17 heures !

— Il faut que je me change pour la soirée au *Waldorf*, reprit-elle. Je crois que nous sommes attendus à 19 heures.

Neil ne répondit pas. Constance aurait aimé lui jeter un coup d'œil afin de voir quelle était son humeur – et s'il était au courant pour son déjeuner –, mais elle n'osa pas. Elle avait dit à Francesca que le passé était oublié, que seuls comptaient le présent et l'avenir. Mais il était difficile de ne pas s'en souvenir, surtout lorsqu'elle était près de Neil.

Il avait promis que cela ne se reproduirait plus. S'il était sorti du droit chemin, c'était seulement parce qu'il avait des besoins physiques, et que, prétendait-il, elle n'appréciait pas cet aspect de leur relation. Il était allé vers une autre femme parce qu'elle avait échoué à le satisfaire. Elle ne l'avait pas fait volontairement, mais elle n'avait pas compté le nombre de fois où ils avaient partagé le même lit, contrairement à lui, apparemment.

Elle se hâta de traverser le hall. Puis elle l'entendit derrière elle et se retourna, surprise.

Il affichait un sourire qui n'atteignait pas ses yeux.

— Vous disposez de deux heures… C'est plus qu'il n'en faut pour vous préparer. Venez plutôt boire un verre de sherry au salon.

Elle s'humecta les lèvres. Elle faillit accepter, mais on ne devait pas boire avant une soirée, sous peine d'y arriver en état d'ébriété !

— J'ai la migraine. J'avais l'intention de m'allonger une demi-heure, et je veux voir si les enfants vont bien.

— Elles vont bien. Charlotte est à la cuisine où elle fait un horrible gâchis de son dîner. Il y a des petits pois plein la table. Quant à Lucy, elle dort à poings fermés.

— Je...

— Allons, venez, dit-il.

C'était plus un ordre qu'une invitation.

Jamais Constance n'avait refusé quoi que ce soit à son mari. Une image de lui en compagnie de l'autre femme lui traversa l'esprit, et en même temps la certitude que tout était sa faute. Une bonne épouse satisfaisait les désirs de son mari, tous ses désirs, évitant ainsi trahison, déception, et chagrin.

— J'ai la migraine, répéta-t-elle.

Elle ne se reconnaissait plus ! Elle n'avait pas eu l'intention de mentir ni de l'éviter.

Il parut désappointé.

— Je suis désolé, dit-il, trop poliment. Puis-je faire quelque chose pour vous ?

Elle sourit tout aussi poliment.

— Une courte sieste devrait suffire, mais je vous remercie.

Il recula en la saluant de la tête.

Soulagée – et horrifiée –, elle grimpa vivement le large escalier recouvert d'un tapis d'Orient. Elle avait les larmes aux yeux. Que lui arrivait-il ? Pourquoi se comportait-elle ainsi ? Sur le premier palier, elle baissa les yeux. Il se tenait dans le hall, la tête levée vers elle, l'air sombre. Son cœur se mit à battre plus vite, d'inquiétude et de peur. Elle voulut lui sourire, mais se contenta de regarder ailleurs.

— Constance ? l'appela-t-il.

Elle vacilla légèrement, et se retourna vers lui. Il était si séduisant, et elle l'aimait tant qu'elle ressentit soudain comme un coup de poignard en plein cœur.

— Oui ?

— Alors, avec qui avez-vous déjeuné ? s'enquit-il.

Il avait annulé ses projets pour la soirée. Soudain, la nouvelle bibliothèque municipale de la 40ᵉ Rue lui semblait ennuyeuse comme la pluie, alors qu'il était membre bienfaiteur de quelques œuvres de charité triées sur le volet, la plupart en relation avec les arts. Il avait aussi fait prévenir Alfred d'accorder leur soirée aux domestiques. La cuisinière devait lui laisser son dîner au chaud, et Alfred devait mettre à décanter une bouteille de château Figeac 1882.

Ils le trouvaient excentrique, Hart le savait. Il savait aussi qu'ils bavardaient derrière son dos, commentaient sa façon de s'habiller, ses aventures galantes, sa richesse, son goût en matière d'art. En sa présence, les femmes de chambre marchaient sur la pointe des pieds, comme si elles redoutaient d'être violées. Jamais il n'avait séduit une de ses employées, et cela ne risquait pas de se produire. De toute façon, ce n'était pas vers les amours ancillaires qu'allaient ses préférences. Un jour, il était rentré chez lui à l'improviste pour trouver quelques domestiques dans ses appartements, plantés devant une toile représentant un nu, choqués, scandalisés. Lorsqu'ils s'étaient rendu compte de sa présence, ils s'étaient enfuis comme s'ils craignaient pour leur vie.

Il avait passé un délicieux moment avec lady Montrose, aussi y avait-il une seule explication à sa mauvaise humeur : Francesca et sa langue trop bien pendue. Il n'avait pas envie de penser à elle pour l'instant, car, automatiquement, l'image de son si noble et si vertueux demi-frère, Rick Bragg, lui venait à l'esprit. Et à quel point ils étaient bien assortis, Francesca et lui, sauf que, malheureusement, Rick était pieds et poings liés par sa garce de femme, Leigh Anne.

Hart s'aperçut que l'attelage s'était arrêté devant la maison de quinze pièces qu'il venait d'acheter au coin de la Cinquième Avenue et de la 18e Rue. Il se détendit quelque peu tandis que Raoul lui ouvrait la portière.

— J'en ai pour plusieurs heures, annonça-t-il en descendant de voiture.

Il consulta sa montre en or ornée de diamants.

— Revenez à 22 heures, ajouta-t-il.

Raoul émit un vague grognement en guise de réponse, mais ses yeux brillaient. Il savait ce que son maître allait faire.

Hart gagna la maison en esquissant un sourire. Il éprouvait une réelle affection pour Daisy, qui était la femme la plus belle qu'il ait eue dans son lit. C'était aussi l'une des plus douées en amour, et ses réactions n'étaient pas feintes. Il était très content de l'arrangement auquel ils étaient parvenus. Elle serait sa maîtresse de façon exclusive pendant six mois, après quoi il la récompenserait si généreusement qu'elle pourrait abandonner la prostitution. Bien entendu, ils avaient la possibilité de reconduire leur arrangement au bout de six mois, et Hart se doutait qu'elle aurait envie de rester avec lui. Quant à lui, il avait tendance à se lasser des femmes assez vite, et il ne souhaiterait sans doute pas poursuivre leur relation.

Il remonta l'allée joliment dallée qui menait au porche, remarquant au passage qu'on ne l'avait pas salée. Daisy ne s'y était installée que la veille ; cependant, et bien qu'ils ne parlent jamais de son passé, il savait qu'elle venait d'une bonne famille, il n'y avait donc aucune raison pour qu'elle n'ait pas ordonné qu'on sale le chemin.

Il actionna le heurtoir.

On lui ouvrit au bout de quelques minutes.

— Oui ?

Il ne connaissait pas le majordome. Il pénétra à l'intérieur en le gratifiant d'un regard froid.

— Je suis le propriétaire de cette maison, et de tout ce qui s'y trouve. Arrangez-vous pour qu'il y ait un portier ici la prochaine fois que je viendrai.

Le majordome pâlit.

— Je suis désolé, monsieur. Monsieur Hart, fit-il en s'inclinant.

Calder ne prit pas la peine de lui demander son nom.

— Où est Mlle Jones ?

— Au salon, monsieur. Elle...

Déjà Hart se débarrassait de son manteau. Le major-dome s'en empara promptement, ainsi que de sa canne à pommeau d'or.

Il traversa le hall au sol de marbre, et frappa à la porte du salon, radouci, avant d'entrer sans attendre la réponse.

Il réagit sur-le-champ à sa présence. Elle se tenait au milieu de la pièce à demi meublée, vêtue d'une ravissante robe du même rose que ses lèvres qu'elle ne fardait jamais. Daisy était du genre beauté éthérée. Elle était mince, la peau très blanche, les cheveux couleur de lune. Elle semblait fragile, délicate, et elle était tellement belle qu'il était parfois douloureux de regarder son visage Car c'était son visage le plus magnifique. Il était triangulaire, avec des lèvres pulpeuses, un petit nez parfait, de grands yeux enfantins. Ses pommettes hautes laissaient deviner un ancêtre slave. Jamais Hart n'avait vu un homme la regarder et se détourner aussitôt. C'était tout simplement impossible.

Elle avait aussi bon cœur.

Il remarqua tout de suite que sa robe était parfaitement convenable, ce qui lui plut infiniment. Il détestait les maîtresses qui affichaient leur position. En fait, Daisy possédait une élégance innée. Même nue, elle conservait une grâce souveraine.

Elle pivota à son entrée et ses yeux bleus s'agrandirent.

— Calder! s'écria-t-elle de cette voix douce et haletante, un peu enfantine, qui masquait sa vive intelligence,

Il avait vu qu'elle recevait, et avait compris de quoi il s'agissait. La femme d'âge moyen, assise sur une bergère, avait tenté de garder une expression neutre, mais il avait lu le mépris et la désapprobation dans son regard.

Daisy se dirigea vers lui avec un sourire sincère.

— Quelle bonne surprise! murmura-t-elle.

Il lui baisa galamment la main. Il détestait les effusions en public, surtout devant le personnel. Puis il s'avança vers la femme assise, et déclara fraîchement :

— Mlle Jones n'aura pas besoin de vos services. Merci. Vous pouvez disposer.

La femme se leva, les dents serrées.

— Mais j'ai de bonnes références, monsieur.

— Vous n'êtes pas engagée, articula-t-il en s'efforçant de garder son calme.

— Je ne comprends pas...

Daisy intervint avec un sourire d'excuse plein de douceur.

— Je suis désolée, madame Heller. Apparemment, M. Hart a déjà retenu quelqu'un pour ce poste. Je suis navrée de vous avoir fait perdre votre temps.

Mme Heller crispa les mains sur son sac.

— Si vous changez d'avis, l'agence saura où me joindre. Naturellement, il se pourrait que j'aie trouvé un emploi.

— J'en suis certaine, dit Daisy gentiment.

S'exhortant à la patience, Hart se tenait près d'elle, intensément conscient de la proximité de son corps parfait.

Mme Heller quitta le salon en hâte, et Hart sut qu'elle avait dû prendre sur elle pour ne pas se retourner et le fusiller du regard.

Daisy alla fermer la porte derrière elle.

Hart avait envie de la prendre là, tout de suite, contre le battant. Il n'en fit rien.

— Pourquoi, Calder ?

— Elle te regardait avec mépris, comme une prostituée, et pensait que j'étais le diable en personne, répondit-il calmement.

— Je vous fais confiance, naturellement, murmura-t-elle.

— J'ai promis que je prendrais soin de toi, mais tu n'as peut-être pas tout à fait compris ce que je voulais dire. Je ne parlais pas seulement de l'argent, ni du plaisir physique. Elle aurait fini par te causer de la peine. Ce n'était pas une femme de confiance.

Daisy se détendit, le dos à la porte. Il sentit le moment où son centre d'intérêt changea, et il chassa aussitôt Mme Heller de son esprit.

— Merci, dit-elle en le regardant droit dans les yeux.

Il s'appuya des deux mains au battant, sans toutefois la toucher.

— Une coupe de champagne? proposa-t-il. J'ai fait envoyer une caisse de Dom Perignon. Tu l'as reçue?

Elle acquiesça et posa sa main si douce sur la joue de Hart.

— J'en ai même mis une bouteille à rafraîchir... Quelle délicieuse surprise, ajouta-t-elle en caressant ses lèvres du pouce.

— J'ai omis de te prévenir: je suis quelqu'un d'impulsif. J'aurais dû t'envoyer un mot... Pardonne-moi.

Il lui baisa la paume.

— Vous n'avez jamais besoin de m'avertir.

— J'ai envie d'embrasser ton sexe, dit-il tandis qu'elle s'alanguissait contre lui. Tu le sais?

— Oui, souffla-t-elle.

Il laissa glisser ses mains sur les épaules de Daisy, tout souci envolé.

— J'aime bien cette robe.

Elle sourit, ravie.

— Je l'espère. Si jamais je fais quelque chose qui vous déplaît, n'hésitez pas à me le dire.

Il se pencha davantage sur elle.

— Alors nous nous disputerons, et ensuite, nous nous réconcilierons.

Il l'embrassa avec fougue.

— Ce n'est qu'un prélude, Daisy, dit-il enfin. Ma langue ici maintenant, et ailleurs, plus tard...

— Pourquoi pas tout de suite?

Il s'arracha à ses lèvres, lui caressa le dos, les reins.

— Champagne d'abord, murmura-t-il. Et tu vas me raconter ta journée. L'installation de la maison a-t-elle bien avancé ?

5

Bragg traversa le hall en aboyant des ordres à l'inspecteur Murphy. Francesca trottinait près de lui, tout excitée, Joel sur les talons. Un agent de police se précipita vers Murphy en agitant une feuille de papier. Le gros inspecteur la lui arracha des mains.

— C'est l'adresse d'O'Donnell ?

— Oui, monsieur répondit le jeune homme, les yeux brillants derrière ses lunettes.

— Le lieu de résidence de Kathleen O'Donnell, dit Murphy en tendant la feuille à Bragg. Avant sa mort, précisa-t-il inutilement.

Bragg jeta un coup d'œil au papier et le lui rendit.

— Prenez un fourgon de police, deux hommes, et suivez-moi.

— Bien, monsieur, dit Murphy avant de se tourner vers le jeune agent à lunettes. Allez chercher Potter. Plus vite que ça !

Bragg enfilait déjà le manteau qu'il avait gardé sur son bras. Brusquement, il regarda Francesca, et son expression s'adoucit.

— Bien joué, mademoiselle Cahill. Une fois de plus.

Elle fut incapable de sourire tant elle était excitée. O'Donnell était-il parent de la première victime ? Son mari ? Un frère, un cousin ? Il y avait forcément une relation, ce ne pouvait être une coïncidence. Que le frère de Mary O'Shaunessy ait le même nom de famille que la première victime !...

— Merci, dit-elle. Je vous accompagne, Bragg.

Il allait franchir les portes, mais se retourna d'un bloc.

— Pas question ! Il est temps que vous rentriez chez vous et que vous me laissiez m'occuper de cette affaire.

Elle eut l'impression de recevoir un direct au plexus.

— Mais il faut que je vienne ! s'écria-t-elle.

Cette fois, il ne lui répondit même pas. Il sortit, et elle courut derrière lui. Il ne se débarrasserait pas d'elle aussi facilement !

Il actionnait la manivelle de son roadster.

Joel tira sur la manche de Francesca.

— Pas maintenant, dit-elle. Bragg...

Joel se dressa sur la pointe des pieds pour lui murmurer à l'oreille :

— Vous avez vu le papier, m'dame ? Vous avez lu l'adresse ?

Elle sursauta.

— Hélas, non !

— Dommage.

Après avoir toussoté, le moteur rugit.

Quelques badauds s'étaient rassemblés autour de l'automobile ; des prostituées, des individus louches, deux ou trois gamins en haillons. Bragg se dirigea vivement vers la portière, l'ouvrit et se glissa derrière le volant. Un fourgon de police venait de s'arrêter derrière lui, tandis que Murphy, Harold et un autre officier descendaient les marches du porche.

Francesca n'hésita pas. Elle ouvrit la portière côté passager et, alors que Joel sautait dans l'étroit espace derrière les sièges, elle grimpa dans la Daimler.

— À cause des petites filles, Bragg, je n'ai pas l'intention de renoncer, déclara-t-elle.

Il eut l'air incrédule.

— Je refuse de vous faire courir un pareil danger.

— Quel danger ? s'écria-t-elle. Nous allons simplement interroger un homme sur ses relations avec deux femmes.

— Deux femmes sauvagement assassinées, lui rappela-t-il d'un ton irrité.

Elle retint un frisson au souvenir de la croix sur la gorge de Mary.

— Ce n'est pas la blessure à la gorge qui l'a tuée, n'est-ce pas ?

Elle ne paraissait pas assez profonde, et Francesca ne cessait de se demander comment était morte la jeune femme.

Bragg crispa les mâchoires.

— Bonsoir, Francesca.

Elle allait perdre ce round, être obligée de céder...

— Je finirai bien par l'apprendre, répliqua-t-elle. Je suis certaine que la presse ne nous épargnera aucun détail sordide.

— Elle a été poignardée, lâcha-t-il sèchement. Dans le dos. À plusieurs reprises.

— Quoi ?

— Vous comprenez à présent pourquoi je ne veux pas que vous vous en mêliez ? Après cette attaque brutale, on a arrangé soigneusement ses vêtements. Elle est morte lentement, mais, heureusement, elle avait dû perdre connaissance avant.

Francesca le fixait d'un regard horrifié.

— Je vous en prie, rentrez chez vous, reprit-il, et sa voix avait perdu son tranchant. J'ai une responsabilité envers les familles de ces deux jeunes femmes, je ne peux pas être en plus responsable de vous.

Francesca descendit de la voiture, l'air sombre.

— Je veux vous aider, Bragg. Le puis-je ? D'une autre manière, peut-être ? Je ne veux pas être un souci supplémentaire pour vous.

— Je sais que vous souhaitez vous rendre utile. Une autre fois, sans doute.

Découragée, elle hocha la tête.

Il ferma brièvement les yeux, les rouvrit.

— Je ne débusquerai peut-être pas O'Donnell aujourd'hui, vous le savez.

Elle acquiesça.

— Je vous retrouverai chez moi dans deux heures environ, ajouta-t-il.

Elle sursauta.

— Vous allez voir les petites ? demanda-t-elle, sidérée.

— Mais il n'est pas question qu'elles restent plus d'une nuit, la prévint-il.

Elle l'aurait serré dans ses bras.

— Dans deux heures, Bragg, dit-elle, rayonnante.

Tant pis si elle était en retard pour le dîner, et si sa mère exigeait de savoir où elle était allée.

Il eut un petit sourire, et elle le regarda manœuvrer, puis s'éloigner, suivie par le fourgon de police.

— Et maintenant ? demanda Joel, maussade.

— Il est un peu plus de 17 heures. Je crois que je vais m'occuper d'un achat que je n'ai cessé de remettre à plus tard, puis j'irai voir comment vont les filles... avant le retour de Bragg.

Joel lui adressa un sourire malin.

— Vous ne voulez pas l'adresse de Kathleen O'Donnell ? Vous n'avez pas envie d'aller poser quelques questions aux voisins ?

Elle le considéra d'un air quelque peu amusé.

— Tu sais bien que si ! Mais je ne peux pas, car Bragg et ses hommes y seront. De toute façon, cela prendra un peu de temps pour découvrir son adresse.

— Je sais comment l'obtenir, répliqua Joel, toujours souriant.

— Vraiment ? Et comment ?

— Vous avez cinq dollars ?

Francesca allait ouvrir son sac, mais elle s'interrompit.

— Tu ne crois tout de même pas que je vais soudoyer un policier ?

— C'est pourtant le meilleur moyen, répliqua-t-il gaiement.

— Joel ! C'est un grave délit !

— Tout le monde paye pour avoir des renseignements. Vous le savez, et il le sait aussi, ajouta-t-il avec un signe de tête en direction de l'endroit où la voiture de Bragg avait disparu.

L'espace d'un instant, elle se vit en train de tendre un billet au capitaine Shea en lui demandant la dernière adresse connue de Kathleen O'Donnell. Puis elle se secoua.

— Je ne soudoierai pas un policier ! décréta-t-elle.

Joel tendit la main.

— Qu'y a-t-il ?

Mais elle savait ce qu'il voulait, et, pire, ce qu'il avait l'intention de faire.

Elle finit par lui remettre les cinq dollars.

— Seigneur ! souffla-t-elle.

— Je reviens tout de suite, lança-t-il avant de grimper quatre à quatre les marches du bâtiment.

L'armurerie se trouvait sur la Sixième Avenue, à la hauteur de la 45e Rue, un pâté de maisons bordé de boutiques, principalement de vêtements.

Joel avait obtenu l'adresse de Kathleen O'Donnell, mais Francesca attendrait le lendemain matin pour s'y rendre.

La Sixième Avenue était très peuplée, à cette heure-là. Des employés, engoncés dans leurs pardessus, le chapeau rabattu sur les yeux, se hâtaient de rentrer chez eux après leur journée de travail. Fiacres et trolleys bondés congestionnaient la circulation. On apercevait de temps en temps l'attelage d'un gentleman, et un peu plus loin, les trains aériens se succédaient, comme toujours aux heures de pointe.

Francesca examina la vitrine pleine de toutes sortes d'armes, puis elle se tourna vers Joel, le cœur battant.

Elle n'aimait pas les armes à feu, elle n'en avait jamais eu, ni même tenu en main.

— Attends-moi là, Joel, et n'entre sous aucun prétexte. Tu ne me connais pas.

— Pigé ! dit-il joyeusement.

Elle sourit et, comme ses cheveux étaient cachés par sa casquette, elle lui tira affectueusement l'oreille. Puis elle prit une profonde inspiration pour se donner le courage de pénétrer dans la petite boutique. Après tout, elle était une citoyenne, or tout le monde avait le droit de posséder une arme, alors, où était le problème ?

Elle s'attendait tout de même à rencontrer quelques difficultés.

L'intérieur était mal éclairé, sans doute parce que l'heure de la fermeture était proche. Et puis, il faisait déjà nuit, dehors.

Il y avait trois comptoirs en forme de U, regorgeant de marchandises. Un homme chauve à grosse moustache se tenait derrière l'un d'entre eux. Il était de dos, mais il se retourna en entendant la cloche tinter.

— Bonsoir ! lança Francesca d'une voix faussement enjouée, la main crispée sur son réticule.

Elle n'arrivait pas à s'expliquer sa nervosité. Peut-être était-ce tout simplement qu'elle n'aimait pas les armes. Pourtant, c'était une nécessité dans son métier, elle l'avait appris à la dure.

Bien entendu, elle ne comptait s'en servir qu'en dernier recours, si elle se trouvait dans une situation désespérée.

— Je peux vous aider, mademoiselle ? fit le commerçant.

Elle lui sourit.

— Je souhaiterais acheter un pistolet.

— Eh bien, c'est exactement ce que nous faisons ici : nous vendons des armes.

Il l'étudia attentivement.

100

— Mais ce n'est pas souvent que des jeunes dames s'en offrent. Quel âge avez-vous, si je peux me permettre ?

Elle hésita un bref instant.

— Vingt et un ans, monsieur, mentit-elle. Mais le pistolet n'est pas pour moi. Ma sœur veut apprendre le tir, or son anniversaire approche, et j'ai décidé de lui offrir une arme. Il s'agit de Lady Montrose, précisa-t-elle.

La plupart des Américains éprouvaient un respect teinté d'envie pour la noblesse, et celui-ci ne faisait pas exception à la règle. Le titre de Constance l'impressionna, de toute évidence.

— J'ai entendu parler de lady Montrose dans la rubrique mondaine des journaux. Ainsi, vous êtes sa sœur ?

— Francesca Cahill, répondit-elle aimablement.

C'était une petite ville, d'une certaine manière, et elle sut qu'il connaissait son nom, car il tressaillit légèrement. Andrew Cahill était fort riche, bien que cela n'ait pas toujours été le cas. Il avait grandi dans une ferme, et avait travaillé dans une boucherie avant de l'acheter. De là, il s'était lancé dans le commerce de la viande en gros. Il avait ouvert sa première usine à vingt-trois ans.

— Bon, eh bien, je vais vous montrer ce que j'ai, dit l'homme.

Il se dirigea vers un comptoir où se trouvaient de petits pistolets, visiblement destinés aux femmes. Francesca s'en approcha.

— Pourrais-je voir celui-ci, avec la crosse de nacre ?

— C'est de l'opale, rectifia-t-il. Quel genre de tir intéresse votre sœur ?

Il avait ouvert la vitrine et lui tendait l'objet.

Il avait la taille de la main de Francesca et ne pesait sûrement pas plus de deux ou trois cents grammes. Elle visa un miroir, à l'autre bout de la pièce. L'arme ne serait pas difficile à utiliser.

— Celui-ci sera parfait, souffla-t-elle, soudain fascinée.

C'était un ravissant objet, facile à dissimuler dans un réticule.

— En fait, je crois qu'elle veut seulement posséder un pistolet au cas où elle aurait à se protéger, ajouta-t-elle.

— Alors, celui-là suffira. Si votre sœur envisageait de devenir tireur d'élite, je ne le recommanderais pas, mais si elle souhaite juste une jolie babiole, c'est ce qu'il lui faut. Voulez-vous un paquet cadeau ?

— Ce serait merveilleux !

Personne ne se douterait qu'elle transportait une arme si elle était dissimulée dans un coffret, puis dans un sac en papier. Elle songea soudain qu'il avait traité une arme de mort de « jolie babiole », puis elle chassa cette pensée. Après tout, cet homme était habitué à manipuler des armes, et en effet, comparé aux fusils et aux énormes revolvers, le petit derringer ressemblait à un jouet.

Comme ç'avait été facile !

Trop, lui chuchota une petite voix qu'elle préféra ignorer.

Le dos à la vitrine, Joel regardait les passants en l'attendant.

— Mission accomplie ! annonça Francesca.

— Faites voir ! s'écria-t-il, tout excité.

Elle lui montra le coffret emballé d'un papier bleu, blanc, rouge. Elle avait demandé au commerçant de ne pas utiliser le papier du magasin, prétextant qu'elle ne voulait pas que sa sœur devine ce que contenait le paquet.

— Ainsi, je pourrai sans peine le ramener à la maison, déclara-t-elle, toute fière.

Joel était visiblement déçu.

— Je le verrai demain ?

— Bien sûr !

Elle le prit par le bras.

— Je vais chez Bragg. Veux-tu que je te mette dans un fiacre pour que tu rentres chez toi ? Nous nous retrouverons demain matin.

— À quelle heure ?

— 9 heures, cela te convient ? Je peux te retrouver directement chez Kathleen O'Donnell.

Ils se mirent d'accord sur 9 heures, puis Joel déclara :

— Je vais rentrer à pied, pas la peine de dépenser du pognon.

— Tu es sûr ?

Francesca fut interrompue par une voix masculine.

— Mademoiselle Cahill ! Que faites-vous ici ?

Elle la reconnut tout de suite, et se tourna à contre-cœur pour faire face à son propriétaire, un grand jeune homme dégingandé qui s'était mis en tête de la courtiser, et rougissait à présent comme un gamin.

— Quelle agréable surprise, monsieur Wiley ! s'exclama-t-elle.

Francesca frappa à la porte de Bragg – pour la troisième fois. Elle était un peu anxieuse. D'ordinaire, Peter ouvrait dès qu'elle arrivait sur le seuil.

Soudain, il fut devant elle, impassible comme toujours.

— Peter ! s'écria-t-elle, soulagée. Tout se passe bien ? Comment vont les filles ?

— Pas de problème, dit-il en jetant un coup d'œil derrière elle. Vous n'avez pas amené la gouvernante ?

Elle ouvrit de grands yeux. Il ne s'était jamais encore adressé à elle directement. Cela signifiait-il qu'il avait hâte d'abandonner son rôle provisoire de bonne d'enfants ?

— Je n'ai pas eu le loisir d'en engager une, répondit-elle. Bragg doit me rejoindre ici sous peu. Où sont-elles ?

— Dans la cuisine.

Francesca traversa la salle à manger aux murs vert mousse, meublée d'une table de chêne et de six chaises. En ouvrant la porte, elle eut un haut-le-corps.

Les filles étaient assises à une table de pin sur laquelle régnait le plus grand capharnaüm. De toute évidence, Dot avait joué avec la nourriture, et il y avait des petits pois et de la purée absolument partout. Katie était à côté d'elle, de la purée dans les cheveux, devant une assiette au contenu méconnaissable, à laquelle elle n'avait visiblement pas touché.

Tel un soldat de la garde royale, elle ne bougeait pas, ne souriait pas.

Dot les aperçut à la porte, et poussa un cri de joie en leur lançant un pilon de poulet.

Francesca l'esquiva, et le pilon heurta le torse musclé de Peter.

Elle se mordit la lèvre.

— Ô mon Dieu !

— Celle qui a les cheveux bruns ne veut pas manger.

— Elle s'appelle Katie.

Du lait avait été renversé sur le sol, près des pieds de Katie et sous la chaise de Dot.

Peter ramassa le pilon qu'il alla déposer dans la boîte à ordures, sous l'évier métallique.

— Bragg va bientôt arriver, Peter, dit Francesca, prise d'une véritable panique. S'il voit ce spectacle, il ne voudra jamais garder les filles !

Peut-être que Peter n'y tenait pas non plus, songea-t-elle. Elle le regarda, mais il ne s'occupait que du balai à franges dont il venait de s'emparer.

— Peter ? Vous êtes sûr que ça va ?

Il lui jeta un regard dénué d'expression, et entreprit d'éponger la flaque de lait. Francesca sourit aux petites.

— Bonsoir, jeunes filles !

Dot battit des mains, puis elle enfonça le poing dans la purée de sa sœur.

Katie feignait de ne pas avoir entendu Francesca les saluer, mais elle avait froncé les sourcils.

— Dot, on ne joue pas avec la nourriture, dit Francesca en ramassant les assiettes sales pour les porter dans l'évier.

Elle dénicha une lavette et revint vers la table tandis que Dot jetait les restes de purée en éclatant de rire.

— Katie, tu n'as rien mangé.

La fillette leva vers elle un regard buté.

— Je vais m'occuper de ça, mademoiselle Cahill, proposa Peter.

— Certainement pas ! Ceci est en partie ma faute.

— Je nettoierai la cuisine, insista-t-il. Chargez-vous d'elles…

Francesca allait protester quand elle se rendit compte qu'en effet, cela irait plus vite. D'autant que les petites avaient besoin de se laver un peu.

— Très bien. Allons-y, Dot, fit-elle en soulevant la cadette dans ses bras.

La fillette noua ses petits bras autour de son cou.

— Mmm… Bon, bon.

Francesca sourit et l'étreignit.

— Oui, c'est bon, et tu es une très gentille petite fille.

Dot gloussa.

— Sauf quand tu jettes la purée par terre. Ce n'est pas bien, ajouta-t-elle en s'efforçant de prendre un air sévère.

— Sh… sh… sh… fit Dot.

— Sh ? répéta Francesca.

— Sh ! répéta la petite, exigeante.

— Je ne sais pas ce que cela veut dire, mais je finirai bien par le découvrir. Katie ? Allons-y. Bragg va arriver, et il faut vous laver.

Katie, la moue boudeuse, ne bougea pas d'un pouce.

— Katie ? Je te parle ! insista Francesca en essayant d'adopter un ton à la fois doux et ferme.

Brusquement, la fillette bondit sur ses pieds et sortit de la cuisine en courant.

— Kay-tie ! cria Dot. Kay-tie !

— Mademoiselle Cahill ? La voiture, annonça Peter qui essuyait la table avec un torchon.

— Le voilà ?

Sans attendre la réponse, elle se précipita vers l'évier et ouvrit le robinet.

— Sois sage, maintenant, murmura-t-elle à Dot.

Celle-ci continuait à appeler sa sœur.

— Kay-tie !

Francesca lui savonna les mains tandis qu'on entendait claquer la portière de la Daimler.

Dot lui caressa la joue, laissant une traînée de savon.

Francesca la posa sur le sol et, à l'aide d'une serviette propre, tenta de débarrasser son visage et ses cheveux des traces de nourriture. Espiègle, Dot se mit à tirer sur un bout de la serviette.

— Pas maintenant, dit Francesca qui essayait de lui nettoyer la bouche.

Dans la précipitation, elle dut se montrer un peu brutale, car des larmes montèrent aux yeux de Dot.

— Ne pleure pas, souffla Francesca, désarmée.

Des pas résonnaient dans l'entrée.

— Peter ? appelait Bragg.

Peter échangea un coup d'œil avec Francesca, puis il se hâta hors de la cuisine, de toute évidence pour retenir son maître.

— Je suis désolée. Ne pleure pas, répéta Francesca en caressant les fins cheveux blonds.

Dot lui tapa sur la main, maussade.

Affolée, Francesca regarda autour d'elle, pour s'apercevoir que la cuisine était parfaitement en ordre, à part les deux assiettes sales dans l'évier.

Déjà, Bragg apparaissait sur le seuil.

— Ah, vous êtes là.

Elle fit demi-tour, la petite fille devant elle. Puis leurs regards se croisèrent, et toute sa tension disparut. Elle était soudain intensément consciente de la présence de l'enfant dont elle tenait l'épaule, de l'homme qui lui faisait face, de la cuisine dans laquelle ils se trouvaient. Il y avait une étonnante intimité dans cette scène.

— Bonsoir, Bragg.

Il souriait, et son expression s'adoucit encore lorsqu'il baissa les yeux sur Dot.

— Quelle jolie petite fille !

— Elle est très... mignonne, répliqua Francesca en priant pour que Dot retrouve son heureux naturel.

— Pourquoi pleure-t-elle?

— Je lui lavais le visage.

— Je vois...

— Kay-tie! se mit à hurler Dot.

C'était une véritable sirène d'alarme!

Bragg sursauta.

— Que se passe-t-il?

Francesca prit Dot dans ses bras.

— Elle veut sa sœur. Allons chercher Katie, Dot.

Dot s'épanouit instantanément.

— Chercher! ordonna-t-elle. Chercher!

— Oui, nous allons la trouver.

Francesca s'approcha de Bragg, la petite accrochée à son cou. Mais comme elles passaient devant lui, Dot se fit méfiante.

— C'est mon ami, et il s'appelle Rick, expliqua Francesca. Il est très gentil, Dot. Katie?

Pas de réponse. Ils traversèrent la salle à manger, mais Dot continua à fixer Bragg d'un air soupçonneux.

— Je crois qu'elle ne m'aime guère, fit-il remarquer.

— Elle aime tout le monde, assura Francesca. C'est une adorable petite fille. Katie?

Ils s'arrêtèrent dans le hall.

— C'est étrange de vous voir avec un enfant, fit Bragg.

Elle tressaillit, et leurs regards s'aimantèrent.

— Pourquoi? risqua-t-elle.

Avait-il eu la même pensée qu'elle?

— Je vous imagine en mère, dit-il sans sourire.

Elle eut le cœur serré.

— Voulez-vous des enfants, Bragg?

— À une époque, oui. Plus maintenant.

Sa réponse ne l'étonna pas vraiment. Pourtant, il ferait un merveilleux modèle pour un fils, et un père tendre pour une petite fille, elle en était certaine. Mais elle était trop égoïste pour lui conseiller d'avoir des enfants, même s'il était vraisemblable que cela lui arriverait un jour. Peut-être à ce moment-là se serait-elle accoutumée à l'idée qu'il avait une femme.

— J'aimerais qu'elle cesse de me fusiller ainsi du regard, reprit-il.

Francesca s'aperçut qu'en effet la petite le considérait sans aménité, et elle lui caressa les cheveux.

— Dot ? Rick est mon ami. C'est le tien aussi. « Ami », tu sais ce que ça veut dire ?

— Chercher ! s'énerva l'enfant. Chercher, chercher, chercher !

— Nous ferions mieux de trouver sa sœur, conseilla Bragg. Katie ?

Ils se rendirent au salon.

— Au fait, qu'avez-vous découvert sur Kathleen O'Donnell ? l'interrogea Francesca.

— Qu'elle travaillait dur, que c'était une bonne mère, qu'elle allait à l'église tous les dimanches.

Il ouvrit la porte du salon.

— Katie ?

Il n'y avait personne.

— Elle était aussi couturière, ajouta-t-il.

Francesca s'arrêta net.

— Couturières toutes les deux ? Est-ce une coïncidence selon vous ?

— Je n'en sais rien.

— Avez-vous appris qui est Mike O'Donnell ?

— Son mari.

Francesca haussa les sourcils.

— Eh bien, voilà qui est intéressant.

— Apparemment, ils ne vivaient plus ensemble depuis plusieurs années, précisa Bragg.

— Donc, c'était une couturière, et elle élevait son enfant seule ? Exactement comme Mary !

— En effet.

— Savez-vous où est O'Donnell ? s'enquit-elle après réflexion.

— Il est débardeur au port, mais non, personne ne sait où il habite ni pour qui il travaille. Nous finirons bien par lui mettre la main dessus en fouinant du côté des quais.

Ils étaient devant la porte du bureau.

— Elle n'est sûrement pas là. Katie ? cria Francesca en se dirigeant vers l'escalier, inquiète, à présent.

— Kay-tie, Kay-tie, Kay-tie, répétait Dot comme une litanie.

Elle semblait sur le point de fondre en larmes.

— Nous allons la trouver, la rassura Francesca tandis que Bragg ouvrait la porte du bureau.

— Personne, commença-t-il.

Puis il s'interrompit.

Francesca sut qu'il avait découvert la fillette, et elle revint sur ses pas.

Dans le bureau sombre, elle aperçut la petite silhouette recroquevillée dans un coin, près de la cheminée. Katie avait entouré des bras ses genoux remontés sous le menton.

— Katie, murmura Francesca, émue.

Elle pénétra dans la pièce, et Bragg alluma une lampe.

— Katie, ça va ? s'enquit doucement Francesca.

— Kay-tie ! brailla Dot.

Katie aurait tout aussi bien pu être sourde tant elle était immobile.

Francesca posa Dot à terre, espérant que son aînée allait enfin se conduire comme une enfant normale.

— Mon Dieu, Katie, comme c'est triste, ici ! Que faisais-tu toute seule dans le noir ? Tu n'as pas peur ?

La fillette releva la tête et lui adressa un regard glacial.

— Kay-tie ! cria Dot en se jetant sur sa sœur.

— Je devine que la nuit sera dure, commenta Bragg d'un ton neutre.

Francesca se tourna vers lui.

— Elles ne sont pas difficiles, vraiment, Bragg.

Il n'était pas en colère, juste contrarié.

— Je ne suis pas complètement idiot, Francesca.

— Il leur faut juste un peu de temps pour s'acclimater…

— Une seule nuit, la prévint-il.

Brusquement, son expression changea. Il blêmit.

— Que fait-elle ? cria-t-il.

Francesca suivit la direction de son regard.

Accroupie, Dot faisait pipi sur le tapis d'Orient en leur adressant un sourire radieux.

— Je suis désolée, dit Francesca une bonne demi-heure plus tard.

Les deux petites filles étaient roulées dans des draps et des couvertures à même le sol d'une chambre d'amis vide. Peter leur lisait une histoire – malheureusement, il s'agissait de *L'Illiade* ! Dot, qui ne comprenait sans doute pas un mot, semblait ravie, alors que Katie n'avait toujours pas ouvert la bouche.

— Moi aussi, fit Bragg. J'aimais bien ce tapis.

— Il n'est pas définitivement abîmé.

— Bon. C'était un accident. Je suis certain que cela ne se reproduira plus.

Il tenait le manteau de Francesca, et elle lui sourit. Comment lui expliquer que Dot n'avait pas l'habitude d'utiliser des toilettes ? Afin d'éviter de futures catastrophes, Francesca avait trouvé, à l'insu de Bragg, une serviette dont elle avait l'intention de se servir comme couche. Mais en voyant le tissu blanc, Dot s'était mise à hurler, et Francesca avait renoncé à son idée.

— Elles viennent de perdre leur mère. Katie est accablée de chagrin. Mais Dot est adorable, en dépit de ce malheureux incident. Vous ne trouvez pas ?

Bragg soupira.

— Je vous en prie, essayez de leur dénicher un foyer dès demain, dit-il en l'aidant à enfiler son manteau.

Le lendemain étant un samedi, Francesca savait qu'il lui faudrait au moins une semaine pour leur trouver une famille d'accueil satisfaisante.

— Je ferai de mon mieux.

Elle se tenait près d'une petite table sur laquelle se trouvait une lampe surmontée d'un miroir. Comme elle glissait le bras dans sa manche, quelque chose tomba à terre.

— Oh, je suis navrée !

Bragg ramassait déjà ce qui était apparemment le courrier du jour. Il se releva, quelques enveloppes à la main.

— Peter est un peu perturbé, aujourd'hui, observat-il. D'habitude, il dépose le courrier sur mon bureau.

Francesca se contenta de lui sourire, heureuse qu'il n'ait pas vu la cuisine avant qu'elle ait été nettoyée. Puis elle s'aperçut qu'il restait une enveloppe sur le sol, et elle la ramassa vivement. Le tampon de la poste lui sauta aussitôt aux yeux. La lettre avait été postée au Havre, en France.

Venait-elle de Leigh Anne ? Elle était adressée à Bragg, et l'écriture était tellement élégante qu'il ne pouvait s'agir que de celle d'une femme. Elle retourna l'enveloppe, et l'adresse de l'expéditeur se mit à danser devant ses yeux.

Mme Rick Bragg.

Sa femme !

Francesca fixait l'enveloppe, sonnée.

— Francesca ?

— Oh !

Elle la lui tendit en hâte d'une main tremblante.

— Qu'y a-t-il ? demanda-t-il, incisif.

— Rien.

Un sourire plaqué sur le visage, elle essayait de se convaincre qu'il était normal qu'il reçoive des nouvelles de sa femme. Pour autant qu'elle le sache, Leigh Anne lui écrivait régulièrement. À moins que l'enveloppe ne contienne des factures. Ou une demande d'allocation supplémentaire. Cela ne voulait rien dire de plus, rien du tout !

Ils se détestaient, et ils ne s'étaient pas vus depuis quatre ans, se rappela Francesca.

— Venez, je vais vous appeler un fiacre.

Il lui prit le bras, et ils sortirent de la maison.

— Vous êtes sûre que ça va ? insista-t-il.

— Oui, mentit-elle, en proie à un affreux pressenti-ment.

Elle avait la certitude que cette lettre était impor-tante, et qu'il n'en sortirait rien de bon.

Au contraire.

6

Vendredi 7 février 1902, 9 h 30

Julia l'attendait.

Elle s'habillait toujours pour dîner, et elle sortait du salon jaune à l'instant où Francesca quittait le hall. Ce soir, elle était vêtue d'une robe de soie crème, merveilleuse d'élégance dans sa simplicité. Francesca sourit, sans cesser de penser au pistolet qu'elle avait dans son réticule. Il n'était pas question de le remettre à une servante : elle aurait eu peur qu'il ne tombe, ou s'ouvre inopinément, révélant son contenu.

— Tu es juste à l'heure, remarqua Julia. J'hésite à te demander où tu as passé la journée.

— J'ai travaillé sur le Comité des femmes pour l'éradication des taudis, répondit-elle sans réfléchir.

Elle avait fondé cette association un mois auparavant, et pour l'instant, elle ne comptait que deux membres : Calder Hart et elle.

L'expression de Julia s'adoucit.

— J'ai entendu dire que Calder Hart t'avait fait une très généreuse donation, Francesca.

Un instant, la jeune fille s'étonna que sa mère fût au courant. Elle n'aurait pas dû, car Julia savait toujours tout ce qui se passait en ville dans les cercles huppés. Et puis Constance était présente lorsque Calder lui avait remis ce chèque extravagant.

— C'est Constance qui vous en a parlé ?

— En effet. Tu n'ignores pas que Hart est un mécène, il donne à plusieurs musées de la ville, il a subventionné

113

la bibliothèque municipale, par deux fois, je crois. Il a aussi créé une bourse d'études à l'université de Columbia pour les matières artistiques, à l'automne dernier. En revanche, il ne se mêle jamais de politique. Il refuse catégoriquement d'adhérer à un parti ou de soutenir un candidat aux élections – ce qui en frustre plus d'un. Beaucoup de gens le sollicitent pour des causes variées. Je l'ai moi-même approché pour qu'il apporte sa contribution au Lenox Hill Hospital, mais il a poliment refusé.

Francesca rougit.

— Eh bien, il a accepté de soutenir cette cause-là.

— Il doit être amoureux de toi, déclara Julia, ravie.

— Fariboles !

— Il t'a remis cinq mille dollars, tout de même !

— Je vous en prie, maman. Hart n'est amoureux de personne. Sa réputation n'est pas surfaite. C'est un homme à femmes.

Francesca pénétra au salon où elle se laissa tomber sur un sofa, son sac toujours serré contre elle. Pour un peu, elle aurait dit à sa mère que Constance était la prochaine proie de Calder Hart, histoire de la convaincre. Mais, évidemment, elle n'en ferait rien.

— Ma foi, je ne suis pas mécontente que tu entretiennes des relations avec lui et que tu l'intéresses. Mais pour en revenir à ta journée, tu n'as tout de même pas passé tout ton temps depuis ce matin sur ce nouveau comité ?

Francesca ouvrit de grands yeux. Sa mère l'espionnait-elle ? Si c'était le cas, elle allait avoir de sérieux ennuis ! Elle hésita un instant avant de lâcher tout à trac :

— Le préfet a accueilli chez lui deux orphelines. Il m'a demandé de veiller sur elles, et j'ai accepté.

— Deux orphelines ? s'écria Julia. Bragg a pris deux orphelines chez lui ?

— Il m'a aussi demandé de lui trouver une gouvernante. Auriez-vous une bonne agence à me recommander, maman ?

— Bien sûr! La meilleure de la ville. Mansfield. Leurs fichiers comptent surtout des domestiques anglais parfaitement qualifiés.

— Merci, maman.

Elle se rendrait à l'agence à la première heure, avant son rendez-vous avec Joel.

— Bien, appelons ton père, et allons dîner. Evan m'a appris que tu allais au théâtre demain soir avec lui, Mlle Channing, sa cousine et Rick Bragg. Vous devriez passer un excellent moment.

Francesca se leva. Elle ignorait qu'une cousine de Sarah se joindrait à eux, mais peu lui importait.

— J'ai eu envie d'assister à ce spectacle dès sa sortie, dit-elle, espérant que sa mère ne ferait pas de commentaire sur la présence de Bragg parmi eux.

— Dommage que tu n'aies pas convié Hart, déclara Julia alors qu'elles sortaient du salon. Tu t'accroches à ton sac comme s'il contenait de l'or, poursuivit-elle sans laisser le temps à sa fille de répondre.

— Il faut que je monte une minute, maman, mais je redescends tout de suite.

— Pourquoi ne pas proposer à Hart de se joindre à vous? insista Julia.

Francesca croisa son regard.

— C'est une excellente idée, mentit-elle.

Julia semblait aux anges.

Francesca se hâta vers l'escalier. Naturellement, il n'était pas question d'inviter Hart, cela gâcherait la soirée. Bragg et lui s'entre-tueraient ou, dans le meilleur des cas, ils en viendraient aux mains

Samedi 8 février, 11 heures

Francesca et Joel se dirigeaient lentement vers Water Street. Trois gros cargos à quai crachaient une épaisse fumée. Un remorqueur passa en haletant, tirant une goélette qui avait connu des jours meilleurs.

L'air était vif, salé, et des blocs de glace flottaient sur East River.

La petite rue étroite dans laquelle ils se trouvaient était sale, et pleine d'ornières gelées. Le long des trottoirs de bois s'alignaient des tavernes, seuls établissements commerciaux du quartier.

Deux marins avinés, qui sortaient en titubant d'un bar, les frôlèrent dangereusement. Francesca agrippa la main de Joel et le retint, le temps que les marins traversent la rue. Un cavalier faillit les renverser.

— C'est là d'après toi ? demanda Francesca. Le cousin de Kathleen prétend que la taverne que fréquente Mike O'Donnell n'a pas d'enseigne.

— Je ne vois rien, répondit Joel en plissant les yeux.

Ils se tenaient devant un bâtiment délabré qui n'inspirait guère confiance. Pour l'heure, ils savaient que Mike O'Donnell travaillait sur le port, acceptant ce qui se présentait au jour le jour. Le cousin de Kathleen, un vieil homme du nom de Doug Barrett, avait précisé qu'O'Donnell était porté sur la boisson, et qu'il y avait sur Water Street une douzaine de bars qu'il fréquentait régulièrement.

En revanche, il ignorait si Kathleen était restée en contact avec lui ou pas.

— Nous entrons ? murmura Francesca, s'efforçant de juguler son appréhension.

— J'y vais, décréta Joel. Et je vous le ramène.

Ils avaient déjà utilisé cette tactique lorsqu'ils se trouvaient devant des établissements douteux. Francesca acquiesça et, tandis que Joel pénétrait dans le bar, glissa la main dans la poche de son manteau afin de se rassurer au contact de son pistolet.

Le cavalier solitaire, qui n'était de toute évidence pas un gentleman malgré la qualité de sa monture, avait atteint le bout de la rue, mais il fit brusquement demi-tour et fonça droit sur Francesca.

Celle-ci retint son souffle, non sans remarquer vaguement un groupe d'hommes qui entraient dans la taverne.

Le cheval se cabra en arrivant à sa hauteur, et elle se pétrifia.

Le cavalier lui sourit, puis il lança sa monture au galop.

Dieu merci! Elle avait craint un instant qu'il ne l'aborde.

Elle se rapprocha du mur de l'établissement, comme si cela suffisait pour qu'elle passe inaperçue. Un homme se dirigeait vers elle. Sa silhouette avait quelque chose de familier, mais elle était si nerveuse qu'elle n'arrivait pas à le remettre. Les yeux rivés au sol, elle priait pour que Joel revienne le plus vite possible.

— Eh bien! Curieux de vous rencontrer ici, mademoiselle Cahill.

Elle aurait reconnu cette voix entre mille – elle ne risquait pas d'oublier ce vaurien qui l'avait naguère accostée et embrassée de force. Elle sursauta et croisa le regard de Gordino. Une véritable panique la saisit.

Il lui adressa un sourire égrillard.

— Toute seule? Oui, sûrement. Le flic que vous aimez tant vous laisserait jamais fréquenter un quartier comme celui-là.

— Bonjour, monsieur Gordino, s'entendit-elle répondre. Comment allez-vous?

Il eut un rire gras.

— Gordino? Avant, c'était monsieur le Meurtrier, la Brute. Ne-vous-approchez-pas-de-moi!

Elle était acculée, ne savait où se réfugier.

— Je suis désolée pour les malentendus passés, murmura-t-elle. Nous vous avions pris pour le ravisseur du petit Burton, alors que vous n'étiez qu'un intermédiaire.

Il se pencha sur elle. Il avait l'haleine fétide, et son visage était grêlé de cicatrices de petite vérole.

— À cause de votre amoureux et de vous, j'ai passé bien trop de nuits en prison. J'ai pas oublié, mademoiselle Cahill.

Son regard sombre était inquiétant.

— Je suis navrée. La vie d'un petit garçon était en jeu...

— Et j'ai aussi une dent contre Bragg, coupa-t-il. Il perd rien pour attendre, celui-là !

Avec un sourire mauvais, il continua son chemin, lui flanquant au passage un violent coup de coude qui l'envoya heurter le mur.

Elle serra les dents pour ne pas crier, et demeura immobile, haletante de peur, jusqu'à ce qu'il ait disparu à l'intérieur d'un autre bar. Même alors, elle ne se sentit guère mieux.

Seigneur ! De toute évidence, elle s'était fait un ennemi mortel. Et il s'agissait d'un dangereux malfaiteur qui plus est !

— M'dame ?

Infiniment soulagée d'entendre la voix de Joel, elle se retourna. Un homme d'une trentaine d'années à la peau tannée et aux cheveux décolorés par le sel et le soleil se tenait devant elle.

— Monsieur O'Donnell ? s'enquit-elle.

— C'est bien moi.

Il ne paraissait pas ivre, bien qu'il sortît d'un bar.

— Je suis désolée pour votre femme, dit-elle en l'observant attentivement.

Il croisa les bras.

— Ah, ouais ? Et pourquoi ?

— Pourquoi ? Parce qu'elle ne méritait pas cet horrible sort, et qu'elle laisse une petite fille derrière elle.

L'enfant avait déjà été placée dans un orphelinat. Francesca avait appris que le meurtre de Kathleen remontait au 10 janvier.

Elle ne connaissait pas encore Bragg, à l'époque, leur rencontre remontant au 18.

O'Donnell haussa les épaules.

— C'est le destin.

— Pouvons-nous vous poser quelques questions ?

— Pourquoi faire ?

Elle fut tentée de lui répondre: «Parce que votre sœur et votre femme ont été tuées exactement de la même façon», mais elle se contenta d'expliquer:

— Maggie Kennedy est une de mes amies.

Mike ne réagit pas au nom de Maggie.

— Elle était très proche de votre sœur, monsieur O'Donnell.

— Ouais? Et alors?

Haussant de nouveau les épaules, il fit mine de retourner dans la taverne.

— Votre sœur et votre épouse sont mortes – toutes deux assassinées – en l'espace d'un mois. Je dois vous poser des questions! s'écria Francesca en se précipitant derrière lui.

— Seulement si vous me payez un verre. J'ai une heure, après je reprends le boulot.

Il ne la regarda même pas.

Francesca échangea un coup d'œil avec Joel qui semblait indécis.

— Ne t'inquiète pas, murmura-t-elle en lui tapotant l'épaule. Ça va.

Elle suivit O'Donnell, et Joel lui emboîta le pas.

Un comptoir rustique courait le long d'un des murs de la pièce, et elle remarqua un escalier au fond. Un rire de femme leur parvint de l'étage. Quatre tables branlantes étaient occupées. Un gros homme d'un certain âge se tenait derrière le bar, suffisamment impressionnant pour décourager les mauvais payeurs.

O'Donnell était déjà accoudé au comptoir. Francesca le rejoignit. Le barman lui jeta un regard indifférent.

— C'est la dame qui régale, annonça O'Donnell.

Le barman posa des verres devant eux et leur servit ce qui semblait être du whisky.

O'Donnell vida le sien d'un trait, le reposa, et le barman le remplit aussitôt.

— Quand avez-vous vu votre femme pour la dernière fois, monsieur O'Donnell? interrogea Francesca après avoir sorti un bloc et un crayon de son sac.

— J'en sais rien. Un an ou deux. Pourquoi ? Vous croyez que c'est moi qui ai fait ça ?

Elle cligna des yeux, prise de court.

— Je n'ai jamais dit cela !

Il sourit avant d'avaler son deuxième whisky.

— Vous ne rendez pas régulièrement visite à votre fille ?

Elle avait noté que les deux victimes n'avaient que des filles, pas de garçons.

— Non. Kathleen voulait pas. Elle prétendait que j'avais une mauvaise influence.

Francesca essayait de deviner s'il se souciait de sa femme et des propos qu'elle tenait, mais il paraissait totalement indifférent.

— Quand avez-vous vu votre fille pour la dernière fois ? Margaret, je crois ?

— Je sais pas.

— Vous ne pourriez pas essayer de vous souvenir ? insista-t-elle.

— C'était y a longtemps ! explosa-t-il. En hiver, peut-être juste avant Noël, ou avant Thanksgiving. L'année dernière, ou l'année d'avant, j'en sais rien !

Il était en colère, soudain. Il posa son verre que le barman s'empressa de remplir.

— Je ne suis pas ici pour vous ennuyer, monsieur O'Donnell. Et Mary ? Vous la voyiez de temps en temps ?

— Ouais, répondit-il sans la regarder. Une fois par semaine, quelque chose comme ça.

Francesca aurait été incapable de dire s'il mentait ou non.

— Ainsi, vous étiez proches.

— J'ai pas dit ça.

Elle hésita. S'il ne se souciait pas de sa fille, aimait-il ses nièces ?

— Dot et Katie ont besoin d'un nouveau foyer maintenant que leur mère n'est plus là.

— J'espère qu'elles en trouveront un.

Elle croisa son regard bleu, cherchant à y déceler un peu de compassion.

Il poussa un lourd soupir.

— Je sais pas pourquoi elles sont mortes toutes les deux. Mais me collez pas ça sur le dos ! J'avais rien à voir avec elles. Et je travaille, j'avais pas de temps non plus pour les filles.

— Je n'ai jamais dit que vous aviez quelque chose à voir avec les meurtres de votre femme et de votre sœur. Je ne l'ai même jamais pensé, mentit Francesca.

Son expression changea brusquement, passant de l'impassible à l'angoisse.

— Je regrette. Je regrette pour toutes les deux ! gémit-il en se prenant la tête entre les mains. Jamais j'aurais tué Kathleen. Je… je l'aimais. C'est elle qui me détestait. J'voulais pas m'en aller, elle m'a chassé.

— Je suis désolée, murmura Francesca, sincère. La police vous a-t-elle interrogé ?

Il se ressaisit.

— Non.

Francesca se mordit la lèvre. Elle allait être obligée d'avouer à Bragg qu'elle avait trouvé O'Donnell. Il n'apprécierait pas !

— Je parle pas à ces salauds de flics, cracha O'Donnell. Tous des imbéciles, des abrutis !

— Vous ne voulez pas que l'on trouve l'assassin de Kathleen ? Celui de Mary ?

— Y a des gens qui meurent tous les jours. Tous les jours, toutes les heures. Et la plupart de mort violente. Personne découvrira qui a tué Kathleen et Mary. Alors, à quoi bon ? Elles étaient pas comme vous.

Il lui lança un regard dur.

— C'étaient des pauvres Irlandaises, enchaîna-t-il. Personne se donnera le mal de chercher qui les a tuées.

Il se tourna vers le barman, et celui-ci remplit de nouveau son verre.

Mais O'Donnell ne le prit pas. Il fixait Francesca d'un air furieux.

— Encore une question, risqua-t-elle après une pause.

Il émit un vague grognement qu'elle décida de prendre pour un « oui ».

— Avez-vous une idée de qui aurait pu souhaiter la mort de Kathleen, ou de Mary ?

— Vous voulez dire : est-ce que je sais qui a fait le coup ? La réponse est non. Mais je sais qui haïssait ma femme, pour ça oui !

— Qui ?

Il grimaça un sourire.

— Son petit ami. Sam Carter.

Malgré le froid, Joel avait insisté pour attendre dehors. Francesca le connaissait suffisamment pour savoir qu'il détestait la police et n'avait aucune envie d'entrer au quartier général.

Francesca salua le capitaine Shea en traversant le hall. Il sourit et lui fit signe de passer.

Elle continuait son chemin, un peu distraite, quand elle heurta quelqu'un de plein fouet.

— Je suis désolée… commença-t-elle.

— Bonjour, mademoiselle Cahill, fit Arthur Kurland.

Le sourire d'excuse de Francesca disparut instantanément.

— Qu'y a-t-il ? demanda le reporter du *Sun*. Vous n'êtes pas contente de me voir ?

La trentaine, de taille moyenne, l'allure banale, Kurland était un homme que Francesca avait appris à ne pas sous-estimer.

— Ravie de vous rencontrer, se reprit-elle.

— Alors, vous allez rendre visite à votre « ami » le préfet ?

— Est-ce un crime ? Ou une bonne petite nouvelle digne d'être publiée ? riposta-t-elle, plus froidement qu'elle ne l'aurait souhaité.

Elle ne tenait pas à ce qu'il devine à quel point elle le détestait… et le redoutait.

— Ce n'est pas un crime, et pour l'instant, je ne pense pas que la nouvelle soit passionnante, répondit-il, aussi détendu qu'elle était crispée. Vous savez, mademoiselle Cahill, je vous admire énormément. Pour votre courage, votre intelligence, et les bonnes œuvres dont vous vous occupez.

Francesca se raidit.

— Vous avez enquêté sur ma vie privée ?

Il sourit.

— Comment aurais-je pu écrire ce que j'ai écrit sans me renseigner un peu sur vous ? Vous êtes une femme extrêmement intéressante. Je comprends pourquoi un homme tel que Bragg trouve votre amitié tellement importante.

Il n'appuya pas sur le mot « amitié », mais le sous-entendu était évident. Francesca passa résolument devant lui.

— Je dois y aller.

— On est pressée ?

Il la suivit.

— Oui, dit-elle sans lui accorder un regard.

— Vous savez qu'on ne parle que des meurtres d'O'Shaunessy et d'O'Donnell, en ce moment ?

Elle fit volte-face. Bien sûr, il avait fait le lien entre les deux crimes.

— Vous aidez de nouveau la police ? poursuivit-il. Vous avez peut-être raté votre vocation, mademoiselle Cahill. Vous devriez être détective, au lieu de militer pour la réforme.

— Il s'agit là d'une visite de courtoisie, rien de plus.

— Bragg a recueilli chez lui les petites O'Shaunessy. Comme c'est étrange !

— Vous êtes insupportable ! s'écria Francesca. Vous ne laissez donc jamais les gens tranquilles ?

Il la regarda droit dans les yeux.

— Qu'avez-vous à cacher ?

Elle respira un bon coup.

Il ne bougea pas.

Alors elle tourna les talons et, bien que l'ascenseur fût disponible, se précipita vers l'escalier, afin d'éviter de se trouver coincée dans l'habitacle avec cet odieux personnage.

Elle grimpa les marches à la hâte, et fonça jusqu'au bureau de Bragg. La porte en était close.

La partie supérieure était en verre dépoli, et elle ne pouvait voir à l'intérieur. Elle s'appuya au mur, à bout de souffle. Si Kurland n'avait pas encore deviné quels étaient ses sentiments pour Bragg, il ne tarderait plus. Il était trop déterminé, trop malin, et surtout, trop dénué de scrupules pour ne pas utiliser cette information dès qu'il en aurait l'occasion.

Elle en aurait pleuré. Il fallait qu'elle dissimule son secret à tout prix. *Leur* secret !

Elle songea fugitivement à la lettre expédiée par la femme de Bragg. Un peu déprimée, elle frappa à la porte.

— Entrez.

Le simple fait d'entendre sa voix la réconforta.

Debout près de son bureau, il s'entretenait avec un homme musclé dont la tête était couronnée d'une épaisse chevelure grisonnante. Elle ne put ignorer l'écusson sur son uniforme : il s'agissait du nouveau chef de la police, Brendan Farr.

Il n'avait pas l'air d'un officier corrompu. Il se dégageait de lui une indéniable autorité, et il semblait plus que déférent envers Bragg.

— Francesca !

Le préfet parut surpris de la voir, mais très vite, à l'étonnement succéda la tendresse dans ses yeux d'ambre. Elle se sentit fondre.

— Farr, Mlle Cahill. Comme vous le savez sans doute, elle nous a été précieuse dans les affaires Burton et Randall.

Farr tendit la main en souriant.

— J'ai lu tout ce qui vous concernait, mademoiselle Cahill. Vous êtes une courageuse petite personne. Capturer un assassin avec une poêle à frire ! Qui aurait imaginé cela ?

Francesca avait déboutonné son manteau, et il la parcourut du regard, s'attardant sur sa poitrine bien qu'elle portât une jaquette fermée jusqu'au cou.

Ses paroles étaient plutôt flatteuses – à part la « petite personne » –, mais elle y perçut une certaine condescendance. Elle lui rendit néanmoins son sourire.

— Je vous remercie.

— Dès que j'aurai résolu ce problème, monsieur, reprit Farr à l'adresse de Bragg, je vous en avertirai personnellement.

— Merci.

Le chef de la police sortit de la pièce, et Francesca attendit qu'il ait refermé la porte derrière lui pour annoncer tout de go :

— J'ai trouvé O'Donnell.

— Quoi ? Je croyais que nous étions d'accord pour que vous ne vous mêliez pas de cette affaire.

— Je n'ai jamais rien dit de tel. Oublieriez-vous que Mary a essayé de me demander de l'aide avant d'être tuée ? Sans compter que j'ai promis à Maggie Kennedy de faire mon possible pour découvrir l'assassin de son amie.

Elle croisa résolument les bras.

— Que vais-je faire de vous ? demanda-t-il d'un air grave.

— Vous m'appréciez parce que je suis intelligente et déterminée, vous l'avez dit vous-même.

Il la contempla un instant en silence.

— C'est vrai, reconnut-il. Mais qu'est-ce que mes sentiments ont à voir là-dedans ? Ce criminel est extrêmement dangereux, Francesca, vous le savez. Or je ne veux pas qu'on vous fasse du mal.

Elle aimait toujours le voir s'inquiéter pour elle, mais pour l'heure, elle était perturbée. Par la présence de Kurland au rez-de-chaussée, par la lettre que Bragg avait reçue de sa femme, par ces deux meurtres ignobles dont on ne connaissait pas encore le mobile. Elle soupira.

— Voulez-vous savoir ce qu'a dit O'Donnell ?

— Bien sûr.

— Nous l'avons découvert dans un bar de Water Street. Je ne sais pas si c'est un meurtrier ou pas, mais il prétend qu'il aimait Kathleen – tout en affirmant qu'il ne se souvient pas de la dernière fois où il l'a vue. Il prétend que son petit ami, Sam Carter, la détestait. Il m'a communiqué le nom de l'entrepôt où il travaille.

— J'ai envoyé douze hommes ratisser les docks à la recherche d'O'Donnell. Ils y sont depuis hier après-midi, mais vous avez réussi là où des professionnels ont échoué. Je devrais en être exaspéré, pourtant je suis résigné.

Elle posa la main sur son bras.

— Je suis une femme. Les gens comme Mike O'Donnell ne redoutent pas de me parler, ou de parler à Joel, qui est un des leurs.

Leurs regards s'unirent, et ils demeurèrent ainsi un long moment avant que Francesca laisse retomber sa main.

— Que vais-je faire de vous ? répéta-t-il dans un murmure.

Elle était à un cheveu de l'enlacer et de lui demander de l'embrasser. Elle n'en fit rien, mais la bataille qu'elle dut livrer fut terrible.

— Nous formons une merveilleuse équipe, dit-elle enfin d'une voix douce.

— En effet.

— J'aime travailler avec vous.

— Moi aussi.

— Personne n'a besoin de le savoir.

— Francesca…

— Bragg ! Vous m'aimez parce que je suis ainsi. Vous ne voudriez pas que je fasse tapisserie, que je joue les potiches !

Il esquissa un sourire.

— Nous en avons suffisamment dans cette ville – parmi les débutantes, entre autres. Je souhaiterais que davantage de femmes soient aussi passionnées que vous, s'intéressent aux affaires et au devenir de la cité.

La victoire était proche !

Il repoussa une boucle blonde du front de Francesca.

— Je suppose que ce n'est pas trop grave… jusqu'à présent.

— Je me tiendrai à l'écart du danger, promit-elle avec ardeur.

Devait-elle lui parler du pistolet ? Non, il serait sans doute moins enthousiaste qu'elle.

— C'est une promesse ?

— Oui.

Il hocha la tête et, spontanément, lui prit la main pour la porter à ses lèvres.

C'était fou ce que ce simple et chaste contact pouvait éveiller en elle ! Une intense chaleur l'envahit de la tête aux pieds. Il était intolérable qu'ils ne puissent être ensemble, songea-t-elle. Elle l'aimait, il l'aimait. Seulement, il y avait cette horrible femme. Cela devait-il les empêcher d'accéder au bonheur ?

— Qu'y a-t-il ? s'enquit-il.

Elle dégagea sa main, fit un pas en arrière, horrifiée par les pensées traîtresses qui s'étaient insinuées dans son esprit.

— Rien.

Elle devait absolument se ressaisir !

De toute évidence, il ne la croyait pas. Il haussa les sourcils d'un air sceptique.

Elle s'humecta les lèvres et sourit.

— Comment vont les filles ?

— Je l'ignore. J'ai quitté la maison à 6 h 30, ce matin. Elles dormaient encore. Peter aussi, ajouta-t-il, une étincelle amusée dans le regard. Lui qui se lève d'ordinaire à 5 heures !

Apparemment, la nuit avait dû être quelque peu houleuse, au 11 Madison Square.

Bragg décrocha son manteau de la patère.

— Nous y allons ? lança-t-il.

— Où ? demanda-t-elle, tout excitée.

— Chercher Sam Carter.

7

Samedi 8 février 1902, midi

L'entrepôt où travaillait Sam Carter se trouvait à l'est de la ville, sur la 21e Rue. Ils s'y rendirent en fiacre, beaucoup plus discret que le roadster de Bragg. L'inspecteur Murphy les accompagnait, et c'est ainsi que Francesca apprit qu'il était chargé de l'affaire.

Une pancarte accrochée de guingois au toit de l'entrepôt annonçait : *PAULEY & FILS*.

Francesca et Bragg se dirigèrent vers la porte grande ouverte du bâtiment, Murphy et Joel sur les talons. Ils s'arrêtèrent près de deux hommes qui charriaient des barriques.

Bragg lança un coup d'œil à Murphy qui s'avança.

— Inspecteur Murphy, se présenta-t-il. Savez-vous où je pourrais trouver Sam Carter ?

Les deux hommes reposèrent leur fardeau à terre. L'un d'eux mit les poings sur les hanches.

— Inspecteur ? Vous voulez dire la police ?

Murphy hocha la tête.

— Je dois parler à Sam Carter ; on m'a dit qu'il travaillait ici.

Les deux débardeurs échangèrent un coup d'œil.

— Jamais entendu parler de lui.

Francesca bouillait d'impatience. Elle se tourna vers Bragg qui secoua la tête.

— Où est le directeur de cet établissement ? demanda Murphy.

— Le bureau, au fond.

L'homme cracha un jet de salive brunâtre devant les souliers impeccablement cirés de l'inspecteur.

— Mes excuses, m'dame, ajouta-t-il.

Francesca jeta à Bragg un regard suppliant. Il acquiesça discrètement.

— Monsieur? Je suis la cousine de Sam. Je ne connais personne dans cette ville, or je viens d'y arriver. J'espérais le trouver aujourd'hui.

L'homme la dévisagea un instant. Trapu, avec un cou de taureau et des bras comme des troncs d'arbre, il portait en tout et pour tout une chemise de flanelle sur un maillot de corps en dépit du froid.

— Vous avez pas de chance, dit-il enfin. Carter travaille plus ici. Personne l'a vu depuis des mois.

— Vraiment? insista Francesca.

— Ouais. Mais s'il se pointe ou si je le rencontre quelque part, je lui dirai que sa cousine le cherche.

— C'est très aimable à vous.

Ils étaient dans une impasse. Elle ne pouvait prétendre être la cousine de Carter, et donner à cet homme sa carte avec son adresse sur la Cinquième Avenue!

— Je m'appelle Francesca Cahill, précisa-t-elle. La police a mes coordonnées.

— Je suis au quartier général de la police, intervint Murphy. 300 Mulberry.

L'ignorant, les deux hommes soulevèrent de nouveau le tonneau qu'ils chargèrent à l'arrière d'un chariot.

Bragg toucha le bras de Francesca, et tous quatre pénétrèrent dans le vaste hangar rempli de ballots et de caisses. Au bout de l'allée centrale, ils repérèrent une sorte de cabine dans laquelle un homme se tenait penché sur des livres de comptes. Ils s'en approchèrent.

— Il mentait, déclara Joel.

Francesca le regarda avec curiosité.

— Qu'est-ce qui te fait croire ça? demanda Bragg.

— J'en suis sûr, c'est tout, répondit Joel en s'adressant exclusivement à Francesca.

L'homme dans le minuscule bureau se leva. En manches de chemise, la casquette vissée sur la tête, il les interpella :

— Je peux quelque chose pour vous, messieurs-dame ?

— Vous êtes le directeur ? s'enquit Bragg.

— Le propriétaire, John Pauley, fit l'homme en venant à eux, la main tendue.

Bragg la lui serra.

— Je suis le préfet de police.

Pauley en demeura bouche bée.

— Inspecteur Murphy, Mlle Cahill et Joel Kennedy, continua Bragg.

— Que puis-je pour vous, préfet ?

— Je cherche un de vos employés, ou du moins un homme qui a travaillé pour vous récemment. Sam Carter. Savez-vous où il se trouve ?

Pauley parut si déconcerté que Francesca crut une seconde qu'il y avait eu une énorme erreur, qu'il ne connaissait même pas Carter. Mais il retrouva ses esprits.

— Il est juste là, dehors, préfet, en train de charger de la marchandise.

Ils se regardèrent tous les uns les autres, puis ils tournèrent les talons et se ruèrent dans la cour.

Mais Sam Carter avait disparu.

Joel assis près d'elle, Francesca regardait pensivement par la vitre tandis que le fiacre remontait Madison Avenue, le cheval piétinant derrière deux autres voitures, un trolley à sa droite. Bragg était retourné au quartier général avec Murphy, et elle avait une cliente à rassurer. En vérité, elle ne se souciait guère de Lydia Stuart.

Carter s'était révélé très malin. Il devait bien se moquer d'elle, en ce moment. Elle s'empourpra d'humiliation.

Joel lui tapota le genou.

— Vous inquiétez pas. On le retrouvera, ce vaurien.

— Je l'espère, mais il a l'avantage, désormais, puisqu'il sait que nous le cherchons.

Elle était mal à l'aise. Si Carter était innocent, pourquoi s'était-il enfui ? Elle savait que la police n'était pas très appréciée en ville, ni par les pauvres ni par les riches. Néanmoins, il leur avait joué une belle comédie, car jamais elle ne se serait douté qu'elle était en train de parler à l'homme qu'ils cherchaient.

Elle espéra que ce n'était pas lui le meurtrier, parce que non seulement il avait l'avantage, mais en plus, il ne manquait pas d'aplomb.

Cela dit, le fou qui avait poignardé Kathleen et Mary ne manquait pas non plus d'assurance, à en juger par la mise en scène macabre par laquelle il « signait » ses meurtres.

Francesca avait appris que Kathleen aussi avait été trouvée enfouie sous la neige, mais dans une allée proche de son domicile.

Elle laissait son regard errer distraitement sur les passants, quand, tout à coup, elle cligna des yeux, et se redressa.

Rose Jones, fort élégamment vêtue d'un manteau et d'un chapeau de laine prune, une étole de fourrure drapée sur les épaules, marchait sur le trottoir. Deux messieurs qu'elle venait de croiser se retournèrent sur son passage.

Francesca et Joel n'étaient qu'à deux pâtés de maisons de la demeure des Stuart. Elle frappa à la vitre de séparation.

— Monsieur ! Arrêtez-vous ! Nous descendons là.

Un instant plus tard, elle remontait l'avenue en courant, suivie de Joel.

— Rose ! Mademoiselle Jones ! Attendez !

Rose pivota sur ses talons, et ses yeux s'agrandirent lorsqu'elle reconnut Francesca. Presque aussitôt, elle afficha une expression soupçonneuse.

132

Francesca ralentit le pas. La dernière fois qu'elle avait vu Rose et sa « sœur », Daisy, elles étaient très légèrement vêtues et on les poussait dans un fourgon de police, Bragg et ses hommes ayant effectué une descente dans l'établissement où elles travaillaient. Elle comprenait fort bien que Rose ne soit pas ravie de la voir, compte tenu des relations qu'elle entretenait avec Bragg et la police.

— Je vous ai vue depuis mon fiacre, expliqua-t-elle. Bonjour, mademoiselle Jones. Francesca Cahill.

Elle tendit la main, mais la jeune femme la dédaigna.

— Que voulez-vous ? fit-elle d'une voix où perçait le défi.

Elle s'exprimait comme une jeune personne de bonne famille, et paraissait furieuse. Mais même ainsi, elle était époustouflante – grande, la peau dorée, d'étonnants yeux verts.

— Je suis désolée que vous ayez passé une nuit en prison, Daisy et vous, dit Francesca. J'ai supplié Bragg d'y renoncer, mais il n'a rien voulu entendre.

— Pourquoi auriez-vous essayé de nous venir en aide ? fit Rose, un peu radoucie.

— Parce que je déteste qu'on maltraite les gens, voilà pourquoi.

Rose la dévisagea, moins hostile, à présent.

— J'ai lu un article sur vous dans le *Sun*. Pourquoi avez-vous traqué ainsi ce meurtrier ?

Francesca haussa les épaules.

— Un innocent avait été assassiné, il fallait que justice soit faite.

— Quand on est riche, la justice est importante. Le commun des mortels n'a pas le temps de s'en soucier.

— En effet, mais il se trouve que moi, j'ai le temps.

Rose ne répondit pas.

— Comment va Daisy ? reprit Francesca. Vous la saluerez de ma part.

Daisy était sans aucun doute la plus belle femme que Francesca ait jamais rencontrée. De même que Rose, elle semblait issue d'un excellent milieu, et Francesca n'était toujours pas parvenue à comprendre comment elles en étaient arrivées à gagner leur vie en vendant leurs corps. En revanche, elle avait rapidement deviné qu'elles n'étaient pas sœurs, et que leur relation allait bien au-delà de l'amitié.

Rose se renfrogna visiblement.

— Pourquoi ne posez-vous pas la question à votre *ami* ? rétorqua-t-elle.

Francesca la fixa, franchement déconcertée.

— Pardon ? Je devrais demander à Bragg des nouvelles de Daisy ?

— Non, pas le préfet. Hart. Calder Hart.

Elle avait quasiment craché le nom.

— Mon Dieu ! Vous êtes bouleversée !

Elle posa la main sur l'épaule de Rose qui se dégagea d'une secousse.

— Que s'est-il passé ? la pressa Francesca. Daisy va bien ?

Elle ne pouvait imaginer ce qu'avait pu faire Hart pour provoquer une telle haine chez la jeune femme.

— Rose ? insista-t-elle.

— Hart a fait d'elle sa maîtresse officielle, lâcha Rose.

— Quoi ?

Une image de Daisy, Rose et Hart dans le même lit lui vint instantanément à l'esprit.

— Il lui a fait une proposition impossible à refuser, continua Rose. Elle s'est installée dans la maison qu'il lui a achetée !

Francesca n'en revenait pas. Pour autant qu'elle sache, Hart aimait bien les deux jeunes prostituées, mais il entretenait une autre femme.

— Il… il a déjà une maîtresse !

Combien de femmes un homme pouvait-il honorer ?

— Il a rompu avec elle. Désormais, c'est Daisy.

Francesca ne savait que penser, moins encore que dire.

— Je suis désolée, murmura-t-elle.

— Ils ont un accord de six mois. Oh, cela me donne des envies de meurtre !

— Allons, ce ne sont que six mois, risqua Francesca, encore mal remise de sa surprise.

Elle comprenait ce qui avait pu pousser Hart à vouloir faire de Daisy sa maîtresse. Elle était belle, sensuelle, douce. Il y avait de quoi s'éprendre d'elle !

Mais Rose était plus que bouleversée, or c'était une personne impulsive, Francesca l'avait constaté dès leur première rencontre. Elle était un peu ennuyée que Rose soit tellement furieuse contre Hart. Qu'y faire, cependant ?

Elle le revit soudain courtiser Constance.

— Bien des choses peuvent se produire en six mois, répliqua Rose. Et ce salaud a établi des *règles*.

Francesca était stupéfaite que Hart ait pu installer Daisy dans ses meubles tout en pourchassant si ostensiblement Constance. Évidemment, il fallait qu'elle mette sa sœur au courant, et vite. Celle-ci serait contrariée – infiniment contrariée –, et elle battrait froid Hart la prochaine fois qu'ils se rencontreraient. Francesca réprima un sourire. Leur ébauche de flirt se terminerait à l'instant où Constance apprendrait l'existence de Daisy.

— Vous avez certainement eu l'occasion d'en discuter avec Daisy, dit-elle, se concentrant de nouveau sur son interlocutrice.

— Pas vraiment. Ça s'est passé si vite que j'en suis encore toute chamboulée !

Rose se détourna, mais Francesca crut voir une larme perler au bout de ses longs cils.

Elle lui prit la main, mais la jeune femme la lui retira.

— Vous êtes de très bonnes amies, et quoi qu'il arrive au cours des six prochains mois, votre amitié survivra, j'en suis persuadée.

Rose abandonna son expression fermée.

— Merci, mademoiselle Cahill. Vous êtes bonne. Daisy avait raison. Elle vous aime bien.

Francesca sourit.

— Appelez-moi Francesca, je vous en prie.

Une idée lui traversa soudain l'esprit.

— Vous savez, je serais très heureuse de rendre visite à Daisy. Que diriez-vous de m'accompagner ?

Rose s'épanouit instantanément.

Francesca ayant décidé que Mme Stuart pouvait attendre, d'autant qu'elle n'avait rien à lui raconter concernant son mari, elles hélèrent un fiacre qui s'arrêta peu après devant une maison ancienne parfaitement entretenue.

Rose prit une profonde inspiration. Elle était horriblement nerveuse, et Francesca se demanda pourquoi tout en cherchant de l'argent afin de payer la course. Mais Rose fut plus rapide et régla le cocher.

Elles franchirent la grille de fer forgé et remontèrent l'allée empierrée qui menait à la demeure. Francesca imaginait déjà le jardin en été, regorgeant de fleurs, mais elle s'abstint de partager son enthousiasme avec Rose.

À peine le domestique leur eut-il ouvert qu'elles aperçurent Daisy à l'autre bout de la vaste entrée d'où partait un large escalier.

— Rose ! s'écria-t-elle en se précipitant vers son amie, vision angélique toute de soie bleu pâle vêtue.

Les deux femmes s'étreignirent longuement. Francesca les contemplait, émue, et lorsqu'elles se séparèrent, elle vit des larmes briller dans les yeux de Rose.

— Tu m'as manqué, murmura-t-elle.

— Toi aussi, répondit Daisy en lui prenant la main.

Mais elle ne pleurait pas. Elle semblait étourdie de bonheur, et jamais elle n'avait été plus belle. Ses yeux étincelaient, sa peau était comme illuminée de l'intérieur.

Francesca se demanda tout à coup si elle était amoureuse… de Hart. L'étonnement, et autre chose qu'elle ne chercha pas à identifier la firent se raidir.

Mais déjà Daisy s'adressait à elle.

— Quelle merveilleuse surprise ! s'exclama-t-elle de sa voix légèrement haletante.

Francesca se ressaisit. Daisy aimait Rose, elle en était certaine.

— J'ai rencontré Rose dans la rue, elle m'a appris la nouvelle, et, impulsivement, nous avons décidé de venir vous saluer.

— Vous êtes les premières personnes à me rendre visite, avoua Daisy, avant de s'empourprer légèrement.

Elle pensait évidemment à Hart, qui avait dû être son véritable premier visiteur… si on pouvait le nommer ainsi.

Rose dégagea sa main et contempla les lieux.

Le hall était ravissant. Le plafond mauve était souligné de jolies moulures rose pâle. Les murs étaient roses également, et ornés de trois toiles. Un paysage romantique, le portrait d'un noble médiéval, et un tableau impressionniste. Sur une belle table d'acajou au plateau incrusté d'ivoire étaient posés un plateau d'argent destiné à recevoir les cartes de visite ainsi qu'un énorme bouquet de fleurs fraîches.

Francesca était impressionnée. Calder avait sans doute fait cadeau des tableaux à Daisy – à moins qu'il ne les lui ait prêtés –, et les fleurs à elles seules avaient dû coûter une fortune. De toute évidence, il tenait à ce que sa maîtresse vive dans le luxe et l'élégance.

Daisy avait suivi la direction de son regard.

— Hart ne veut que des fleurs fraîches. Elles sont si chères… je préférerais des fleurs séchées, mais je ne me vois pas refuser. Voulez-vous vous asseoir ? ajouta-t-elle avec un sourire.

— Votre nouvelle demeure est magnifique. Vous y plaisez-vous ? s'enquit Francesca, tandis que Daisy les précédait dans un salon chaleureux aux murs tendus de soie jaune.

— J'ai l'impression de rêver, avoua Daisy avec un doux sourire.

Si elle était visiblement heureuse, Rose, à l'inverse, semblait extrêmement malheureuse.

— Moi, j'ai l'impression de vivre un cauchemar, déclara-t-elle avec brusquerie.

Daisy se précipita vers elle.

— Je t'en prie, Rose. Nous en avons déjà parlé… Je… je suis tellement contente que tu te sois décidée à me rendre visite.

— Au moins, cela, il ne l'a pas interdit, rétorqua Rose, les mains sur les hanches.

— Et il ne le fera pas, assura Daisy, avec douceur mais fermeté. Tu sais que je ne l'accepterais jamais.

Rose se calma quelque peu. Elle glissa le bras autour de la taille de Daisy, et elles s'appuyèrent l'une contre l'autre. À la fois fascinée et troublée, Francesca détourna les yeux.

— Peut-être que le temps passera vite, hasarda Rose, cherchant le regard de son amie.

— Peut-être, répondit Daisy qui se déroba.

Rose la lâcha, adressa un regard anxieux à Francesca, puis s'approcha de l'une des fenêtres. Francesca était navrée pour elle. Elle avait l'impression que Daisy ne tenait pas à ce que son arrangement avec Hart s'achève trop vite.

Francesca avait vu la « maison » dans laquelle elles habitaient et travaillaient avant la descente de police organisée par Bragg. Daisy avait monté dans l'échelle sociale, et Francesca en était heureuse pour elle. Elle se demandait où vivait Rose, à présent, mais elle espérait qu'elle n'avait pas repris ses activités chez Mme Pinke.

À la demande de Daisy, un serviteur ne tarda pas à apporter une table roulante chargée de pâtisseries et de thé.

Hart le suivait.

Francesca se raidit. Comme toujours, il était superbe en costume noir et chemise d'un blanc éclatant qui mettait son teint hâlé en valeur. Il s'avança d'une démarche souple, la veste négligemment ouverte, et ce fut à Francesca qu'il sourit en premier.

Elle en fut étrangement troublée.

Il se dirigea ensuite vers Daisy qui semblait surprise de le voir.

— Bonjour, fit-il sans l'embrasser ni la toucher.

Le parfait gentleman. Francesca en fut impressionnée, mais à quoi s'était-elle attendue ? À le voir embrasser Daisy devant tout le monde ?

Il revint à Francesca.

— Voilà une bien agréable surprise, commenta-t-il avant de lancer à Joel qui feignait de s'ennuyer à mourir : Salut, Kennedy.

Le gamin n'avait cessé de lorgner les deux jeunes femmes avec toute la fascination d'un garçon de son âge.

Un lourd silence suivit.

Le regard de Francesca passa de Rose, qui s'était retournée, à Hart, qui la fixait. Elle semblait sur le point de lui arracher les yeux, alors qu'il s'amusait visiblement de la situation.

— Bonjour, Rose, dit-il doucement.

— Hart.

— Je croyais que tu avais juré de ne jamais mettre les pieds dans ma nouvelle maison ? ironisa-t-il.

— C'est Mlle Cahill qui m'y a décidée.

— Je vois. Ta détermination n'aura duré que trois jours.

Il se moquait ouvertement, à présent.

— Calder ! protesta Daisy.

— Vous n'êtes qu'un salaud ! explosa Rose. Je ne sais pas ce qu'elle vous trouve !

— Mais si. Tu le savais il n'y a pas si longtemps. Ce qu'elle me trouve, je veux dire.

Francesca se sentit devenir cramoisie.

— Comment supportes-tu son arrogance ? demanda Rose à son amie. Six mois, c'est une éternité ! Daisy…

C'était une prière.

Inquiète, Daisy les regardait alternativement. Elle fit un pas vers Rose, mais Hart la retint par la main.

— Pas de scène, Rose. Pas chez moi, dit-il d'une voix égale, mais néanmoins menaçante.

Rose lui adressa un sourire crispé.

— Vous savez quoi ? Je me moque de votre richesse. Et vous ne me faites pas peur non plus, Hart !

— Parce que toi, tu crois me faire peur ? se moqua-t-il.

Rose semblait sur le point de lui sauter à la gorge. Daisy s'interposa.

— Ça suffit. Nous avons des invités, et je ne vous permets pas de vous disputer ainsi.

— N'essaie pas de me pousser à bout, Rose, reprit Hart. Je te suggère de t'habituer à la situation. Sinon, je changerai les règles, et tu ne seras plus autorisée à venir dans cette maison.

Rose le gratifia d'un regard noir tandis que Daisy le fixait, incrédule.

— Joel et moi devons partir, Daisy, dit vivement Francesca. Je suis vraiment ravie de vous avoir revue.

Elle ne parvenait pas à croire que Hart puisse se montrer à ce point cruel envers Rose.

— Voulez-vous que je vous dépose quelque part ? demanda-t-elle à la jeune femme.

Elle n'avait pas de voiture, mais il valait mieux que Rose s'en aille maintenant. En outre, si Hart était venu voir sa maîtresse, c'était sans doute dans un but bien précis. Francesca s'efforça de ne pas s'attarder sur le sujet, en vain.

— Non merci, répondit froidement Rose. Mais je me rends compte que je ne me suis déjà que trop attardée.

— En effet, acquiesça Hart qui se dirigea vers Francesca. Je vous raccompagne.

Il lui souriait comme si l'échange hostile n'avait pas eu lieu.

Francesca alla serrer la main de Daisy. Celle-ci tentait de faire bonne figure, mais ses yeux étaient pleins d'appréhension, et son sourire manquait de naturel.

— Merci de votre visite, dit-elle. Je vous en prie, revenez quand vous le souhaitez.

— C'est promis. Courage, murmura Francesca. Tout s'arrangera, j'en suis certaine.

— Vous croyez ?

Daisy parlait à voix si basse que Francesca l'entendait à peine, mais elle semblait un peu rassurée.

— Je déteste les voir se disputer ainsi, ajouta-t-elle.

— Je sais. Rose a besoin de temps pour s'habituer, quant à Hart, il mériterait qu'on lui tape sur les doigts.

Elle lui jeta un coup d'œil auquel il répondit d'un sourire.

Impulsivement, Francesca serra Daisy dans ses bras. Elle se retint d'ajouter qu'à son avis, elle méritait la vie que lui offrait Hart... pour l'instant. Elle ne put s'empêcher de se demander si Rose et Daisy redeviendraient un jour les jeunes femmes de bonne famille honnêtes qu'elles avaient dû être autrefois, et de s'interroger sur leur passé.

Hart lui prit le bras, et ils quittèrent le salon en compagnie de Joel, laissant les deux amies en tête à tête.

— Alors, de quoi vous occupez-vous ces temps-ci, votre petit assistant et vous ? s'enquit Hart.

Il la dévisageait si chaleureusement qu'elle ne put que lui sourire.

— Nous sommes sur deux affaires.

Il ouvrit de grands yeux.

— J'espérais que vous étiez dans le voisinage pour une visite mondaine. Quel genre d'affaires ?

Elle hésita.

— L'une est de la routine. L'autre tout à fait... abominable.

Il s'immobilisa, lui fit face.

— J'espère que vous n'êtes pas mêlée à une histoire dangereuse !

Elle eut un sourire angélique.

— C'est dangereux, mais je suis équipée.

— Que signifie « équipée » ? Voilà qui ne me plaît guère !

Francesca hésita, puis elle ouvrit son sac et lui montra le pistolet.

— Bon sang, qu'est-ce que c'est que ça ? s'exclama-t-il.

Elle referma son sac d'un geste sec.

— Une arme.

Il s'empara du sac et le rouvrit, sans tenir compte des protestations de Francesca. Il en sortit le pistolet.

— C'est une arme à feu !

— Pour me protéger, se défendit-elle en essayant, sans succès, de récupérer son pistolet.

Il la fixait comme si elle descendait de la lune, ou de la planète Mars.

— C'en est trop, Francesca. J'insiste pour que vous vous débarrassiez de cette arme.

— Il n'en est pas question ! Puis-je avoir mon sac – et mon pistolet, s'il vous plaît ?

— Ce pistolet ne vous attirera que des ennuis. Bragg est-il au courant ? ajouta-t-il soudain en plissant les yeux.

— Non. Et ne vous risquez pas à lui en parler, l'avertit-elle. Mon sac, Hart. Mon pistolet.

Il lui tendit le sac et ouvrit le barillet.

— Il n'est pas chargé, nota-t-il, rassuré, avant de le lui rendre.

Francesca battit des paupières. Dans son excitation, elle avait oublié de charger son arme ! Pire encore : elle n'avait même pas pensé à acheter des balles. Comment avait-elle pu être aussi sotte ?

— Cela dit, poursuivit Hart, même non chargée, vous ne devriez pas vous balader avec une arme. C'est extrêmement dangereux. Cela peut être perçu comme une provocation. J'insiste pour que vous vous en débarrassiez, répéta-t-il.

— Pardonnez-moi, rétorqua-t-elle froidement, mais vous n'avez pas à insister sur quoi que ce soit en ce qui me concerne.

— Vraiment ?

Elle sentit son malaise croître.

— Trahiriez-vous notre amitié en allant me dénoncer auprès de Bragg ?

— Oui.

— Vous n'avez donc aucun scrupule !

— Aucun.

Il n'y avait absolument rien à répondre à cela, aussi se contenta-t-elle de le regarder.

Il se radoucit, lui releva le menton.

— Mon Dieu, vous ne comprenez pas ? Si vous aviez vraiment besoin d'une arme, ce joujou ne vous serait d'aucune utilité.

— Je ne vous demande pas votre avis.

Sur ce, elle lui tourna le dos et lança à Joel :

— Nous sommes en retard. Allons-y.

Riant, Hart lui saisit le bras et la fit de nouveau pivoter face à lui.

— Francesca, il faut que quelqu'un refrène vos impulsions, c'est évident.

Elle le dévisagea d'un air méfiant.

— Ce ne sera pas vous. En outre, vous en avez assez sur les bras en ce moment… non ?

Les yeux sombres pétillaient.

— Oh, oh ! Ainsi, on veut commenter ma vie privée ?

Elle mit les poings sur ses hanches.

— En effet. Vous avez la délicatesse d'un taureau furieux. J'*insiste* pour que vous traitiez Rose avec plus de compassion. Est-il nécessaire d'être si dur avec elle ?

Elle obtint en guise de réponse un sourire inquiétant.

— Je n'aime pas que vous me regardiez ainsi, lâcha-t-elle, soudain embarrassée.

— Rose a eu un accès de mauvaise humeur, et même plusieurs, parce que je refuse de partager ce qui m'appartient.

Francesca s'empourpra.

— Et si Daisy vit dans ma maison, et fort luxueusement, poursuivit-il, j'ai le droit d'exiger un minimum de fidélité.

Avait-elle bien compris ?

— Mais Rose n'est sûrement pas en colère parce que vous avez… vous avez…

Elle fut incapable de terminer sa phrase.

— Si. Daisy est pour l'instant exclusivement mienne, et si Rose pose la main sur elle, je jette Daisy dehors.

— Que vous êtes méchant !

— Vous croyez ? Pas moi. Daisy et moi avons conclu un arrangement. Elle me coûte une fortune. En retour, je tiens à être le seul à profiter de ses charmes.

Francesca rougit de nouveau.

— Il ne s'agit pas de… d'amour physique, je pense, mais d'amour tout court.

Il rit.

— Comme vous êtes naïve !

— Comme vous êtes blasé ! Il s'agit vraiment d'amour, s'entêta-t-elle.

Il posa la main sur sa joue.

— Il s'agit de sexe, ma chère.

Elle fit un bond en arrière. On ne prononçait jamais ce mot-là dans les cercles qu'elle fréquentait !

— L'amour existe, Hart. Rose aime Daisy. Elle a peur que Daisy tombe amoureuse de vous, elle a peur de la perdre.

— Rose a envie d'elle. Elle a envie de ma maîtresse, c'est aussi simple que cela.

Francesca savait que cette conversation n'était pas convenable, mais elle était en plus choquée par l'attitude cynique de Hart.

— C'est vraiment ce que vous pensez ?

— Oui.

— Dans ce cas, je suis désolée pour vous, Hart.

Son sourire disparut, et il la contempla d'un air songeur.

— Je vous envie votre romantisme, mais je redoute le jour où votre douce naïveté volera en éclats.

— Il y a de la bonté, dans le monde, Hart. De la bonté et de l'amour, assura-t-elle en lui effleurant le bras.

Il secoua la tête.

— Il y a du désir, ma chère. Uniquement du désir. Désir de richesse, de pouvoir, de position, de prestige… Désir de sexe, d'alcool, de nourriture, de biens. Et de vengeance. La convoitise, Francesca, c'est cela qui mène l'humanité.

— Certainement pas, riposta-t-elle fermement. Vous êtes affreusement cynique.

— Et vous, vous êtes romantique. Une charmante romantique, mais j'ai peur pour vous.

Il sourit de nouveau.

— Y a-t-il un autre sujet sur lequel vous souhaiteriez *insister* ?

Elle lui sourit en retour, pourtant elle était encore secouée… car il se trompait, elle en était certaine.

— J'insiste pour que vous ne parliez pas à Bragg de mon pistolet.

Il la guida vers la porte.

— Je lui en parlerai à la première occasion, Francesca. Il me semble aller de soi qu'une jeune personne attirée par les situations dangereuses, et c'est votre cas, ne devrait pas se promener avec une arme.

Ils étaient arrivés à la porte. Contrariée, elle lui fit face.

— Très bien. Trahissez notre amitié.

Il hésita.

— C'est ainsi que cela apparaîtrait à vos yeux ? Comme une trahison ?

— Oui, Calder.

Il soupira, crispa les mâchoires en fixant le plafond.

Elle fut surprise. Était-il si facile à manipuler ? Un sourire ravi lui vint, qu'elle réprima aussitôt.

Il lui décocha un regard sombre.

— Très bien, dit-il. Promettez-moi de cacher ce pistolet chez vous, et je n'en parlerai à personne. Ce sera notre secret.

Elle n'avait pas vraiment envie de lui mentir, mais il se montrait tellement déraisonnable !

— D'accord, fit-elle en lui tendant la main. Marché conclu ?

Il lui prit la main et la baisa, réellement. Elle sentit ses lèvres sur sa peau, et elle frissonna, prise de court.

— Marché conclu, répéta-t-il.

8

Samedi 8 février 1902, 9 heures

— Voulez-vous boire quelque chose ? s'enquit Bragg.

Le foyer se remplissait, et Francesca se rapprocha de lui. Elle avait bien du mal à ne pas le dévorer des yeux. Il avait une allure dévastatrice en veste de smoking blanche et pantalon noir orné d'une bande de satin.

— Je prendrais volontiers un sherry, répondit-elle en s'efforçant d'afficher un calme qu'elle ne ressentait pas.

En réalité, un peu plus tôt, alors qu'elle patientait à la maison, elle s'était sentie dans la peau d'une écolière avant le bal de la paroisse. Heureusement, ses parents étaient déjà sortis, si bien que seuls les domestiques l'avaient vue vérifier son image vingt fois de suite dans les miroirs du hall.

Bragg et elle avaient décidé d'attendre les autres dans le foyer avant de gagner leurs places. Consciencieusement, bien qu'en traînant les pieds, Evan était allé chercher Sarah et sa cousine. Francesca n'avait pas eu besoin de lui faire promettre de se conduire en gentleman, car elle savait qu'il aurait comme toujours un comportement irréprochable, même si la soirée et sa fiancée ne l'amusaient guère.

Elle regarda Bragg s'appuyer au long comptoir de chêne où d'autres spectateurs buvaient un cocktail ou un verre de vin et ne put s'empêcher de le comparer à son demi-frère. Par certains côtés, ils se ressemblaient : même teint hâlé, même aura de puissance, d'autorité, et même virilité flagrante. Mais par d'autres, c'était le jour et la nuit. Hart était forcément la nuit, avec ses cheveux sombres et le regard plus sombre encore qu'il portait sur le monde. Elle était soulagée que Bragg fût optimiste.

Il jeta un coup d'œil par-dessus son épaule et la surprit en train de le contempler. Elle rougit.

Il ne lui sourit pas. Son regard était grave et intense.

Elle songeait malgré elle à la fin de la soirée, quand il la raccompagnerait. Elle s'imaginait dans ses bras... Et elle avait tort, car elle risquait fort d'être déçue. Il s'en tiendrait à ses principes et ne la toucherait pas. Elle en était certaine.

Elle soupira.

Il lui tendit son verre de sherry.

— Qu'est-ce qui ne va pas ?

— Rien. Je suis contente que vous soyez optimiste, Bragg.

Il parut amusé.

— D'où vous vient cette brusque pensée ?

— Je ne sais pas. Mais sans espoir, il n'y a plus de raison de vivre.

— Vous faites montre d'une grande sagesse pour une personne de votre âge, Francesca. Et vous avez raison.

Elle était ravie.

Après une brève hésitation, il enchaîna :

— Je ne m'habitue pas à vous voir ainsi.... bien que nous nous soyons rencontrés pour la première fois à un bal.

Elle qui ne s'était jamais pomponnée pour plaire aux hommes s'était habillée avec le plus grand soin, ce soir. Elle portait une robe de style empire d'un rose très pâle. Le corsage moulant à fines bretelles révélait la naissance de ses seins, et les plis souples de la jupe frôlaient ses escarpins brodés de perles. Exceptionnellement, elle s'était fardé les lèvres.

— Vous aimez ma robe ? ne put-elle s'empêcher de demander, bien trop hardiment, en le regardant droit dans les yeux.

— Beaucoup.

Elle sourit et s'appuya au bar.

— Merci, Bragg, souffla-t-elle en sentant son pouls s'accélérer.

Il avait un regard toujours aussi intense, pourtant, il demanda d'un ton léger :

— Alors, comment cela se passe-t-il avec vos parents ?

Elle avait quelques difficultés à rassembler ses idées. Le foyer était bondé, à présent, ce qui lui fournit un excellent prétexte pour se presser contre lui. Elle aurait dû se le reprocher, mais la soirée lui semblait si magique, presque parfaite....

Si ce n'avait été cette lettre provenant de sa femme qu'elle avait ramassée.

Devait-elle lui en parler ?

Cela lui faisait peur.

— Francesca ?

Elle sursauta.

— Excusez-moi. Oui ?

— Je vous parlais de vos parents. Vous semblez préoccupée. Il y a un problème ?

— Non, tout va bien. Je me conduis en fille modèle.

Il eut une petite grimace.

— J'ai du mal à le croire.

— Ce n'est pas facile, je l'admets.

Puis, se remémorant sa dernière conversation avec sa mère, elle ajouta, intéressée par sa réaction :

— Maman considérerait d'un très bon œil que j'épouse Hart.

Il faillit s'étrangler avec son scotch.

— Vous plaisantez, j'espère !

Elle croisa le regard d'ambre, et comprit qu'elle avait commis une énorme erreur. Elle n'aurait jamais dû encourager une rivalité entre les deux frères. Que lui était-il passé par la tête – même si ce qu'elle avait dit était pratiquement vrai ?

— Hélas, non ! Bien qu'elle soit parfaitement consciente de sa réputation en ce qui concerne les femmes. Au pire, je lui dirai qu'il courtise ma sœur.

Bragg posa son verre sur le comptoir.

— Voulez-vous que je m'entretienne avec Andrew ? proposa-t-il. Je n'imagine pas pire union pour vous. Je ne le permettrai pas.

Leurs regards s'aimantèrent. Un long moment. Bien sûr, jamais Hart ne la demanderait en mariage, aussi n'y avait-il guère matière à discussion. Mais Bragg s'y opposerait de toute façon, elle le savait.

— Vous feriez ça pour moi ? demanda-t-elle avec une feinte timidité.

— Évidemment ! Je ne devrais pas pourtant m'inquiéter vu que Hart n'a nulle intention de se marier…

Il s'interrompit soudain, la scruta, puis :

— Essayeriez-vous de me provoquer ?

Elle ouvrit de grands yeux innocents.

— Certainement pas !

Adossé au bar, il croisa les bras.

— Il vous suffisait de me demander si je serais jaloux, Francesca, dit-il doucement. Et la réponse aurait été « oui ».

Un frisson de bonheur la parcourut, et elle détourna le regard afin qu'il ne sache pas à quel point il lui faisait plaisir.

— J'ai du mal à vous imaginer jaloux de Hart, mentit-elle.

Il n'émit aucun commentaire.

Elle prit une profonde inspiration.

— Quoi qu'il en soit, il a fait de Daisy Jones sa maîtresse, aussi est-il fort occupé en ce moment. Nous n'avons pas à nous inquiéter des rêves et espoirs de ma mère.

Hart éclaterait de rire s'il apprenait que Julia s'intéressait à lui de cette manière, songea-t-elle en réprimant un sourire.

— Je suis passée la voir, poursuivit-elle, et il est arrivé alors que nous étions là. Il lui a acheté une superbe maison.

Visiblement plus détendu, Bragg secoua la tête.

— Alors, maintenant, c'est Daisy. Je me demande s'il trouvera jamais le bonheur. Il passe de femme en femme, achète plus d'œuvres d'art qu'un musée, se tue au travail, mais, de toute évidence, il n'est pas satisfait.

— En effet. Et j'en suis désolée pour lui.

Elle était sincère, du moins le voulait-elle. Mais il était difficile de plaindre un être aussi arrogant.

— Ne le soyez pas trop, fit Bragg en esquissant un sourire.

— Ne vous inquiétez pas. Il est tellement irritant que jamais je ne tomberais sous son charme. En outre, il veut ma sœur, et plus je pense à Daisy et à lui, plus je suis furieuse qu'il envisage d'ajouter Constance à son tableau de chasse.

C'était réellement intolérable.

— Il est très égoïste, mais j'ai l'intention de lui remettre les idées en place au sujet de votre sœur. J'aime bien lady Montrose, et je serais navré qu'elle fasse quelque chose qu'elle regretterait ensuite.

Francesca imaginait sans peine le genre d'accueil qu'il recevrait s'il ordonnait à Hart de laisser Constance tranquille. Ils en viendraient probablement aux mains.

— Il vaut mieux que ce soit moi qui m'en charge, suggéra-t-elle. Il m'écoutera plus facilement, je pense. Je comptais rendre visite à Neil et à Constance, histoire de voir où ils en sont. Elle prétend que tout est rentré dans l'ordre.

— Cessez de vous mêler de la vie des autres, Francesca, lui conseilla-t-il. Je vous en prie, laissez-les régler leurs problèmes.

— Mais je m'inquiète, Bragg! Et je déteste l'idée que Hart ait des vues sur Constance, ajouta-t-elle d'un ton si véhément qu'elle en fut la première surprise.

— Peut-être est-ce *vous* qui êtes jalouse, suggéra Bragg après un silence.

— Jalouse? De quoi? De... Constance et... de Hart? C'était absurde!

Il but une gorgée de sherry.

— Je ne suis pas jalouse, Bragg, reprit-elle plus doucement, mais non sans fermeté.

Il sourit.

À cet instant, quelqu'un la bouscula, la poussant vers lui. Spontanément, il lui entoura les épaules du bras, et elle oublia jusqu'au sujet de leur conversation. De nouveau, elle songea à la fin de la soirée, espérant de toute son âme qu'elle se termine comme elle le souhaitait.

Tout en sachant que cela ne se produirait pas.

Il la retint une seconde ou deux contre lui puis, à regret, la lâcha et s'écarta un peu. Ils échangèrent un long regard, et Francesca eut la certitude qu'il était aussi remué qu'elle.

— Nous n'avons pas eu de chance, avec Carter, reprit-il.

C'était là un terrain beaucoup plus sûr.

— Avez-vous interrogé Mike O'Donnell ?

— Oui, mais il est pratiquement resté muet. Il déteste la police, il ne m'a donc répondu que par monosyllabes.

Elle eut une petite grimace amusée.

— Je me doutais que l'entretien ne serait pas facile.

— Une fois de plus, vous avez été très efficace.

Son regard s'attarda sur sa bouche, et il parut faire un effort pour s'en détacher. Il s'éclaircit la voix.

— Je le tiens pour hautement suspect, précisa-t-il.

— Parce qu'il est le lien entre les deux femmes ? risqua-t-elle, le cœur battant.

Comment arriverait-elle au bout de cette soirée alors qu'elle ne pensait qu'à se retrouver dans ses bras ? Serait-elle seulement capable d'apprécier le spectacle ?

— Oui, et aussi parce que pas mal de dockers affirment qu'il disait sans cesse du mal de sa femme. Il n'a même pas assisté à ses funérailles.

Cette fois, Francesca parvint à s'arracher à ses pensées honteuses.

— Il n'est pas allé à l'enterrement de Kathleen ? Alors c'est peut-être notre homme !

— Nous n'en savons rien. Je retourne chez les Jadvic demain. Je me demande à présent quels étaient ses sentiments à l'égard de Mary.

— Il m'a dit qu'il l'aimait, mais maintenant, je me pose aussi des questions, remarqua Francesca, tout excitée.

— Les mots ne veulent rien dire, parfois.

Elle médita ces paroles un instant, puis hasarda :

— Je peux vous accompagner, demain ?

— Oui.

Elle en écarquilla les yeux de surprise.

— Je n'arrive pas à croire que vous ayez changé d'avis ! s'écria-t-elle, folle de joie. Vous acceptez vraiment que je travaille avec vous ?

— Cela se passe nettement mieux quand c'est vous qui posez les questions, concéda-t-il. Et je veux résoudre cette affaire, Francesca. Ce qui signifie que j'ai besoin de vraies réponses.

Elle posa son verre.

— Vous craignez qu'il n'y ait une troisième victime ?

— Je prie pour que ce ne soit pas le cas. Je n'ai aucune raison de le croire. Mais je ne veux laisser aucune chance au meurtrier de recommencer. Je vais aussi m'entretenir avec le confesseur d'O'Donnell.

Francesca le fixa, déconcerté.

— Mais… ce qui se dit dans un confessionnal est…

— Je sais. Mais là, c'est différent. Le prêtre pourra peut-être me dire s'il considère O'Donnell comme sain d'esprit ou pas.

— Vous avez l'intention de l'arrêter ?

— Il est trop tôt pour l'accuser de meurtre, néanmoins si j'ai le moindre doute quant à sa culpabilité possible, je le ferai enfermer pour état d'ébriété et désordre sur la voie publique.

— Ce qui l'éloignera de la rue.

— Exactement. Et vous, comment avance votre affaire ?

Il repoussa une boucle de la joue de Francesca.

Le geste était si intime qu'elle put tout juste lever les yeux vers lui. Il lui sembla qu'il rougissait légèrement.

Elle se ressaisit.

— Eh bien, je crois que je vais perdre une cliente. J'ai totalement négligé Lydia Stuart. Mais j'ai l'intention de découvrir dès demain soir si oui ou non son mari entretient une relation illicite avec Rebecca Hopper.

— Je vous en supplie, ne grimpez plus aux arbres ! fit-il, moqueur.

Gamine, elle lui donna un coup de coude dans les côtes.

— Bragg ! Ne m'obligez pas à me souvenir de cet échec ! Je demanderai à Joel de s'en charger à ma place. Quoiqu'il soit trop jeune pour assister à un tel spectacle, ajouta-t-elle en s'empourprant.

— C'est vous qui ne devriez pas voir deux amants en pleine intimité, répliqua-t-il, sérieux, tout à coup.

— Songeriez-vous à préserver mon innocence ?

— J'essaie.

— J'ai vu Montrose avec Eliza, vous le savez.

— Vous n'auriez jamais dû pénétrer chez les Burton à leur insu, objecta-t-il. Mais je suis sûr que vous avez retenu la leçon.

Sans aucun doute. Elle avait surpris les deux amants dans une situation plus que compromettante. Pire, elle avait vu Montrose dans sa glorieuse virilité !

— Francesca ?

— J'ai retenu la leçon, répondit-elle, les yeux baissés.

— Je ne sais pas pourquoi, je n'y crois qu'à moitié, marmonna Bragg.

Elle ne put s'empêcher de sourire.

— Francesca, vous êtes la femme la plus délicieuse qui soit, déclara-t-il abruptement. Je n'en connais aucune autre qui possède une telle joie de vivre. Vos yeux étincellent comme des pierres précieuses quand vous riez ou quand un sujet vous passionne.

Elle le contempla, stupéfaite.

— Bragg, c'est le compliment le plus gentil que...

— Je n'essaie pas d'être gentil, ni de vous flatter.

Elle ne savait plus que dire. Elle tira sur sa manche.

— Mais vous êtes...

— J'ai soif! coupa-t-il avant qu'elle puisse lui dire combien elle l'admirait, elle aussi.

Il se tourna vers le bar afin de demander un verre d'eau, tandis que Francesca fixait son dos, le souffle court.

Lorsqu'il lui fit face de nouveau, il avait retrouvé son sang-froid.

— Peut-être devrions-nous gagner nos places, suggéra-t-il. Ils sont en retard, le rideau se lève dans quelques minutes.

— Bonne idée.

Il posa son verre, et elle accepta son bras. Comme ils se retournaient, ils tombèrent nez à nez avec l'une des meilleures amies de Julia, Cecilia Thornton, des Thornton de Boston.

— Francesca! s'écria la petite femme boulotte qui croulait sous les bijoux. Quelle joie de vous rencontrer. Et avec le préfet de police! C'est merveilleux.

Son regard passa de l'un à l'autre, s'attardant ouvertement sur la main de Francesca qui reposait sur la manche de Bragg.

— Juste à temps! déclara Evan.

Francesca était assise près de Bragg, trois sièges vacants à sa gauche. Elle se tourna à demi tandis que Bragg se levait. Evan paraissait étonnamment en forme. Il était très beau garçon, avec ses boucles brunes, ses yeux bleus et son teint clair. Il mesurait un bon mètre quatre-vingts et, fervent amateur de tennis, de golf, de football, sans parler du ski et de la voile, il était remarquablement bien bâti.

Chaque fois qu'elle le voyait, Francesca priait pour qu'il tombe amoureux de sa fiancée, ou qu'Andrew renonce à le marier de force. Le montant de ses dettes de jeu était colossal, et leur père avait décrété qu'il ne les paierait que s'il épousait Sarah Channing.

Sarah était une petite personne menue aux grands yeux bruns et aux cheveux châtains. Elle avait un visage relativement banal, sauf lorsqu'elle souriait.

Elle salua Bragg de la tête, et adressa un chaleureux sourire à Francesca.

— Bonjour, Francesca, dit-elle, un peu timide.

Francesca lui sourit en retour, mais elle frémit intérieurement. Elle savait que Sarah ne se souciait absolument pas de mode et que c'était sa mère qui choisissait ses tenues. Aussi n'était-elle pas surprise qu'elle porte une robe dont ni la couleur ni la coupe ne mettaient en valeur sa mince silhouette.

— Je suis désolée, je n'ai pas eu le temps de passer vous voir, s'excusa Francesca en prenant les mains de Sarah dans les siennes.

— Vous avez été très occupée, Francesca. J'ai tout lu sur vos derniers exploits. Ce que vous avez fait pour appréhender le meurtrier de Randall est extraordinaire !

Les yeux de Sarah brillaient d'admiration.

— Je vous remercie. Mais je n'avais guère le choix, vu la situation.

— J'imagine !

Elles échangèrent un regard complice. Sarah ressemblait beaucoup à Francesca, même si cela ne sautait pas aux yeux. Mais Francesca avait appris le secret de Sarah : c'était une artiste passionnée par son œuvre. Elle excellait particulièrement dans les portraits. Evan n'avait jamais encore visité son atelier, et il n'avait aucune idée du talent que possédait sa fiancée.

— Puis-je vous présenter ma cousine, la comtesse Benevente ?

Francesca regarda derrière Sarah, et vit une superbe femme, qu'elle reconnut aussitôt, en grande conversation avec Evan. Ce dernier lui souriait tandis qu'elle parlait avec animation. Francesca plissa les yeux. Evan riait, à présent. Tiens, tiens ! Il trouvait visiblement Bartolla Benevente ravissante, ce qui était incontestable.

Francesca avait admiré son portrait dans l'atelier de Sarah, et, pour autant qu'elle sache, la comtesse était la brebis galeuse de la famille.

— Bartolla ? J'aimerais te présenter notre préfet de police, ainsi que ma très chère et nouvelle amie, Francesca Cahill.

Bartolla se détourna d'Evan, le sourire aux lèvres. Grande, pulpeuse, elle devait avoir environ vingt-cinq ans. Sa chevelure sombre cascadait librement sur ses épaules nues, et elle portait une sublime robe rouge, à la fois élégante et provocante. Un collier de diamants de grande valeur ornait son cou.

Francesca nota qu'elle portait un bracelet de diamants et rubis à l'un de ses poignets gantés, et l'effet était pour le moins sensuel.

Bartolla tendit la main, et Bragg la prit tout en laissant son regard glisser sur sa silhouette. Bien que son expression soit demeurée impassible, Francesca ressentit instantanément une bouffée de jalousie.

— Je suis tellement heureuse de vous rencontrer, préfet ! s'écria Bartolla. Je ne suis en ville que depuis trois jours, et j'ai déjà beaucoup entendu parler de vous

Son lumineux sourire était contagieux.

— Vous êtes aussi séduisant que sur les dessins du *New York Magazine* ! commenta-t-elle hardiment.

— Je suis ravi de faire votre connaissance, assura-t-il, courtois. J'espère que votre séjour se passe agréablement.

Elle posa la main sur son poignet.

— Extrêmement !

Elle se pencha en avant, offrant à Bragg une vue plongeante sur ses seins.

— Alors, dites-moi, est-ce difficile de diriger un tel département, avec autant d'officiers de police ? J'adorerais vous suivre, un jour, et voir tout ce que vous faites. Je trouve ça tellement passionnant !

Francesca se hérissa. Cette femme envisageait-elle de séduire Bragg ? Elle lui aurait volontiers arraché les cheveux !

Bragg sourit.

— Je serai enchanté de vous faire visiter notre quartier général quand il vous plaira, comtesse.

Radieuse, elle applaudit de ses mains gantées. Puis elle passa devant lui. Bragg recula autant qu'il le pouvait, mais elle ne fit aucun effort pour l'éviter, et leurs corps se touchèrent.

Francesca ne l'en détesta que plus !

— Mademoiselle Cahill ! Comme j'avais hâte de vous rencontrer ! Sarah m'a dit tant de bien de vous ! Elle vous admire énormément, et moi aussi, du reste.

Les yeux verts de Bartolla scintillaient.

Francesca refusait de croire à sa sincérité, et de succomber à son charme.

— Je suis heureuse de faire votre connaissance, dit-elle un peu sèchement.

— Une femme qui ose aider la police dans son travail ! enchaîna la jeune comtesse, tout excitée. C'est fabuleux ! Il devrait y avoir plus de femmes comme ma cousine et vous, des femmes qui osent aller au bout de leurs choix.

Elle s'exprimait avec passion, et, malgré elle, Francesca se radoucit.

— Je suis bien d'accord avec vous, dit-elle.

« Et tenez-vous à l'écart de Bragg ! » ajouta-t-elle en silence.

— Bien que j'aie vécu presque huit ans à Florence, je n'adhère pas du tout aux traditions européennes. Les femmes n'ont pas le droit de prendre des initiatives. Elles sont censées rester à la maison, et en aucun cas s'adonner à leurs passions.

Elle secoua la tête, puis un brusque sourire illumina son visage.

— Sauf, bien entendu, s'il s'agit de passion pour l'amour, car tout le monde là-bas a des aventures sentimentales.

Francesca cilla. Pourquoi diable disait-elle cela ?

Bartolla lui serra brièvement la main.

— C'est vrai. C'est un mode de vie fort différent ! Mon époux, paix à son âme, adorait ma hardiesse, mais ce n'était pas le cas de sa famille. Comme si je m'en souciais, ajouta-t-elle avec un regard entendu.

— Mes condoléances, murmura Francesca qui se demandait, à contrecœur, si elle avait trouvé là une âme sœur.

Bartolla haussa élégamment les épaules.

— Je vous remercie, mais mon mari est mort voilà deux ans. Il avait soixante-cinq ans, et a eu une longue et heureuse vie. Ainsi que cinq enfants de son premier mariage. Qu'est-ce qu'un homme peut demander de plus ?

Elle leva les yeux au ciel, et Francesca ne put s'empêcher de sourire. La comtesse lui murmura alors à l'oreille :

— Et puis il m'a eue pendant six ans…

Voilà. Francesca l'aimait bien, mais si elle s'avisait de faire du charme à Bragg, elle lui écraserait les orteils, et la remettrait à sa place.

— Combien de temps pensez-vous rester en ville ? s'enquit-elle.

— Je ne sais pas. J'adore l'Italie, mais j'étais à Paris depuis l'été dernier. J'ai l'impression que Florence m'appelle. Cependant il fallait bien que je revienne un peu dans mon pays natal.

Elle rit, haussa de nouveau les épaules.

— Quoique ma famille, hormis Sarah et sa mère, ait décidé d'ignorer ma présence, reprit-elle.

Francesca ne savait que répondre.

— Je suis désolée.

— Ne le soyez pas. Ils sont affreusement rasoirs. En outre, ils voudraient que je sois plus économe de la fortune de mon mari. Or il n'en est pas question! Au moins, ma vie n'est jamais ennuyeuse. L'ennui devrait être considéré comme un crime, vous ne trouvez pas?

La réflexion arracha un éclat de rire à Francesca.

— Vous avez absolument raison.

Bartolla joignit son rire au sien, puis prit place entre Francesca et Sarah. En passant devant sa sœur, Evan chuchota:

— As-tu déjà vu créature plus époustouflante?

Francesca soupira. Elle lui parlerait plus tard. La comtesse était pleine de vie, infiniment séduisante, mais de toute évidence, c'était une coquette... et la cousine de Sarah Channing.

Sarah se pencha vers Francesca.

— Je savais que vous deviendriez tout de suite amies, toutes les deux, murmura-t-elle.

Ils terminèrent la soirée au *Delmonico*, l'un des meilleurs restaurants de la ville. La table était rectangulaire, et Bartolla s'installa à un bout, Evan et Sarah de chaque côté, tandis que Francesca se trouvait face à Bragg, qui était assis près d'Evan. Pendant que les deux hommes étudiaient la carte des vins, les jeunes femmes commentèrent le spectacle auquel elles venaient d'assister, et qui leur avait beaucoup plu. Après quoi, elles enchaînèrent sur la soirée que les Channing donnaient en l'honneur de Bartolla le mardi suivant.

— Je suis émerveillée par la gentillesse de ta famille vis-à-vis de moi, fit Bartolla en pressant la main de Sarah. La mienne ne viendra pas, naturellement.

Sarah lui sourit.

— Nous t'aimons beaucoup. Depuis toujours. Et bien que la plupart des gens prennent maman pour une sotte, elle est en réalité fort intelligente. Elle ne se laisse jamais dicter sa conduite, ni sa façon de penser.

— Je sais.

— Je me suis commandé une nouvelle robe pour l'occasion, annonça Francesca. Ce qui est tout à fait exceptionnel !

— Mon Dieu, que vous arrive-t-il ? la taquina Sarah, avant de jeter un coup d'œil entendu en direction de Bragg.

Malheureusement, Bartolla avait surpris ce regard, et elle demanda à Francesca :

— Vous connaissez Rick depuis longtemps ?

La comtesse était un peu trop futée au goût de Francesca...

— Seulement depuis qu'il a été nommé préfet, répondit-elle prudemment. Mais nous avons travaillé ensemble sur deux affaires criminelles, et au cours de nos enquêtes, nous sommes devenus amis.

Bartolla souriait toujours, mais son regard avait changé.

— Je connais sa femme.

Francesca faillit tomber de sa chaise.

Sarah était éberluée.

— Oh, je ne savais pas qu'il était marié !

Mortifiée, elle jeta un coup d'œil à Francesca, qui s'efforça de sourire et murmura :

— Vraiment ?

— Elle a vécu quelque temps à Florence, et l'été dernier, nous sommes devenues amies alors qu'elle résidait à Paris. Elle aussi jouit au maximum de la vie. C'est une femme peu banale.

— Je n'en doute pas, souffla Francesca.

— Nous sommes tombés d'accord sur un bordeaux, annonça Evan.

Il regardait sa sœur d'étrange façon, et elle devina qu'il avait surpris leur échange. S'il ignorait que Bragg était marié, en revanche, il se doutait qu'il existait quelque chose entre Francesca et lui. Il semblait incrédule.

— Excellente idée ! s'exclama Bartolla.

Evan se tourna vers elle, oubliant aussitôt sa sœur et ses problèmes.

— S'il ne vous plaît pas, nous le renverrons.

— Il n'en est pas question, s'écria la comtesse, d'une voix charmeuse.

Francesca se risqua à lever les yeux sur Bragg. Lui aussi avait surpris le commentaire de Bartolla sur Leigh Anne. Son visage était demeuré impassible, mais pas son regard.

Elle aurait tellement voulu lui prendre la main, et le rassurer.

— Lord et lady Montrose viennent d'entrer, fit soudain remarquer Sarah. Les invitons-nous à se joindre à nous ?

Francesca se retourna sur sa chaise. Constance et Neil les avaient vus également. Elle leur adressa un signe de la main auquel ils répondirent d'un sourire et, après s'être entretenus avec le maître d'hôtel, ils se dirigèrent vers leur table.

— Ma sœur et son mari, expliqua Francesca à Bartolla.

— Oh, j'adorerais faire leur connaissance ! dit la comtesse.

Francesca se demanda comment Bartolla supporterait de partager la vedette avec Constance, qui était éblouissante dans sa robe du soir crème ornée de dentelle or. Montrose, derrière elle, était fort élégant en tenue de soirée. Les femmes le suivaient discrètement des yeux. Francesca remarqua qu'il n'avait pas posé la main sur la taille de Constance. C'était inhabituel ! Elle l'avait vu guider Constance de cette façon des centaines de fois.

Constance souriait, comme Julia le lui avait enseigné. Elle semblait aussi un peu soulagée… Souhaitait-elle échapper à un tête-à-tête avec son mari ?

Les deux hommes se levèrent, ainsi que Francesca qui embrassa sa sœur.

— Tu es ravissante, la complimenta-t-elle.

Constance la regarda droit dans les yeux, et ce regard signifiait : « Que fais-tu ? »

162

De toute évidence, elle n'était pas contente de la trouver en train de dîner avec Bragg pour chevalier servant.

— Bonsoir, Neil, fit Francesca en embrassant son beau-frère sur la joue.

Elle s'écarta, croisa son regard, et sut aussitôt que ça n'allait pas, au contraire. Le regard turquoise de Neil était terne, sombre, résigné.

— Bonsoir, Francesca.

On échangea les salutations d'usage.

— Voulez-vous vous joindre à nous ? proposa Bragg.

Francesca espéra qu'ils accepteraient. C'est alors qu'elle vit Calder Hart pénétrer dans l'établissement. Oh, non ! Ils n'avaient vraiment pas besoin de cela !

Il était accompagné d'une ravissante jeune femme brune, et d'un autre couple. Dans son smoking parfaitement coupé, Hart était sans doute l'homme le plus remarquable de la pièce. Francesca se demanda qui était sa compagne, et si elle le verrait un jour deux fois de suite avec la même femme…

— Nous devons retrouver des amis, répondit Montrose.

Francesca sut précisément à quel moment Calder les avait aperçus. Il lui adressa un sourire, s'excusa auprès de ses compagnons, et se dirigea vers eux d'une démarche à la fois ferme et nonchalante.

— Hart est là, annonça Francesca.

S'il causait des ennuis, elle le tuerait.

Montrose s'était retourné, et Francesca lui trouva l'air tendu, et mécontent. Ou était-ce le fruit de son imagination ? Elle glissa un coup d'œil à Constance qui semblait plus qu'anxieuse… terrifiée.

Elle faillit lui dire : « À quoi t'attendais-tu ? »

— C'est Calder Hart ? chuchota Sarah, tout excitée.

— Oui, répondit Francesca qui savait qu'elle mourait d'envie d'admirer sa collection d'œuvres d'art.

— Je vous en prie, présentez-le-moi ! Mais sans dire que je suis peintre.

— Promis.

Hart s'arrêta devant leur table.

— Rick.

— Calder, fit Bragg sur le même ton, qui n'était pas particulièrement aimable.

Hart se tourna d'abord vers Francesca. Son regard se fit plus chaleureux tandis qu'il s'attardait sur sa robe.

— Eh bien, eh bien, murmura-t-il en s'inclinant sur sa main, vous ne cesserez jamais de me surprendre, Francesca.

Elle lui lança un regard suppliant qui voulait dire : « Je vous en prie ! Ne laissez pas Montrose penser que vous courtisez sa femme ! »

Elle était trop affolée pour se soucier de l'admiration de Hart à son égard.

Il se tourna vers Constance et Neil en souriant.

— Lady Montrose. Vous êtes plus belle chaque fois que je pose les yeux sur vous.

— Monsieur Hart, dit Constance dans un souffle.

Francesca regarda Neil. Il était rouge de colère. Il savait !

Hart lui adressa un signe de tête.

— Montrose. Comment allez-vous ?

Un muscle jouait sur la mâchoire de Neil, et son sourire était crispé.

— Mon *épouse* est la plus jolie femme de l'assistance, n'est-ce pas ?

Il semblait prêt à se battre.

— Vous me mettez dans l'embarras, répondit Hart sans le quitter des yeux. Il y a tant de femmes ravissantes ici ce soir que je ne voudrais pas insulter quiconque.

Ils avaient l'air de deux taureaux dans le même enclos.

Neil se posta devant Constance.

— Vous insulteriez mon *épouse* ? demanda-t-il, l'air mauvais.

Constance était blanche comme un linge, à présent.

— Neil, chuchota-t-elle.

Francesca comprit que ce dernier cherchait la bagarre.

— Neil… risqua-t-elle à son tour.

Mais déjà Bragg s'interposait entre les deux hommes. Passant devant elle, il prit le bras de son demi-frère.

— Tu connais Evan Cahill, et sa fiancée, Sarah Channing.

Sur un dernier coup d'œil moqueur, Hart abandonna Neil.

— Je n'ai pas eu l'honneur d'être présenté à Mlle Channing, dit-il en la saluant de la tête.

Sarah rougit.

— J'ai beaucoup entendu parler de vous, monsieur Hart, et j'admire infiniment ce que vous faites pour les arts.

Il eut un sourire sincère.

— Vous êtes collectionneur, vous aussi ?

Elle hésita.

— J'aimerais le devenir.

— Je vous souhaite de réussir.

— Voici ma cousine, la comtesse Benevente, enchaîna timidement Sarah.

Bartolla était la personne la plus flamboyante de la pièce, et Francesca s'étonna que Hart ne se soit pas dirigé droit sur elle. Mais peut-être était-ce à cause de l'intérêt qu'il portait à Constance.

Hart regarda Bartolla pour la première fois depuis qu'il était arrivé à leur table. Elle était restée assise, contrairement aux autres, et il se contenta de lui adresser un salut de la tête. Son attitude indifférente était pour le moins inhabituelle, mais peut-être était-il conscient de la présence de Montrose derrière lui et craignait-il un coup de couteau dans le dos. Puis il lâcha avec un sourire ironique :

— Je crois que nous nous sommes déjà rencontrés.

— À Londres, je pense, acquiesça-t-elle froidement.

Elle n'avait plus rien d'une séductrice.

— Non, à Lisbonne. Je n'oublie jamais une nuit de pleine lune sur la mer.

— Oh, vraiment ? Vous avez meilleure mémoire que moi.

— À moins que je ne confonde avec un autre souper ?

Bartolla sourit, et si les sourires avaient pu tuer, il serait mort.

— Sans doute. Vous pensez certainement à une autre femme. Ravie de faire votre connaissance, monsieur… Hyde ?

Francesca poussa un lourd soupir. Tous les regards convergèrent vers elle, mais elle s'en moquait. De toute évidence, Hart et Bartolla avaient été intimes. Elle aurait dû s'en douter !

Hart riait, et il ne prit pas la peine de rectifier l'erreur de Bartolla.

— C'était un plaisir, dit-il. Je dois à présent rejoindre mes amis, ajouta-t-il à l'intention de Francesca.

Elle en fut infiniment soulagée. Grâce à Dieu, il ne causerait pas d'ennuis ce soir.

— Bonsoir, lança-t-elle vivement, se retenant presque pour ne pas le pousser vers la sortie.

Il se tourna brusquement vers Bragg.

— À propos, tu connais la nouvelle ?

— Quelle nouvelle ? demanda Bragg sèchement.

Lui aussi souhaitait que son frère s'en aille.

— Leigh Anne est à Boston.

9

La soirée avait été insupportable. Constance ne savait pas quoi faire.

Elle arpentait sa chambre, vêtue d'un peignoir de soie et de dentelle. Elle s'immobilisa devant sa coiffeuse pour retirer les épingles de son chignon, et tressaillit en voyant son reflet dans la glace. La femme qui lui faisait face était tellement pâle et effrayée qu'elle ne la reconnut pas.

La semaine avait pourtant été si agréable, songea-t-elle en proie au désespoir. Comment la situation avait-elle pu basculer ainsi, en l'espace de quelques heures seulement ?

Elle frissonna. Neil ne lui avait pas adressé la parole directement une seule fois de la soirée. La tension entre eux était à couper au couteau. Le couple d'amis avait lequel ils avaient dîné l'avait d'ailleurs remarqué. Les serveurs aussi, tout le monde l'avait remarqué. Et, naturellement, c'était sa faute à elle.

Pourtant elle n'avait rien fait de mal. Déjeuner avec un autre homme, un ami, n'était pas un crime ! D'autant qu'il ne s'était rien passé au cours de ce repas.

Hormis quelques pensées fantasques, dont elle avait honte, et qui accroissaient son sentiment de culpabilité. Mais dans ses fantasmes, le visage de Hart était immédiatement remplacé par celui de Neil.

Qu'était-elle en train de faire ? Et, plus important, pourquoi ?

Elle sentit ses joues s'enflammer. Il ne fallait surtout pas qu'elle se remémore ses pensées illicites. Pas maintenant. Que penserait Neil s'il savait qu'elle avait rêvé qu'il la touchait de très choquante manière ?

Il la prendrait pour une catin.

Elle rougit davantage. Alors même qu'elle déjeunait avec Hart, qu'ils flirtaient sans vergogne, Neil n'avait pas quitté son esprit un instant. Elle ne parvenait pas à l'oublier... ni à oublier sa trahison. Elle était complètement perdue.

Et Neil savait.

Il n'avait rien dit, mais son comportement de la soirée, son attitude envers Hart, tout le prouvait.

Certes, flirter n'était pas un crime. Bien qu'elle sût exactement ce que Hart attendait d'elle, il ne s'agissait que d'un marivaudage. Cet homme possédait un charme magnétique, il était agréable, amusant, rien de plus. Comment flirter avec lui aurait-il pu lui déplaire ? Mais, Seigneur, flirter avec son propre époux, avant sa trahison, était mille fois plus excitant.

Une larme roula sur la joue de Constance.

Elle avait du mal à respirer. Était-ce ce que l'on ressentait lorsqu'on était confiné dans un espace exigu ? Soudain, elle s'imagina dans un cercueil... enterrée vivante.

Elle avait bien cru que Neil et Hart allaient en venir aux mains, au *Delmonico*.

Qu'était-elle en train de faire ?

« Tu le punis », lui répondit avec satisfaction une petite voix glaciale.

Horrifiée, elle agrippa le bord de la coiffeuse, et de nouveau elle ne reconnut pas l'image que lui renvoyait le miroir. La femme qui la regardait était laide, froide. Bien sûr que non, elle ne le punissait pas !

Le passé était le passé. Elle l'avait dit à Francesca, et elle le pensait sincèrement. Sa mère le lui avait seriné, or celle-ci avait toujours raison.

Du reste, cela ne se reproduirait plus. Neil le lui avait promis, et elle le croyait. C'était un homme de parole.

Alors pourquoi cette odieuse tension entre eux ?

Et s'il était au courant de ce déjeuner, pourquoi n'en avait-il pas parlé ?

À moins qu'il ne sache rien...

Que ce ne soit qu'une pure invention de son esprit troublé.

Mais Eliza Burton n'était pas un produit de son imagination !

Constance ne savait plus que penser. Son cerveau lui semblait inutile, stupide, il tournait en rond sans parvenir à une seule conclusion cohérente. Si elle n'arrivait pas à organiser ses pensées, comment pouvait-elle organiser sa vie ? Réussir son mariage ? Quelle folle ! Que ferait Julia à sa place ?

Elle ferait ce qu'il fallait pour rendre son mari heureux. Elle faisait d'ailleurs toujours ce qui convenait.

Ne réponds jamais à ton époux. Ne le contredis jamais. Ne discute pas avec lui. Apporte-lui son journal et ses pantoufles. Ne te refuse jamais à lui. Ris quand il essaie d'être drôle, fronce les sourcils lorsque tu le vois inquiet. Tu es sa compagne, pas seulement son épouse.... Ne le trompe jamais...

Elle plaqua les mains sur ses oreilles.

— Constance ?

Les larmes lui brouillaient la vue, et la femme dans le miroir, bien que jolie, était si fragile qu'elle semblait de porcelaine. Une ravissante poupée de porcelaine sur le point de se briser.

— Constance ? Vous allez bien ?

Elle s'aperçut avec horreur que Neil se tenait sur le seuil, et elle fit volte-face, un sourire machinal aux lèvres.

— Neil ?

Que voulait-il ? Que faisait-il là ?

Il était tard, ils s'étaient dit bonsoir, il aurait dû être couché !

— Qu'est-ce qui ne va pas? demanda-t-il, une réelle inquiétude dans ses yeux turquoise.

Il fit un pas vers elle, mais elle recula instinctivement, et il s'arrêta.

— Rien! répondit-elle vivement.

La dernière fois qu'il était venu dans ses appartements à une heure pareille, il avait l'intention de lui faire l'amour. Mais c'était il y avait bien longtemps!

Et ce n'était sûrement pas la raison de sa présence en cet instant. Ils n'avaient pas eu de relations depuis des mois, et il y avait peu de temps qu'il avait partagé le lit d'Eliza Burton. Cela ne lui suffisait-il pas?

Elle en avait la tête qui tournait.

— Vous êtes malade? Encore une migraine? insista-t-il, angoissé.

Il avait troqué sa tenue de soirée pour une veste d'intérieur en cachemire. Il portait encore son pantalon noir, mais avec des mules de velours brodées à ses initiales. NMC, le C représentant la dignité de baronnet de Caameron. Il avait ôté sa chemise, et elle apercevait sa peau nue dans l'échancrure de sa veste.

Elle détourna les yeux en rougissant. Elle avait souvent vu Neil torse nu. Il aurait pu être bûcheron, se disait-elle souvent, tant il était robuste et musclé.

— Oui, dit-elle très vite. Non. Je ne sais pas, se reprit-elle.

Si seulement il s'en allait! Elle n'était absolument pas en état de l'affronter.

— Venez dans votre boudoir, dit-il.

Elle ne bougea pas. Que voulait-il? La réponse, hélas, allait de soi.

Elle pensa à ses caresses, à ses baisers. Ce n'était pas un amant timoré. Il aimait la toucher partout, sans se soucier de ses protestations pudiques, ou de son étonnement. Pourquoi fallait-il qu'elle pense à cela justement maintenant? À cela et à ses récents fantasmes? Un fourmillement montait en elle, mais elle détesta cette réaction, et s'empressa d'y mettre un terme.

— Je suis fatiguée, s'entendit-elle répondre d'une voix étrange, neutre, sèche.

— Venez dans le boudoir, insista-t-il.

Constance se raidit. C'était un ordre, et ils le savaient tous les deux.

De même qu'ils savaient qu'elle ne pouvait pas refuser quand il parlait sur ce ton. Pourtant, ses pieds ne voulaient pas bouger, bien que son esprit leur ordonnât d'obéir. Elle demeura aussi immobile qu'une statue.

— Constance?

Ne le contredis jamais. Ne discute pas. Ne désobéis pas...

Cette fois, elle hocha la tête, et parvint à faire quelques pas. Il la regarda approcher. Il fallait qu'elle passe devant lui, et elle sentit ensuite son regard sur elle. Elle lui en voulut. Qu'y avait-il? Il n'aimait pas son peignoir?

Elle s'en voulut plus encore de lui avoir cédé.

Il la suivit dans le petit salon attenant à sa ravissante chambre rose et blanche.

On avait fait du feu dans la cheminée, et toutes les lampes étaient allumées lorsque Constance y était entrée à son arrivée. Mais Neil les avaient éteintes, sauf une. Elle se tint devant la cheminée, les mains serrées l'une contre l'autre. Comment pouvait-il songer à faire l'amour après la soirée qu'ils venaient de vivre?

Elle était en pleine confusion. La colère n'était pas dans son caractère. Et il était de son devoir de lui plaire, elle le savait. Naguère, d'ailleurs, elle avait aimé cela. En tant qu'épouse, sa priorité était de le rendre heureux, de le satisfaire.

S'il était allé trouver Eliza – la garce! – c'était parce qu'elle avait manqué à tous ses devoirs.

Elle était tellement imparfaite!

Il s'arrêta derrière elle, et elle se raidit davantage.

— Quand allez-vous me parler de ce satané déjeuner?

La tension lui provoquait maintenant une véritable migraine. Elle n'osait lui faire face. La veille, quand il l'avait interrogée au sujet de son déjeuner, elle s'était montrée évasive.

— Constance !

Le ton était dur. Elle sentit sa main ferme sur son épaule.

Il la fit pivoter. Il ne s'agissait pas de partager son lit... Il allait se mettre en colère, maintenant.

— Regardez-moi ! gronda-t-il.

Elle obéit, constata qu'il était en effet furieux, et qu'il s'efforçait de se maîtriser.

— Avec qui avez-vous déjeuné ?

Il le savait, alors pourquoi lui poser la question ?

Elle allait lui répondre, bien sûr. Elle se plaqua un sourire sur les lèvres.

— Si vous connaissiez la réponse, à quoi bon me le demander ?

C'était une autre femme qui parlait par sa voix. Une inconnue.

Il ouvrit de grands yeux et resserra son étreinte.

— Quoi ?!

— Vous me faites mal.

Il la lâcha.

— Vous m'avez menti, fit-il remarquer, incrédule.

— Non, je n'ai pas menti.

Pourquoi ne se contentait-elle pas d'implorer son pardon et d'en finir avec le sujet ? Elle avait de plus en plus peur, alors pourquoi ne contrôlait-elle pas ses réponses ?

— Je vous ai demandé avec qui vous aviez déjeuné, et vous m'avez menti, s'entêta-t-il.

— Hart est bien un ami !

Il n'était plus question de nier.

Il eut un sourire menaçant.

— Un, pas une. Et ce n'en est pas un, de toute façon.

Elle releva le menton.

— Vous ne pouvez pas choisir mes amis, Neil.

Que lui arrivait-il ?

Il tremblait.

— Je vous connais. Je vous connais mieux que vous ne vous connaissez vous-même, et je sais que jamais vous ne me feriez ce que je vous ai fait. C'est pourquoi je suis perdu. Est-ce votre manière de vous venger ? De me faire du mal ? Parce que si c'est le cas, vous avez réussi. Je suis fou de jalousie, et jamais je ne vous autoriserai à le revoir.

Il était *fou de jalousie* ! Constance avait l'impression d'assister à une scène de ménage en spectatrice. N'aurait-elle pas dû se sentir ravie ? Elle était dans un état bizarre. Comme si elle flottait hors de son corps.

— Je suis une adulte, répliqua-t-elle d'un ton étonnamment détaché. J'ai parfaitement le droit de choisir mes relations.

Il la saisit de nouveau aux épaules.

— Je tuerai Hart s'il vous a touchée !

— Lâchez-moi, Neil.

Il la fixa un instant, puis obéit.

— À quoi jouez-vous ? Attendez ! Je le sais. Vous voulez me punir pour ce que j'ai fait. Mais jamais je n'ai autant regretté un de mes actes ! Ma culpabilité et mes remords sont une punition suffisante. Je vous aime, Constance. Vous m'entendez ? Et je veux sauver notre mariage.

Elle l'entendait en effet. Le soir de leurs noces, lorsqu'il avait prononcé ces mêmes paroles, elle avait été aux anges. À présent, elle ne ressentait rien d'autre qu'une totale confusion.

— Je vous aime aussi, Neil.

Sa voix lui parut froide, dépourvue de sentiment.

Il se passait quelque chose ! se dit-elle, prise de panique. Et elle ne savait pas du tout de quoi il pouvait s'agir.

Il la dévisagea en silence.

— Je ne le crois pas, dit-il enfin, avant de tourner abruptement les talons.

La femme qui flottait au-dessus de la pièce réintégra si brutalement son corps qu'elle eut l'impression de la sentir physiquement. Et tandis qu'elle suivait Neil des yeux, une peur terrible s'empara d'elle. Évidemment, elle aimait Neil ! Elle l'aimait de tout son cœur, de toute son âme, et elle ne voulait pas le perdre. Elle ne comprenait même pas ce qui venait de se passer ! Elle avait une envie folle de le rappeler, mais sa bouche refusait de s'ouvrir, sa langue de prononcer les mots.

L'effroi la consumait.

C'était comme s'il y avait une autre femme en elle, déterminée à tous les détruire.

Sa femme était à une demi-journée de train.

Francesca n'arrivait pas à penser à autre chose, tandis que Bragg la raccompagnait chez elle.

— Francesca ? Vous n'avez pas dit un mot depuis que nous avons quitté le restaurant.

Elle se tourna vers lui et s'efforça de sourire.

— Il est tard, et je suis lasse. C'était une délicieuse soirée.

Pas délicieuse du tout, en réalité. Affreusement tendue, en grande partie à cause de Hart. Et la présence coquette de Bartolla n'avait pas amélioré la situation. Evan s'était montré beaucoup trop charmant avec elle.

— Pourquoi ai-je l'impression que vous n'êtes pas sincère ? demanda-t-il doucement.

La Daimler ralentit devant la demeure de Francesca. Ne sachant que répondre, elle se contenta d'un faible sourire.

— Merci infiniment pour cette charmante soirée, Bragg. J'ai perdu notre pari, et cependant, vous m'avez quand même invitée au théâtre. Cela signifie tellement pour moi.

Elle lui retira sa main tandis que la litanie se poursuivait dans sa tête.

Leigh Anne était à Boston. La verrait-il ?

Elle était plus bouleversée que jamais. Et effrayée. Elle ne comprenait plus rien à ses propres sentiments.

— Il vaudrait mieux que je rentre, dit-elle avec amertume.

— Francesca ? Je vous en prie. Vous êtes contrariée, et je soupçonne que c'est à cause de la présence de ma femme.

— En effet, répliqua-t-elle en lui faisant face. Vous ne me l'aviez pas dit !

— Je ne vous avais pas dit quoi ? demanda-t-il, perplexe.

— Qu'elle était là... à quelques heures de New York !

Il la considéra avec un étonnement sincère.

— Son père est malade. Sa mère est une femme froide et superficielle, et sa sœur est un véritable problème, expliqua-t-il posément. Apparemment, Leigh Anne est rentrée à Boston afin d'être auprès de son père. Je ne l'ai appris qu'hier, par une lettre qu'elle m'avait envoyée avant d'embarquer en France.

Il tendit la main vers elle, mais elle se déroba. Elle avait envie de pleurer. Cette femme lui était toujours plus ou moins apparue comme irréelle. Elle n'avait jamais eu aucune envie de la rencontrer, et voilà que soudain, elle avait l'horrible pressentiment que leurs chemins allaient se croiser. Comment était-il possible que cela n'arrive pas ? Elle était à quelques heures à peine, et Bragg était son époux légitime.

Une petite voix s'éleva en elle : « C'est le prix à payer lorsqu'on s'éprend d'un homme marié. »

— Francesca ?

Elle croisa le regard d'ambre clair. Elle avait beau être bouleversée, le simple fait de le regarder lui coupait le souffle. Il lui suffisait de poser les yeux sur ses lèvres pour se rappeler son baiser. Elle était attirée par lui comme par un aimant.

— Auriez-vous fini par me dire que Leigh Anne était à Boston ? demanda-t-elle ave raideur.

— Cela ne m'est même pas venu à l'esprit, avoua-t-il. Franchement, entre Katie et Dot, et le double crime dont nous nous occupons, je n'ai pas accordé une seule pensée à ma femme. Quelle différence cela fait-il qu'elle soit là ?

— Elle est à une demi-journée de train. Vous êtes séparé d'elle par une demi-journée, pas par un océan entier !

Il recula un peu, car elle avait crié.

— Je suis désolée, murmura-t-elle.

Elle était soudain si malheureuse, et elle trouvait sa propre conduite impardonnable.

— Vraiment désolée, répéta-t-elle. Mes sentiments n'ont pas changé, Bragg. Au contraire, ils deviennent plus forts chaque jour. Et maintenant, je suis terriblement triste.

Il la fixait, et elle finit par se détourner. N'allait-il pas dire quelque chose ?

— Il vaudrait mieux que je rentre.

Elle mit la main sur la poignée, mais il la retint.

Elle n'avait pas vraiment envie de sortir de la voiture, car il fallait absolument qu'ils résolvent ce problème… Encore qu'il n'y eût aucun problème à résoudre, hormis sa peur inexplicable. Elle avait l'impression qu'elle venait de trouver Bragg, pour le perdre aussitôt !

— Notre amitié est un combat, n'est-ce pas ? fit-il en la scrutant.

— Pardon ?

— Elle vous fait souffrir, et pour être franc, elle me fait aussi souffrir. Chaque jour est plus difficile que le précédent. Je suis un homme d'honneur, mais dès que je suis avec vous, mes pensées ne sont ni honorables ni honnêtes.

Elle lui agrippa le poignet.

— Que racontez-vous ? souffla-t-elle.

— Nous passons beaucoup de temps ensemble, ce qui met à l'épreuve notre résolution de rester de simples amis. Pour ma part, en tout cas, je sens faiblir ma résolution.

Elle avait de la peine à respirer. Pensait-il, comme elle depuis peu, qu'une femme cruelle et manipulatrice ne pouvait se dresser entre eux ? Qu'il n'y avait aucune raison pour qu'elle fasse obstacle à leur bonheur ? Ne pourraient-ils être heureux malgré elle ? Soudain, Francesca cessa d'avoir peur, et son cœur se mit à battre à grands coups.

— Mais nous sommes amis, rien de plus, dit-elle d'une voix rauque d'excitation.

Il posa ses mains gantées sur le volant, le regard fixé droit devant lui.

— Nous sommes beaucoup plus que des amis, vous le savez parfaitement. La tension qui règne entre nous, cette tension qui ne se dissipe jamais, est celle qui unit un homme et une femme, Francesca. C'est une torture d'être seul avec vous, c'est douloureux de ne pas avoir le droit de vous courtiser. Et, pire encore, de savoir qu'un jour vous passerez allégrement à autre chose et que vous épouserez un homme digne de vous. Que vous connaîtrez… l'amour.

Francesca se sentait oppressée.

— N'essayez pas de me convaincre que nous ne devons plus être amis ! Notre amitié m'est plus précieuse que qui ou quoi que ce soit sur cette terre, Bragg. Et, non, je ne passerai pas *allégrement* à autre chose. Je suis le genre de femme qui n'aime qu'une fois dans sa vie.

Elle sentit une larme rouler sur sa joue et n'en fut pas surprise.

— Vous me faites peur, dit-il. Vous ne devriez pas m'aimer de cette façon. C'est une erreur ! Et notre amitié vous y a encouragée.

— Non !

Elle resserra son étreinte sur son poignet. Il n'allait pas dire qu'ils devaient mettre un terme à leur amitié ! Parce qu'elle s'en sentait incapable.

— Je suis assez forte pour m'en débrouiller, je vous le jure, Bragg !

— Mais je vous fais déjà souffrir ! s'écria-t-il. Et je souffre de mon côté d'être ainsi auprès de vous, pieds et poings liés, à m'efforcer de ne pas agir comme je le souhaiterais !

— Ce n'est pas *vous* qui me faites souffrir. Nous sommes amis et nous le resterons toujours, vous ne l'ignorez pas. Cela vous semblera peut-être ridiculement romantique, mais il m'arrive de penser que nous sommes destinés l'un à l'autre. Nous sommes tellement bien ensemble ! Nous nous comprenons, nos âmes sont à l'unisson.

Il se contenta de la regarder longuement, intensément.

— J'éprouve aussi ce sentiment, admit-il enfin. N'ayez pas peur, Francesca. Et surtout pas de Leigh Anne. Elle ne viendra pas à New York. En fait, sachant que j'y vis, elle évitera cette ville à tout prix.

Elle se détendit un peu.

— Vous voyez ? murmura-t-elle. Vous savez de quoi j'ai peur sans même que je vous l'aie avoué.

Il eut un petit sourire qui n'atténua pas la lueur triste dans ses yeux.

— Même si elle venait ici, vous n'auriez rien à redouter. Vous connaissez mes sentiments à son égard – et à votre égard.

Elle ne parvenait pas à s'arracher à sa contemplation. Entendait-il son cœur, qui battait si follement dans sa poitrine ?

— Bragg ?

C'était une prière.

Il secoua la tête, ignorant délibérément le désir qui passait entre eux tel un courant électrique. Mais il fixait sa bouche.

— Satané Calder ! Il trouve toujours le moyen de cracher son venin. Il n'a pas changé. C'était un garçon dangereux, et c'est un homme dangereux, à présent.

Pour une fois, Francesca n'avait pas envie de défendre Hart.

178

— Attendez que je lui aie dit ce que je pense de son comportement, déclara-t-elle.

— Inutile ! Cela entrera par une oreille pour ressortir par l'autre.

Francesca ne pensait plus à Hart. Son cœur continuait à battre la chamade. Les idées folles de la veille l'assaillaient avec une force renouvelée. De quel droit Leigh Anne leur dénierait-elle le droit à l'amour et au bonheur ?

Mais, de son côté, trouverait-elle le courage de défier les convenances, de jouir de ce qu'elle savait pouvoir connaître avec Bragg, en dépit de sa femme ?

Oserait-elle ?

Elle se mit à trembler de tous ses membres.

— Qu'avez-vous ? demanda-t-il d'un ton bourru, et parce qu'il le devinait, il ajouta : Vous feriez mieux de rentrer.

Elle avala sa salive. Elle ne pouvait même pas envisager de partager ces pensées avec Bragg. Mais elle allait réfléchir des heures durant à ce qui pourrait se révéler la décision la plus importante de sa vie.

— Il se passe quelque chose dans votre esprit. Mais vous semblez effrayée – et déterminée à la fois, murmura-t-il.

Elle eut un demi-sourire et prit son courage à deux mains.

— Ne bougez pas, souffla-t-elle.

Lorsqu'il réagit, il était déjà trop tard, la bouche de Francesca s'était posée sur la sienne.

Sa réponse fut immédiate. Elle s'était attendue qu'il se dérobe, mais il n'en fit rien. Une fraction de seconde, il s'écarta légèrement pour plonger son regard dans le sien, et Francesca y lut un tel désir qu'une immense joie flamba dans sa poitrine. Puis il l'enveloppa de ses bras, l'écrasa contre le dossier de la banquette, et s'empara de sa bouche avec ardeur. Tandis que leur baiser se prolongeait, leurs mains se parlaient aussi, s'exploraient...

Elle savait que la passion qu'ils éprouvaient l'un pour l'autre était exceptionnelle.

Il prit son visage entre ses mains, et elle ouvrit les yeux. Il la contemplait, le souffle irrégulier.

— Vous êtes si belle... Et ce qu'il y a de plus beau en vous vient de l'intérieur, Francesca. De votre âme.

Elle en avait presque les larmes aux yeux.

— Embrassez-moi encore, Bragg...

Cette fois, il hésita. En lui, l'homme d'honneur prenait le pas sur l'homme de désir. Francesca le sentit et, pour prolonger l'instant, elle prit l'initiative.

Il glissa les mains sous son manteau, et Francesca perdit toute capacité de penser. Elle n'était plus que sensations, dans ses veines, au creux de ses reins.

Lorsqu'il se détacha enfin d'elle, elle était à demi allongée sur le siège.

Et elle se dit aussitôt qu'il fallait absolument qu'ils deviennent amants. Ils n'avaient tout simplement pas le choix.

Il se redressa, haletant, et il lui fallut un moment pour retrouver sa voix.

— Je dois avoir perdu la tête! Que se serait-il passé si l'un de vos parents avait été à la fenêtre de leur chambre?

La peur en même temps que la panique envahirent Francesca.

Il l'aida à s'asseoir, et leurs regards s'unirent. Inutile de prétendre que ce qui venait d'arriver n'était qu'une folie passagère, surtout après la conversation qu'ils venaient d'avoir.

Francesca était un peu perdue, aussi risqua-t-elle d'une petite voix :

— Même de la fenêtre de leur chambre, ils ne pourraient voir à l'intérieur de la voiture.

— Mais ils se demanderaient ce que nous avons fait pendant tout ce temps, objecta-t-il en se passant la main dans les cheveux. Bon sang, je ne sais pas ce qui m'a pris! Jamais je n'aurais dû encourager ainsi nos sentiments réciproques.

— Mais cela ne m'ennuie pas, assura-t-elle en lui prenant la main.

Il lui décocha un regard stupéfait, et se dégagea.

— Ça devrait, pourtant. Personne n'a le droit de vous traiter avec un tel manque de respect !

Il haussait rarement le ton, et si elle-même n'était pas tracassée par ce qui venait de se passer, lui l'était bel et bien.

— Je sais que vous me respectez, Bragg.

— Non, Francesca. Si un jour – ce qui n'arrivera jamais – je vous faisais l'amour, cela signifierait que je suis un égoïste, incapable de vous respecter, et que je ne mérite pas une femme telle que vous.

La consternation s'insinua lentement en elle.

— Ne dites pas cela. Nous avons seulement...

Il secoua la tête.

— Nous sommes amis. Rien de plus.

Il eut un sourire triste.

— Et demain, une enquête nous attend, vous vous rappelez ?

— Oui.

— Bon.

Il sortit et elle le regarda contourner la voiture sans songer à rectifier sa toilette. Si elle décidait d'aller plus loin avec Bragg – si elle décidait de devenir sa maîtresse en secret, de défier à la fois ses parents, la société et les principes dans lesquels il avait été élevé – ce ne serait pas facile. Il risquait de lui résister.

C'en était presque risible !

Sauf qu'elle avait mal, et qu'elle était incapable de rire lorsqu'elle pensait à Bragg et elle.

Il ouvrit la portière.

Elle s'efforça de sourire bravement tandis qu'il la raccompagnait jusqu'au porche. Devant la porte, il s'arrêta et repoussa une mèche folle égarée sur sa joue.

— À demain, dit-il. 10 heures, cela vous va ?

— C'est parfait.

Le sourire de Bragg s'évanouit soudain, et il scruta les alentours.

Elle se raidit.

— Qu'y a-t-il?

— J'avais l'impression bizarre qu'on nous épiait.

Elle songea aussitôt à ses parents.

— Je suis certaine qu'ils dorment, Bragg.

— Il ne s'agit pas de vos parents; j'avais plutôt le sentiment d'être surveillé... de façon assez déplaisante.

— Vous me faites presque peur!

— Ce n'était pas le but, s'excusa-t-il. Bonne nuit. Au fait, Francesca, vous n'oubliez pas les filles?

Elle tressaillit.

— Ne se sont-elles pas assagies? Vous n'en avez pas parlé de la soirée!

En réalité, elle avait redouté d'aborder le sujet.

— Peter n'a plus une minute à lui. Mais je suis certain que vous avez déjà prévu une maison d'accueil pour lundi.

— Naturellement!

Il fallait à tout prix qu'elle aille voir les petites le lendemain, se dit-elle, ennuyée, en ouvrant la porte.

— Ce n'est pas fermé à clé? s'étonna-t-il.

— La maison est pleine de domestiques, Bragg. Et c'est toujours le dernier rentré qui verrouille. Ce soir, c'est moi.

Il jeta un regard circulaire sur les pelouses.

— Très bien. Mais la prochaine fois, prenez une clé.

Il la rendait nerveuse, à la fin!

Elle se glissa à l'intérieur et lui sourit dans l'entre-bâillement de la porte.

— Faites de beaux rêves, murmura-t-elle.

Il lui jeta un dernier regard, et regagna sa voiture. Elle le suivit des yeux, puis referma la porte. Avec un soupir rêveur, elle se laissa aller à se remémorer leur étreinte... jusqu'à ce que Leigh Anne fasse irruption dans ses pensées.

Pourtant elle ne se sentait nullement coupable. Après tout, cette femme avait abandonné son mari, elle le détestait et ne se privait pas pour prendre des amants.

Elle allait tourner la clé dans la serrure lorsqu'une main se plaqua sur sa bouche, étouffant son cri.

Elle sentit un robuste corps masculin se presser contre elle, et un flot de pure terreur la submergea.

— Vous êtes pas ma cousine, siffla une voix à son oreille. Et je sais pas pourquoi vous avez menti.

10

Cet homme était l'assassin de Mary et de Kathleen ! Elle en eut instantanément la certitude !

— Pas un mot, pas un geste, la menaça-t-il à voix basse.

Elle ne risquait pas de bouger tant il la serrait. Même hocher la tête lui fut impossible.

Il l'entraîna à l'extérieur sans prendre la peine de fermer la porte, et la lâcha.

Francesca ne hurla pas. Elle recula en titubant, et s'essuya la bouche pour se débarrasser du goût amer de la peau de l'homme. Un coup d'œil désespéré vers l'allée lui confirma que Bragg n'y était plus. Elle ne pouvait attendre aucun secours de lui. Elle était seule avec un fou.

Comme elle ne disait rien, ce fut lui qui prit la parole :

— Qu'est-ce que vous me voulez, mam'zelle Cahill ?

Il faisait nuit, et il était difficile de déchiffrer son expression, mais sa voix était nettement menaçante.

Bien qu'elle se fût raclé la gorge, les paroles qui sortirent de sa bouche furent à peine plus qu'un murmure :

— J'essaie de découvrir qui a tué Kathleen O'Donnell et Mary O'Shaunessy...

— Oh ! Et vous pensez que c'est moi ?

Elle recula de quelques pas.

— Non ! J'espérais simplement que vous pourriez me fournir un indice.

Il s'approcha d'elle, si près qu'elle sentait son haleine fétide. Apparemment, il n'avait pas bu.

— J'aimais bien me faire Kathleen, mais je l'ai pas tuée. Je l'ai pas charcutée, j'ai pas gravé une croix sur son cou.

Francesca se pétrifia. C'était son homme ! Sinon, comment aurait-il su, pour la croix ?

— Vous avez d'autres questions, m'dame ? reprit-il avec colère. Parce que c'est votre dernière chance.

Elle secoua la tête.

— Tant mieux ! J'ai pas de temps à perdre avec des garces comme vous, cracha-t-il. Et la prochaine fois, pensez à fermer votre porte à clé, ajouta-t-il en ricanant avant de tourner les talons.

Francesca se rua à l'intérieur et courut jusqu'à la bibliothèque. Elle composa le numéro de Bragg en tremblant. Comme le téléphone sonnait à l'autre bout du fil, elle se rendit compte qu'il ne pouvait être déjà arrivé chez lui. Elle raccrocha.

Elle n'avait pas le choix : il fallait qu'elle suive Sam Carter.

Elle traversa la maison au pas de charge en se maudissant de ne pas avoir glissé son pistolet dans son réticule. Mais comment aurait-elle pu prévoir qu'elle se ferait agresser chez elle. Quelques secondes après avoir quitté le préfet de police, qui plus est !

Elle se précipita vers une des fenêtres de façade. Sam Carter était sur le point de franchir la grille.

Elle ne pouvait pas le pourchasser seule, réalisa-t-elle. C'était beaucoup trop dangereux.

Elle gagna en courant l'aile de la demeure dévolue à son frère. Elle n'était pas certaine qu'il soit déjà rentré, mais elle devait s'en assurer.

— Evan !

Il sortit instantanément de la bibliothèque, au rez-de-chaussée, un verre de whisky à la main, et la considéra d'un air surpris, comme elle s'immobilisait devant lui.

— Il y a un assassin dehors ! cria-t-elle en lui agrippant le poignet. Il faut le suivre, ou nous risquons de perdre sa trace définitivement !

— Au nom du ciel, de quoi parles-tu ?

— Je…

Elle s'interrompit. Par la porte entrouverte de la bibliothèque, elle venait d'apercevoir Bartolla lovée sur le sofa, les jambes repliées sous elle, ses mules de satin rouge sur le tapis. Elle aussi avait un verre à la main, et elle lui sourit aimablement

Francesca en demeura bouche bée.

— Il s'agit simplement d'un verre amical, s'empressa de préciser son frère avec raideur.

Bartolla se leva, arborant ce sourire si contagieux.

— Je vous en prie, Francesca, n'en tirez pas de conclusions hâtives. Jamais je ne trahirais ma cousine. Elle sait que nous sommes ici, mais elle ne souhaitait pas se joindre à nous. Voulez-vous un verre de cognac ?

Francesca se sentit quelque peu soulagée.

— Ce n'est pas convenable, protesta-t-elle néanmoins, pour la forme.

— C'est toi qui dis ça ? grommela Evan.

Bartolla haussa les épaules.

— Je suis veuve, ma chère. Et riche. Je peux faire tout ce que je veux dès lors que je ne me soucie pas de l'opinion que les gens ont de moi. Et c'est le cas, ajouta-t-elle. Franchement, ils sont surtout jaloux de ma liberté.

Elle avala une gorgée, et laissa échapper un délicat soupir.

— Evan, mon cher, ce scotch est une pure merveille !

— Je l'ai rapporté de chez Mac Laren, dit-il en souriant.

Francesca décida que le moment était mal choisi pour analyser l'esprit libéral de Bartolla ou ses relations avec son frère.

— Et voilà, Evan, maintenant, il est parti !

— Mais qui ?

— Oui, renchérit la comtesse, qu'est-ce donc que cette histoire d'assassin ?

— Bon sang ! s'écria Francesca en tremblant de frustration, les larmes aux yeux.

— Ça va ? s'inquiéta Evan, qui posa son verre et entoura les épaules de sa sœur du bras.

— Non, ça ne va pas ! L'homme soupçonné d'avoir assassiné deux jeunes femmes vient de m'agresser dans la maison, et il est maintenant en train de s'enfuir !

Evan écarquilla les yeux, puis se rembrunit.

— Seigneur ! Je n'y crois pas, Francesca !… Trop, c'est trop. Je suggère que tu appelles ton *ami* de la police.

Dimanche 9 février 1902, 10 heures

Francesca se présenta chez Bragg à 9 h 45. Elle ne fut pas surprise qu'il ouvre lui-même la porte, déjà vêtu de son pardessus.

Lui, en revanche, fut étonné de la trouver là.

— Francesca ! Je m'apprêtais à aller vous chercher.

— Je voulais voir les petites avant que nous partions, expliqua-t-elle en passant devant lui. Avez-vous eu de la chance, cette nuit ?

Elle l'avait appelé après avoir laissé Bartolla et Evan devant leurs verres – puis elle avait décidé de les rejoindre afin de les chaperonner, ce qui l'avait menée jusqu'à 2 heures du matin, si bien qu'elle était épuisée.

— Non. Nous avons passé Upper East Side au peigne fin. Sans succès.

— Je suis vraiment désolée. Mais il avait une telle avance…

— C'est moi qui suis désolé. J'aurais dû me douter que quelque chose clochait. Je le sentais, nom d'un chien ! Et votre porte qui n'était pas verrouillée…

Il secoua la tête d'un air navré.

Elle lui toucha le bras.

— Il ne m'a pas fait de mal, Bragg.

— En effet, j'en remercie le Ciel !

Avant qu'elle ait eu le temps de lui demander ce qu'il pensait des journaux du matin – le *Sun* comme *La Tribune* titraient sur les meurtres –, Peter fit irruption dans l'entrée.

Francesca le considéra d'un air ébahi. Sa chemise sortait de son pantalon, et une Dot hilare était juchée sur ses épaules. En les voyant, il s'arrêta net et rougit violemment.

— Pipi ! Pipi ! hurla Dot.

Francesca se précipita, inquiète.

— Je crois que nous devrions aller aux toilettes… Bonjour, Dot.

Peter reposa la petite fille sur le sol.

— Il semble que, pour une raison inexplicable, elle ait décidé d'appeler mon intendant Pipi, commenta Bragg. Compte tenu du fait qu'elle semble avoir un penchant pour cette fonction naturelle, c'est probablement approprié.

Francesca n'osait pas le regarder. Dot avait-elle fait d'autres bêtises sur le parquet ? Sans doute…

— Comment vont les petites, Peter ? s'enquit-elle.

— Où est la gouvernante ? répondit-il, impassible.

Bragg répondit à la place de Francesca :

— Peu importe. Les enfants partent demain.

Il assortit ses paroles d'un regard sévère à l'adresse de la jeune fille.

Dot pointa un index accusateur sur lui.

— Méchant ! piailla-t-elle. Méchant !

— En outre, aucune des deux ne m'aime, ajouta-t-il.

— Vous êtes-vous seulement donné la peine de jouer un peu avec elles ? répliqua Francesca en prenant la main de Dot, qui la récompensa d'un sourire béat.

— Jouer ? répéta-t-il, incrédule. Quand voulez-vous que j'aie le temps de jouer ?

Il avait raison. Elle soupira.

— Il me faudra peut-être plus d'une journée pour leur trouver un foyer, Bragg, dit-elle en menant Dot vers la salle de bains.

— Bonne chance ! lança-t-il.

Elle n'aurait su dire s'il faisait allusion à ce qui allait se passer, elle l'espérait, dans les minutes à venir, ou à la recherche d'une famille d'accueil.

Elle installa Dot sur le siège. La fillette lui sourit et se mit à jouer avec les portes d'un placard tout proche, pas le moins du monde préoccupée par ses fonctions biologiques.

— Dot, expliqua Francesca, c'est maintenant – et ici – qu'il faut faire pipi. Je t'en supplie, Dot…

— Pipi ! Pipi ! cria la petite.

— Peter a subi un très fâcheux changement de personnalité, lança Bragg, de l'autre côté de la porte. Je n'ai pas eu de chemises – ni de draps – propres depuis vendredi.

Francesca se crispa.

— Et si j'engage une nounou dès demain ?

Elle adressa un regard encourageant à Dot, qui lui offrit un sourire radieux en réponse.

— Les petites partent demain, Francesca, décréta Bragg. Elles seront restées un week-end entier !

Dot ne devait pas aimer le son de sa voix, car elle lança un regard noir à la porte et se leva.

Francesca la rassit sur la lunette.

— Allez, Dot !

Celle-ci secoua la tête et se mit à gigoter frénétiquement.

— Pipi ! glapit-elle. Pipi !

Francesca décida qu'elle n'avait pas besoin de se soulager, songea dans la foulée que Constance et Mme Partridge pourraient bien lui être utiles, puis murmura :

— D'accord. Va rejoindre Peter.

La petite se rua hors de la salle de bains, et se jeta dans les bras du colosse qui avait rentré sa chemise dans son pantalon et peigné ses cheveux blonds.

Il la hissa sans peine sur ses épaules et, accrochée à ses oreilles, elle poussa des petits cris de joie.

Francesca les contempla, le sourire aux lèvres, tandis qu'ils quittaient l'entrée. Elle avait l'impression que Peter s'amusait beaucoup, mais c'était difficile à dire avec lui.

Puis elle sentit un regard peser sur elle et se retourna.

Assise sur les marches, le visage dur et fermé, Katie les regardait Bragg et elle. À peine Francesca eut-elle posé les yeux sur la fillette que celle-ci bondit sur ses pieds et grimpa à l'étage.

Francesca lança un coup d'œil à Bragg.

— Elle est très taciturne, dit-il. Elle n'a pas prononcé un mot depuis son arrivée. Elle a sans doute besoin d'une aide professionnelle, Francesca.

Elle acquiesça.

— Je me demande si elle était déjà ainsi avant la mort de sa mère.

Bragg haussa les épaules.

— De toute façon, ni vous, ni moi, ni Peter ne pouvons la prendre en charge, c'est évident. Nous y allons ? ajouta-t-il. Nous avons du pain sur la planche !

Elle fit un pas vers lui, et glissa sur le plancher.

— Oh !

Bragg la rattrapa de justesse.

— Ça va ?

— Ça va, confirma-t-elle, le souffle court. Le sol est mouillé…

Elle s'interrompit, et ils baissèrent les yeux en même temps.

— Je l'aurais parié ! fit Bragg.

— Mike O'Donnell est un homme très pieux, expliquait le père O'Connor, un homme de haute taille aux cheveux blancs. Il venait à la messe tous les dimanches, et parfois même en semaine.

Bragg et Francesca n'avaient eu aucun mal à dénicher la petite église où le prêtre évangélisait ses paroissiens, à quelques pâtés de maisons au nord de Water Street. La messe venait de se terminer, et les derniers assistants s'égaillaient sur le parvis. Francesca était étonnée que Mike O'Donnell soit un dévot. Ce n'était pas l'impression qu'il lui avait donnée.

— Quand l'avez-vous vu pour la dernière fois ? interrogea Bragg.

— Pas plus tard que dimanche dernier, répondit O'Connor. C'est épouvantable, sa femme assassinée… et maintenant sa sœur !

— En effet, acquiesça Bragg. Ainsi vous les connaissiez toutes les deux ?

— Pas vraiment. Je connaissais Kathleen davantage. Autrefois, avant leur séparation, elle venait prier avec lui. Ils ont ensuite partagé un appartement avec deux autres familles, pas très loin d'ici. Mais je ne l'avais pas vue depuis deux ou trois ans.

Ils s'étaient installés dans la sacristie, une pièce toute simple avec un plancher de chêne, des murs en pierre apparente, quelques étagères et un bureau.

— Elle était tellement gentille, monsieur ! Calme, discrète, très pieuse, elle aussi. J'ai été bien triste quand ils se sont quittés. Je le leur avais déconseillé, du reste.

— Donc, vous n'avez jamais rencontré Mary ?

— Je n'ai pas dit ça. Je l'ai croisée une fois, brièvement, à l'enterrement de Kathleen.

— Enterrement auquel Mike n'a pas assisté.

Le prêtre hésita.

— Il avait sûrement ses raisons.

— De quelles raisons pouvait-il bien s'agir ? murmura Francesca.

O'Connor se tourna vers elle.

— Il aimait Kathleen, il n'avait pas souhaité leur rupture. Je suis certain que sa mort l'a anéanti. Il n'est plus le même, depuis.

Francesca jeta un coup d'œil à Bragg. Mike O'Donnell ne lui avait pas semblé effondré.

— Avez-vous déjà rencontré le petit ami de Kathleen, Sam Carter?

O'Connor cligna des yeux.

— Je ne savais même pas qu'elle avait un amant. Cela me déçoit énormément.

Il parlait d'elle comme si elle était encore vivante, ce qui étonna Francesca.

— Mike en voulait-il à Kathleen de l'échec de leur couple? L'avez-vous déjà entendu parler d'elle de façon agressive? demanda Bragg. L'avait-il menacée?

— Je n'en sais rien. Je suppose qu'ils se querellaient, comme beaucoup de couples. Mais non, je ne l'ai jamais entendu parler méchamment de Kathleen.

— Donc, c'est un saint, murmura Francesca.

— Je n'ai pas dit ça, rétorqua O'Connor. L'alcoolisme est un péché.

— Il n'a jamais parlé d'elle en mauvais termes, même dans le secret du confessionnal? insista Bragg.

— Préfet! Vous savez parfaitement que je ne peux pas révéler ce que mes paroissiens me confient.

Francesca avait du mal à refréner son impatience.

— Deux femmes ont été sauvagement assassinées, lui rappela froidement Bragg. Si vous avez entendu quoi que ce soit qui puisse m'aider à trouver le meurtrier, même au cours d'une confession, je vous suggère de m'en faire part.

— Je ne violerai jamais mon serment sacré, répliqua le prêtre plutôt abruptement. Est-ce tout?

— Mary doit être enterrée demain. O'Donnell a-t-il évoqué sa mort? A-t-il partagé son chagrin – ou d'autres sentiments – avec vous?

O'Connor s'était levé, mettant ainsi un terme à leur entretien.

— Non. Non, pas vraiment.

— Qu'est-ce que cela signifie?

Francesca s'était levée également, mais Bragg n'avait pas bougé.

O'Connor soupira.

— Mary et lui n'étaient pas proches. Pas proches du tout, même.

— Ce qui veut dire ? insista Bragg.

— Exactement ce que je dis.

— Vous en savez plus que vous ne voulez bien l'avouer.

— Je ne peux pas vous en révéler davantage.

Le prêtre leva les yeux au ciel comme s'il implorait l'aide du Seigneur.

— Même pour empêcher qu'un troisième crime soit commis ? lâcha Bragg, glacial.

O'Connor sursauta.

— Vous ne pensez tout de même pas que ce fou va frapper de nouveau ?

— Si, je le pense.

Francesca se retint de jeter un coup d'œil à Bragg. Que savait-il qu'elle ignorait ?

— Très bien, soupira O'Connor. O'Donnell désirait sa propre sœur.

Une fois dehors, Francesca se tourna vers Bragg.

— Je continue à croire que c'est Sam Carter le coupable, mais, Seigneur, O'Donnell a avoué désirer sa sœur ! Voilà bien la pulsion d'un fou, commenta-t-elle en s'empourprant.

— C'est en tout cas ce que prétend O'Connor, objecta Bragg.

— Ce qui signifie ?

— Qu'il a lâché son information confidentielle beaucoup trop facilement à mon goût. Que je n'ai pas confiance en lui. Le seul fait dont nous disposons, c'est qu'O'Donnell n'est pas allé aux funérailles de sa femme. Voyons s'il se montrera à celles de Mary, demain.

Il se dirigea vers l'attelage qu'ils avaient emprunté, la Daimler ayant refusé de démarrer. C'était un officier de police qui les pilotait à travers la ville.

— Mais quel intérêt O'Connor aurait-il à mentir ?

— Je l'ignore. Cependant, il est plutôt versatile. Il commence par nous expliquer combien O'Donnell est pieux, après quoi il affirme qu'il désire sa sœur, ce qui n'est pas vraiment une attitude de bon chrétien.

Il ouvrait la portière.

— Il y avait une croix gravée sur la gorge des deux victimes, lui rappela-t-il.

Francesca, qui s'apprêtait à monter en voiture, faillit en perdre l'équilibre. Elle était horrifiée !

— Bragg ! Vous ne pensez tout de même pas... Vous ne soupçonnez pas O'Connor !

— Je m'interroge.

— Mais Carter ? Il était au courant, pour les croix !

— C'est mentionné dans tous les journaux, répliqua-t-il calmement en l'aidant à grimper à l'intérieur avant de s'installer près d'elle. Où puis-je vous déposer ?

— Chez Lydia Stuart.

Elle lui indiqua l'adresse.

— J'ai vu les gros titres du *Sun* et de *La Tribune*. Ils ont qualifié les crimes de *Meurtres à la croix*. Mais ces quotidiens ne sont mis en vente que de bonne heure le matin. Or j'ai vu Carter cette nuit, vers 1 heure, et il a dit précisément qu'il n'avait ni tué ni « charcuté » qui que ce soit.

— Il a pu entendre les détails à propos de ces assassinats dans la rue. Mais ce n'est pas sûr. En tout cas, je n'ai pas dit qu'O'Connor était suspect. Juste qu'il m'a cédé trop aisément. Mon intuition me souffle qu'il n'est pas honnête... ou plutôt, qu'il ne l'est pas avec nous.

Francesca frissonna.

— Alors, à présent, nous avons trois suspects ?

— Au moins deux.

— Il y a Carter, en effet, qui est hostile, et qui était au courant, pour les croix. Mais est-ce qu'il connaissait les *deux* femmes ?

— Excellente question. Je la lui poserai dès que j'aurai mis la main sur lui.

— O'Donnell, lui, les connaissait. En outre, il est croyant, or la croix gravée sur la gorge des victimes indique une espèce de fanatisme religieux.

Elle regarda Bragg.

— Il a aussi parlé avec animosité de Carter, poursuivit-elle. Et il désirait sa sœur – si tant est qu'O'Connor ne nous ait pas menti. Il a bien le profil de notre tueur, Bragg.

Ce dernier eut un sourire tendre.

— Il y a deux minutes, vous votiez en faveur de Carter.

— Il m'a fait peur, hier soir…

Le sourire de Bragg disparut.

— Je sais.

Elle s'ébroua afin de chasser ce souvenir.

— O'Connor est un homme de Dieu, et il connaissait aussi les deux femmes.

Elle songeait aux croix.

— Il prétend n'avoir rencontré Mary qu'une fois, objecta Bragg.

— Vous ne le croyez pas ?

— Je n'ai pas d'opinion arrêtée pour l'instant. Voyons d'abord s'il se montre à l'enterrement de Mary. Il aura lieu demain, à midi. La journée promet d'être intéressante !

Francesca hésita une seconde.

— Irons-nous ensemble ?

— Pourquoi pas ?

Elle éprouva un immense soulagement.

— Je pensais qu'après la nuit dernière, vous ne le souhaiteriez peut-être pas.

— J'ai beaucoup réfléchi, depuis, dit Bragg qui avait baissé la voix, bien que la vitre qui les séparait du cocher fût fermée. Moi aussi, j'accorde beaucoup d'importance à notre amitié, et je refuse d'y renoncer. Elle est capitale pour moi… même si c'est la raison pour laquelle mon majordome est devenu bonne d'enfants.

Une grosse bulle de joie éclata dans le cœur de Francesca.

— Parfait! Ainsi, nous restons amis et partenaires. Je n'imagine rien de mieux!

Elle se rendit compte combien ces mots étaient malheureux à l'instant où elle croisa le regard de Bragg.

— Étant donné les circonstances, précisa-t-elle en rougissant.

— J'espère que je ne vous dérange pas, dit Francesca à Lydia Stuart.

C'était le début de l'après-midi, et elles se tenaient dans un agréable petit salon.

— Bien sûr que non, répondit Lydia avec un sourire un peu contraint avant de se tourner vers le domestique qui attendait à la porte. Ce sera tout, Thomas. Fermez derrière vous, s'il vous plaît.

Elles demeurèrent silencieuses le temps qu'il se retire. Une fois la porte close, Lydia se tourna vers Francesca.

— M. Stuart n'est pas à la maison, attaqua-t-elle, nerveuse. J'ignore où il se trouve, et avec qui.

— Madame Stuart... commença Francesca, honteuse de n'avoir aucune réponse à lui apporter.

— Je vous en prie, appelez-moi Lydia! Avez-vous découvert si mes soupçons sont fondés?

— Non...

— Comment?

Lydia semblait atterrée.

— Je suis désolée, mais deux jeunes femmes ont été assassinées, et j'ai travaillé avec la police sur ces crimes.

— Oh, je vois...

— Mais je ne vous abandonne pas, reprit fermement Francesca. C'est juste que tout s'est enchaîné si vite.

Lydia hocha la tête. Elle semblait terriblement contrariée. Soudain, elle sursauta, se raidit.

— Ô mon Dieu! souffla-t-elle.

— Qu'y a-t-il ? s'enquit Francesca à l'instant où la porte du salon s'ouvrait.

Sa cliente plaqua un sourire artificiel sur ses lèvres.

— Je ne vous attendais pas si tôt, chéri ! s'exclama-t-elle d'une voix haut perchée.

Un gentleman barbu, de taille moyenne, les cheveux grisonnants, pénétra dans la pièce, le sourire aux lèvres.

— Bonjour, ma chère.

Il embrassa affectueusement son épouse.

— Voici Mlle Francesca Cahill, dit Lydia. Une nouvelle amie. Nous avons fait connaissance l'autre soir, au récital de musique. Sa visite me fait tellement plaisir ! ajouta-t-elle en s'emparant de la main de Francesca. Comme je vous le disais, il y a quelques mois encore, nous étions à Philadelphie, et j'ai eu du mal à m'acclimater ici. Mon mari semble connaître tout le monde, et moi personne.

Francesca ignorait qu'ils étaient à New York depuis peu.

Lincoln Stuart se tourna vers elle. C'était un homme d'âge mûr, à l'allure agréable.

— Je suis heureux d'apprendre que ma femme s'est fait une amie... Mais votre nom me semble familier.

— Peut-être connaissez-vous mon père, Andrew Cahill ? hasarda Francesca.

— Non, je ne crois pas.

Il avait dû lire l'article de Kurland, dans le *Sun*... Elle lui sourit.

— Alors nous nous sommes peut-être rencontrés à la réception ? J'avoue que je suis plutôt physionomiste, or je ne me souviens pas vraiment de vous.

— Chez les Haverford ? insista-t-il.

Francesca glissa un coup d'œil à Lydia.

— Non, chéri, intervint celle-ci, au récital offert par les Bledding. Vous vous rappelez ce talentueux trio de Saint-Pétersbourg ? Le jeune violoniste était fantastique !

Stuart ne semblait pas remarquer le trouble de son épouse. Il étudiait Francesca avec attention.

— C'est curieux, je ne vous remets pas non plus.

— Ma foi, je suis certaine que nous ne tarderons pas à retrouver la mémoire, déclara Francesca d'un ton enjoué.

— J'en suis certain également, répondit-il aimablement, avant d'ajouter à l'adresse de sa femme : Chérie, j'ai oublié d'acheter des cigares. Je sors, mais je serai rentré pour le dîner. Disons vers 19 heures ?

— Parfait !

Lincoln s'inclina devant Francesca, ils échangèrent les amabilités d'usage, puis il s'éclipsa.

Il y eut un bref silence.

— Il sait, chuchota enfin Lydia. Il sait que je vous ai engagée pour l'espionner.

Elle avait peur. Francesca lui prit la main et la pressa gentiment.

— Balivernes ! Mais c'est là l'occasion rêvée. Vous pensez qu'il est allé retrouver Mme Hopper ?

Lydia hocha timidement la tête.

— Dans ce cas, je vais le suivre ! décréta Francesca.

— Tout de suite ?

— Tout de suite.

Il fut presque immédiatement évident que Lincoln Stuart ne se rendait pas chez Rebecca Hopper. Sa voiture avait pris la direction du nord, après avoir traversé Central Park. Où diable se rendait-il ? Dans ces faubourgs de la ville, on trouvait surtout des champs et du bétail.

Sur la 103ᵉ Rue, sa voiture s'engagea dans une avenue désolée, bordée par quelques rares fermes. Le cocher de Francesca suivait docilement, laissant une distance raisonnable entre les deux attelages.

Enfin, plus d'une heure après avoir quitté le centre-ville, le coupé de Lincoln Stuart s'arrêta.

À l'ouest s'étendait une vaste prairie sans clôture, plantée de quelques chênes. À l'est, un cimetière.

La première réaction de Francesca fut l'incrédulité, puis, lorsqu'elle vit Lincoln descendre de voiture, elle se demanda si Kathleen O'Donnell était enterrée là.

Tandis qu'il franchissait une grille en fer forgé qui n'était pas fermée à clé, Francesca réfléchit à toute allure. Il n'y avait absolument aucun lien entre Stuart et les meurtres, mais elle s'attendait si peu à cela...

Elle s'aperçut soudain que son fiacre ralentissait.

— Ne vous arrêtez pas! ordonna-t-elle en frappant à la séparation vitrée. Dépassez la voiture, je vous en prie.

— À votre guise, mademoiselle.

Comme il s'exécutait, elle se rencogna contre la banquette afin que Stuart ne puisse la voir au cas où il se retournerait. Lorsqu'elle se risqua à regarder par la vitre, elle vit le mari de sa cliente marcher à pas lents sur un chemin de terre entre les tombes.

Bien que perplexe, elle décida qu'elle en avait vu suffisamment.

— Cocher! Ramenez-moi en ville, s'il vous plaît.

La lettre l'attendait dans sa chambre.

Francesca était très organisée, bien que certains aient pu en douter en voyant le désordre qui régnait d'ordinaire sur son bureau. Pour l'heure, cependant, une domestique avait dû faire le ménage, car livres et cahiers étaient impeccablement empilés, si bien que l'enveloppe attira son regard dès qu'elle entra dans la pièce.

Elle s'interrogeait encore sur Lincoln Stuart lorsqu'elle remarqua que celle-ci n'était pas estampillée. Elle avait donc été déposée à domicile, et non envoyée par la poste. Du reste, peut-être ne lui était-elle même pas destinée, car son nom ne figurait nulle part.

Elle l'ouvrit et en sortit une feuille sur laquelle elle lut :

UN SOUPIR
UN MURMURE
UN MENSONGE
TROIS FILLES
DOIVENT MOURIR

11

Dimanche 9 février 1902, 18 heures

Peter vint ouvrir la porte... avec Dot.

La petite fille se mit à pousser des cris de joie en reconnaissant Francesca.

— Frack! Frack!

L'esprit ailleurs, la jeune fille la prit dans ses bras. Naturellement, la petite commença aussitôt à gigoter pour en descendre.

— Où est-il? demanda Francesca, essoufflée.

Lorsqu'elle avait téléphoné au quartier général de la police, on lui avait appris que Bragg était rentré chez lui. Elle avait essayé de le joindre, mais la ligne était occupée.

Jennings avait roulé à tombeau ouvert jusqu'à Madison square. Heureusement, à cette heure de la journée, un dimanche, il n'y avait pas beaucoup de circulation, et ils n'avaient pas dû mettre plus d'une dizaine de minutes.

— Il est dans son bureau, répondit Peter.

Francesca lui remit Dot, et traversa l'entrée au pas de course.

Elle ne prit pas la peine de frapper, et Bragg sursauta quand elle fit irruption dans la pièce où brûlait un feu de bois.

— Francesca?

Elle se dirigea vers son bureau et lui tendit le poème.

Il le parcourut, pâlit.

— Où avez-vous trouvé ça ?

Elle était retournée fermer la porte et s'appuyait au battant.

— Sur mon bureau.

— Votre *bureau* ?

— Dans ma chambre. Je venais de rentrer après avoir suivi le mari de ma cliente... jusqu'à un cimetière ! Il va y avoir une autre victime, Bragg !

Celui-ci demeura un instant silencieux.

— C'est à vous que le meurtrier a adressé cet avertissement, pas à moi ni à la police. Je veux que vous vous retiriez de cette enquête.

— C'est impossible ! s'écria-t-elle.

— Vraiment ? Douteriez-vous que nous avons affaire à un fou ?

Il décrocha le téléphone, et ordonna peu après à l'inspecteur Murphy de le retrouver à son bureau.

— Avons-nous débusqué Sam Carter ? ajouta-t-il. Bon. Passez prendre Mike O'Donnell et amenez-le au quartier général sous un prétexte quelconque. Je vous rejoins au plus vite.

Il raccrocha.

— Ils ont trouvé Sam Carter ? demanda Francesca.

— Non.

— Alors espérons que Mike O'Donnell est notre homme. Bragg ? Je sais que c'est peu vraisemblable, mais Kathleen est-elle enterrée au cimetière de Greenlawn, sur la Première Avenue ?

— Non. Sa tombe est en ville. Vous avez une raison de penser que Stuart est mêlé à ces crimes ?

— Aucune.

Elle était soulagée. Elle songea fugitivement qu'il lui faudrait demander à Lydia ce que son époux faisait dans ce cimetière.

— En quoi pourrais-je vous être utile ? s'enquit-elle posément. Je vous en prie, ne refusez pas mon aide.

Il enfilait sa veste.

— Quelqu'un a déposé chez vous cette menace de mort, Francesca. Carter, O'Donnell, O'Connor, tous savent que vous travaillez sur l'affaire. Qui encore ?

Elle hésita.

— Mon frère.

— Et… ?

— C'est tout. Hormis vos hommes.

Elle se rappela soudain que Bartolla était chez Evan la veille.

— Et Bartolla Benevente, ajouta-t-elle.

Manifestement, il négligea cette dernière information.

— Peut-être Maggie Kennedy a-t-elle dit à un ou à des amis qu'elle vous avait demandé de l'aide.

— Je peux lui poser la question.

— Ce serait là une façon de nous aider, fit Bragg. Mais pas ce soir. J'imagine qu'elle sera aux funérailles demain. Quel domestique a déposé le poème sur votre secrétaire ? ajouta-t-il en lui prenant le bras pour l'entraîner vers la porte.

— Je n'ai pas eu le temps de me renseigner.

Elle s'immobilisa soudain.

— Mes parents sont à la maison, Bragg. Vous ne pouvez interroger le personnel maintenant.

— Il le faudra, pourtant, à moins que vous ne découvriez qui a porté l'enveloppe dans votre chambre. Je devrai parler à cette personne, et le plus tôt sera le mieux.

— Je m'en occupe dès ce soir, assura-t-elle, soulagée. Dois-je vous appeler dès que j'ai la réponse ?

— Laissez un message à Peter. Je ne rentrerai sûrement pas avant un bon bout de temps.

— Vous escomptez des aveux de la part d'O'Donnell ?

— Non, mais je vais le cuisiner et étudier ses réactions… Peter ! Je sors. Où est Katie ? demanda-t-il, soudain irrité.

Peter se présenta sur le seuil de la salle à manger, une Dot souriante à la main.

— Dans la cuisine, répondit son factotum. Et elle refuse de manger.

Sous les yeux de Francesca, éberluée, Bragg passa à grandes enjambées devant Peter. Arrivé dans la cuisine, il se planta à côté de la fillette qui arborait son expression maussade habituelle.

— Tu as l'intention de te laisser mourir de faim ? jeta-t-il.

Pas de réponse.

— Franchement, cela m'est égal, que tu manges ou pas, reprit-il. Je ne suis pas riche, et il en restera davantage pour moi.

Elle lui décocha un regard noir.

— Je n'ai pas demandé à vous avoir ici, ta sœur et toi. En fait, dès demain vous irez dans une autre maison.

L'enfant avait-elle imperceptiblement cligné des paupières ?

— Et je m'en réjouis, ajouta-t-il. Pourquoi aurais-je envie de garder chez moi une enfant boudeuse qui a décidé de se laisser mourir de faim ? Sans compter que ta sœur est péniblement turbulente. Alors, ne mange pas, pars dans ta nouvelle famille en ayant faim. Ils seront peut-être encore plus pauvres que moi.

Il se tourna vers Peter.

— Qu'elles soient prêtes à quitter cette maison à 9 heures.

Francesca n'en croyait pas ses oreilles.

— Bragg ?

— J'en ai assez, lâcha-t-il avant de sortir au pas de charge.

Francesca était clouée sur place.

Les yeux de Katie étaient noyés de larmes.

— Ça va aller, murmura Francesca, apaisante.

La fillette piqua de sa fourchette un morceau de viande tout en glissant un coup d'œil mauvais vers la porte.

L'air toujours aussi sombre, elle enfourna une autre bouchée de bœuf, puis encore une autre, sans paraître les mâcher.

Peter accrocha le regard de Francesca, et elle comprit qu'il voulait qu'elle sorte. Elle obtempéra. Sur le seuil, elle se retourna. Katie avalait en grimaçant comme s'il s'agissait d'un médicament.

— C'était un peu dur, non ? risqua Francesca en rejoignant Bragg dans le hall.

— Je ne suis pas dans de bonnes dispositions, répliqua-t-il. Dot m'aime toujours aussi peu, et je la soupçonne en cela de suivre l'exemple de sa sœur. J'en ai eu par-dessus la tête tout à coup. Est-ce qu'elle mange ?

Ils sortirent. La température avait chuté de plusieurs degrés, et Francesca frissonna.

— Oui. Enfin, elle a avalé trois bouchées.

Il leva la main afin de héler un fiacre, et elle crut le voir réprimer un sourire. Puis il reprit son air sévère.

— Elle n'a pas mangé depuis deux jours. J'ai appelé le Dr Byrnes.

— Mon Dieu ! Je ne m'étais pas rendu compte que c'était si sérieux !

— Ça l'est.

Le cab approchait sur les pavés gelés.

— Il y a un autre poème, Francesca, déclara-t-il tout à trac.

— Quoi ?

Elle s'arrêta si brutalement qu'elle glissa sur le sol verglacé et se raccrocha à lui.

— On a trouvé un poème dans la chambre de Mary O'Shaunessy – celle qu'elle occupait chez les Janson.

Elle se pétrifia.

— Seigneur ! Que disait-il ?

— « Un soupir, un murmure, un mensonge. Deux filles, adieu. »

Lundi 10 février 1902, midi

Si elle voulait assister aux funérailles de Mary O'Shaunessy – organisées par son prêtre et Maggie

Kennedy –, Francesca était obligée de manquer les cours de l'après-midi, ce qui l'ennuyait beaucoup. Elle avait déjà pris tellement de retard. Elle allait devoir se mettre en congé pour le semestre. C'était cela, arrêter de jouer les détectives, ou échouer à ses examens.

Mais le semestre venait tout juste de commencer et, bien qu'elle fût nouvelle dans le métier, l'expérience avec l'enlèvement du petit Burton et le meurtre Randall lui avait prouvé que certaines affaires pouvaient être résolues rapidement. Il suffisait d'un indice sérieux. Ils n'allaient peut-être pas tarder à trouver le dément qui se cachait derrière les meurtres à la croix, alors elle pourrait reprendre ses études et rattraper le temps perdu.

À condition qu'une nouvelle affaire ne vienne pas se mettre en travers de son chemin !

Tandis que son fiacre s'arrêtait devant l'église de la 16e Rue, elle réfléchit. C'était sa propre camériste, Bessie, qui avait trouvé l'enveloppe renfermant le poème sur le plateau à courrier dans le hall. Celui qui l'avait déposée là – et Francesca supposait qu'il s'agissait du meurtrier – était entré tranquillement dans la maison. Son audace était hallucinante !

Francesca paya le cocher et descendit de voiture. Deux hommes vêtus de manteaux de grosse laine et de casquette la précédèrent dans l'église.

La messe avait commencé, et Francesca prit place discrètement au bout de la nef, puis elle observa l'assistance, qui était peu nombreuse. Elle ne vit pas Mike O'Donnell, mais peut-être était-il déjà au quartier général. Bragg était assis au premier rang, avec Peter et les deux petites. Francesca fut surprise de les trouver là. Pourtant, il fallait bien qu'elles assistent à l'enterrement de leur mère. En dépit de la distance, elle vit que les épaules menues de Katie étaient rigides. Pleurait-elle ? Avait-elle seulement versé une larme depuis la mort de sa mère ? Francesca eut soudain le cœur atrocement serré.

Les Jadvic étaient là aussi. Mme Jadvic et sa belle-mère étaient au deuxième rang, en compagnie d'un homme qui était probablement le mari de Mme Jadvic.

Il y avait quelques jeunes ouvrières dans les rangées suivantes, sans doute des amies et collègues de Mary. Francesca plissa les yeux. L'homme en noir aux cheveux blancs était-il le père O'Connor ? Elle en était presque certaine. Mais que faisait-il là ?

Il avait prétendu n'avoir vu Mary qu'une fois.

La femme qui était assise juste devant Francesca se retourna et la salua à mi-voix. C'était Maggie Kennedy. Elle avait les yeux rougis. Elles se serrèrent brièvement la main.

— Il faudra que je vous parle à la fin de la cérémonie, chuchota Francesca.

Maggie acquiesça avant de se tourner vers l'autel.

Francesca s'aperçut alors que leur échange avait attiré l'attention d'une femme élégante, en manteau marine et chapeau orné d'un demi-voile qui masquait ses traits. Elle avait quelque chose de familier.

Francesca eut beau se creuser la tête, elle ne la remettait pas. Mais qui que ce soit, cette femme n'était pas à sa place à ces funérailles. Il s'agissait de toute évidence d'une personne bien née.

Francesca et Maggie s'arrêtèrent sur le parvis de l'église. Le vent s'était levé. On annonçait de fortes chutes de neige pour la soirée.

— Comment allez-vous ? s'enquit Francesca alors que les premiers flocons voletaient autour d'elles.

— Ça va, répondit Maggie d'une voix un peu enrouée. Merci de vous occuper des filles, ajouta-t-elle. J'étais tellement inquiète pour elles.

— C'était le moins que je puisse faire. J'aurais préféré les prendre chez moi…

Elle ne se voyait pas expliquer à Maggie pourquoi cela n'avait pas été possible.

— J'ai quelques questions à vous poser, Maggie, reprit-elle. Je me tracasse au sujet de Katie. A-t-elle toujours été aussi morose, voire hostile?

Maggie secoua la tête.

— Elle est un peu difficile, plutôt renfermée, mais son caractère s'est détérioré quand Mary a pris ce poste chez les Janson. Mary et moi en avons longuement parlé, car elle se tourmentait beaucoup. Apparemment, Katie ne comprenait pas que sa mère soit obligée de dormir ailleurs. Elle s'est mise à l'ignorer, ainsi que sa sœur — ou bien elle piquait des colères. Elle ne mangeait plus, elle perdait du poids. Mary lui apportait des friandises le dimanche, quand elle rentrait à la maison. Elle était persuadée que sa fille se sentait abandonnée. Elle essayait de lui expliquer qu'elle ne partait pas vraiment, qu'elle serait là tous les dimanches, mais Katie ne pouvait pas ou ne voulait pas l'accepter.

Les yeux de Maggie s'emplirent de larmes.

— Et maintenant, elle ne viendra plus, ni dimanche prochain ni aucun autre, conclut-elle dans un souffle.

— Que pouvons-nous faire? Hier soir, Bragg est arrivé à la faire manger... je crois.

En réalité, elle n'en savait rien.

— Je pourrais peut-être lui parler tout de suite, brièvement? proposa Maggie. Et leur rendre visite dimanche prochain? Je les emmènerai avec mes enfants au zoo, ou ce genre de chose.

— C'est une merveilleuse idée, approuva Francesca, qui se rappela que Paddy, le fils de Maggie, avait à peu près l'âge de Katie. Cela vous ennuierait que je me joigne à vous?

— Pas du tout, mademoiselle Cahill.

— Maggie, avez-vous dit à quiconque que vous m'aviez engagée pour élucider le meurtre de Mary?

La couturière parut surprise par sa question, et réfléchit quelques secondes.

— Non, je ne pense pas.

À cet instant, la femme en bleu marine passa vivement devant elles, la tête penchée. Elle se dirigea là où trois voitures privées attendaient, ainsi que l'automobile de Bragg. Bien qu'incapable de la situer, Francesca était pourtant certaine de la connaître.

— Serait-ce Lizzie O'Brien ? murmura Maggie.

— Vous connaissez cette femme ?

Maggie secoua la tête.

— Non, ce n'est pas possible. S'il s'agissait de Lizzie, elle m'aurait saluée. Et puis, elle monte dans cet attelage…

Ses yeux s'emplirent à nouveau de larmes.

La femme venait en effet de s'engouffrer dans une voiture dont le cocher en pantalon fauve et redingote noire tenait la portière.

Francesca pressa la main de Maggie.

— Voulez-vous vous asseoir un instant ? Cette histoire est un tel choc.

— Et ce que j'ai lu dans les journaux hier n'a pas arrangé les choses, balbutia la jeune femme.

— Pourquoi ?

— Eh bien, quand je suis venue vous demander votre aide, mademoiselle Cahill, je ne me doutais pas que le même homme avait assassiné Kathleen.

Francesca digéra lentement l'information.

— Vous connaissiez aussi Kathleen O'Donnell ?

Maggie acquiesça.

— Nous étions les meilleures amies du monde, Mary, Kathleen et moi. Et Lizzie aussi. Mais elle a déménagé il y a deux ans, et personne n'a entendu parler d'elle depuis au moins six mois.

Francesca était abasourdie. Maggie avait été amie avec les deux victimes ? Et elles étaient toutes trois de simples travailleuses d'origine irlandaise ?

La pensée atroce que Maggie pourrait bien être la prochaine cible du tueur fou la frappa de plein fouet.

— Je ne suis pas obligée de lui dire la vérité, s'entêta Francesca.

Bragg croisa les bras.

— Si votre théorie est correcte, Mme Kennedy pourrait être la prochaine victime. Dans ce cas, vos parents ont parfaitement le droit de savoir ce qui se passe sous leur propre toit.

Ils discutaient devant la bibliothèque. Comme c'était lundi, Andrew était depuis longtemps parti à son bureau. Julia venait de sortir pour déjeuner, et Maggie était à l'intérieur de la pièce. Francesca avait insisté pour la ramener chez elle.

— Ma mère aura une attaque si elle apprend quel rôle je joue dans cette affaire. Pourquoi ne pourrais-je pas lui dire que Maggie s'installe ici le temps de terminer la garde-robe que je lui ai commandée ?

— J'ai placé deux agents devant votre maison, Francesca ! rétorqua Bragg, exaspéré.

— Mademoiselle Cahill ? Préfet ? risqua Maggie depuis le seuil. Vous vouliez me parler ? Il est tard, je dois retourner au travail.

Bragg et Francesca échangèrent un coup d'œil. Ils n'avaient pas encore expliqué à Maggie que sa vie était peut-être en danger et qu'il n'était pas question qu'elle retourne à l'atelier comme si de rien n'était.

Avec un soupir, Bragg prit le bras de Maggie et la guida dans la bibliothèque.

— Il vaut mieux que vous restiez quelque temps chez Mlle Cahill, madame Kennedy, annonça-t-il tout de go. Nous pensons que vos relations avec Kathleen O'Donnell et Mary O'Shaunessy risquent de mettre votre vie en danger.

Maggie mit un certain temps à assimiler ses paroles.

— Comment ? Comment ma vie pourrait-elle être en danger ? Je ne sais absolument pas qui a fait ça !

Francesca était curieuse de voir comment Bragg allait s'y prendre.

— Pourrait-il s'agir d'O'Donnell ? demanda-t-il. Haïssait-il sa femme parce qu'elle l'avait quitté ?

— Je crois qu'il la détestait, en effet, mais j'ai du mal à croire qu'il ait pu la tuer de cette façon !

— À quoi ressemblaient ses relations avec Mary ?

Maggie pâlit encore davantage.

— Vous... pensez que c'est Mike le meurtrier ? balbutia-t-elle d'une voix blanche.

— Je vous en prie... Je vous demande juste ce que *vous* pensez.

Elle se laissa tomber sur le sofa.

— Je... je n'en sais rien. Mary était une personne chaleureuse, merveilleuse ! Elle ne disait jamais rien de méchant sur personne. Sauf...

— Sauf sur son frère ?

Elle rougit.

— Elle ne parlait pas de lui, point final. Et cela, en soi, signifiait bien des choses.

— Quoi, par exemple ?

Elle s'humecta les lèvres.

— Qu'elle ne l'aimait pas du tout, monsieur Bragg. Et...

— Je vous en prie, tous les détails ont leur importance, l'encouragea-t-il.

Maggie semblait bouleversée. Francesca vint s'asseoir près d'elle, et lui prit la main.

— Nous avons de bonnes raisons de penser que le tueur va frapper de nouveau, murmura-t-elle.

Maggie hocha la tête.

— Je ne l'aimais pas. Un soir où il était ivre, alors qu'il était encore avec Kathleen, il m'a fait des avances.

— Et... ? fit Bragg.

La jeune femme fixait ses genoux.

— Il insistait, mais je lui ai échappé. Depuis, je l'ai toujours évité. Kathleen ne l'a jamais su. C'est un terrible secret que j'ai gardé pour moi.

Francesca lui entoura les épaules du bras.

— Il faut *absolument* que j'aille travailler, reprit Maggie. Sinon, je serai renvoyée ! J'ai quatre enfants à nourrir.

Elle fit mine de se lever, regarda vers la porte, puis se rassit brusquement.

Francesca tourna la tête, certaine que Julia se tenait sur le seuil. Mais c'était Evan, qui semblait tout juste sorti de son lit... ce qui était peut-être le cas. Néanmoins, même à demi réveillé, il était encore fort séduisant en costume sombre et cravate de travers.

— Que se passe-t-il ? s'enquit-il en pénétrant dans la pièce. J'aurais besoin de passer un coup de fil.

Francesca se leva.

— Bonjour, le salua-t-elle froidement.

Elle ne l'avait pas revu depuis qu'elle avait joué les chaperons pour Bartolla et lui. Et elle n'approuvait pas du tout l'admiration évidente qu'il vouait à la cousine de Sarah Channing.

— Hum, nous ne sommes pas de bonne humeur, on dirait.

Il sourit à Maggie.

— Bonjour, madame Kennedy. Quelle agréable surprise !

Maggie baissa les yeux.

— Monsieur Cahill.

Evan jeta un regard peu amène à Bragg.

— Il ne s'agit tout de même pas d'une affaire de police ?

— Si, répondit Bragg, mais nous avons presque fini.

Evan ne souriait plus.

— Ma sœur n'est pas impliquée dans un nouveau crime, j'espère.

— Votre sœur a un esprit et une volonté propres, rétorqua Bragg calmement.

— Il faut que je te parle, Francesca, déclara Evan.

— Ça ne peut pas attendre ?

Elle savait ce qui le tracassait. Depuis qu'il était au courant que Bragg était marié, il ne voulait plus le voir près d'elle.

— Non, dit-il fermement.

— Je n'ai pas le temps pour le moment, répliqua Francesca.

Bragg laissa échapper un soupir agacé.

— Je parlerai personnellement à votre employeur, madame Kennedy, mais il n'est pas question que vous retourniez travailler pour l'instant.

Maggie le fixait avec de grands yeux implorants.

— Même si vous lui parlez, il faudra qu'il me remplace, car nous avons un objectif à atteindre chaque jour.

Il s'assit près d'elle, s'empara de ses mains.

— Vous ne pourrez plus nourrir vos enfants si vous subissez le même sort que vos amies, dit-il d'une voix douce mais persuasive.

Elle éclata en sanglots.

— Que diable cela signifie-t-il? s'exclama Evan.

Personne ne lui répondit.

— Je vais me rendre chez vous, décréta Francesca, et je ramènerai les enfants ici. Nous avons assez de place.

— Mais… vos parents? murmura Maggie.

— Elle a raison, Francesca, renchérit Bragg. Il faut mettre vos parents au courant.

— Très bien! céda la jeune fille, sans parvenir toutefois à cacher son irritation. En fait, ajouta-t-elle en se tournant vers son frère, tu pourrais peut-être m'aider à leur faire comprendre la situation.

— Et quelle est-elle, cette situation?

— Mme Kennedy risque d'être la prochaine cible du tueur. Il faut qu'elle reste ici, or elle a quatre enfants.

Evan était effaré. Il fit face à Maggie.

— Bien sûr, il faut que vous restiez. Aucun meurtrier ne peut pénétrer dans cette demeure.

Elle croisa fugitivement son regard.

— Merci, vous êtes bon, dit-elle d'une voix à peine audible.

— Francesca? Je peux aller chercher les enfants avec toi si tu veux, proposa Evan.

Elle se radoucit.

— Tu ferais ça?

— Bien sûr! Même si tu te trompes du tout au tout au sujet de mes rapports avec la comtesse.

Elle s'empourpra.

— Si je me trompe, dans ce cas, je te prie de me pardonner.

— Merci, dit-il.

Bragg les regardait.

— Je peux terminer, s'il vous plaît? En privé?

— Je vais faire préparer mon attelage, annonça Evan, avant de sourire à Maggie. N'ayez pas peur, madame Kennedy. Avec nous, vous êtes entre de bonnes mains.

Elle hocha la tête sans le regarder.

Il parut un peu déconcerté, puis haussa les épaules.

— Retrouve-moi dehors dans dix minutes, lança-t-il à sa sœur en se dirigeant vers la porte.

Bragg revint à Maggie, tandis que Francesca s'asseyait près d'elle.

— Et votre autre amie, Lizzie O'Brien? Vous avez dit être inséparables, toutes les quatre.

— Pendant une bonne dizaine d'années, en effet. Mais Lizzie a déménagé il y a environ un an et demi. Je crois qu'elle vit à Philadelphie, à présent. Elle est partie d'abord pour Pittsburg. À moins que ce ne soit l'inverse, je ne sais plus. En tout cas, Mary a été la dernière à recevoir de ses nouvelles, et c'était il y a six mois, ou même davantage.

— Mike O'Donnell la connaissait-il aussi? demanda Bragg après un bref silence.

Maggie leva vers lui un regard étonné.

— Ils étaient amoureux l'un de l'autre lorsqu'ils étaient très jeunes. Avant qu'il rencontre Kathleen.

12

Francesca craignait que Lydia Stuart ne soit allée déjeuner dehors, mais il n'en était rien. Elle la reçut dans le même petit salon que la veille.

Evan et elle avaient déjà ramené les enfants Kennedy au manoir, et les avaient installés avec leur mère dans deux chambres communicantes. Maggie avait paru infiniment touchée par leur hospitalité, et Francesca l'avait laissée en train de sermonner ses enfants quant à la façon dont ils devaient se conduire, tandis que la cadette, Lizzie, tarabustait Evan.

Comme elles échangeaient les politesses d'usage, Francesca remarqua que Lydia avait les yeux cernés. Elle semblait aussi anxieuse et inquiète que la veille. Son sourire était un peu crispé.

— J'espère que je ne vous dérange pas, mais il fallait que je vous parle de nouveau, dit Francesca. M. Stuart est-il ici ?

Lydia sembla réfléchir un instant.

— Non. Il a une petite entreprise d'éclairage, et je ne l'attends pas avant ce soir. Bien qu'il ait des horaires un peu fantaisistes, ces derniers temps. Ce n'était peut-être pas une bonne idée, mademoiselle Cahill, ajouta-t-elle après une brève hésitation.

Francesca sursauta.

— Vous voulez dire que vous préféreriez que j'interrompe mon enquête ?

Lydia paraissait au bord des larmes.

— Oui, c'est bien cela. Je dois me tromper au sujet de Lincoln.

Francesca s'attendait si peu à cela qu'elle en demeura un instant muette de stupéfaction.

— Peut-être vous trompez-vous en effet, hasarda-t-elle finalement. Hier, j'ai suivi votre époux jusqu'à un cimetière. Pas chez Mme Hopper.

Lydia ouvrit de grands yeux.

— Comment ?

— Le cimetière de Greenlawn, au nord de la ville. J'ai été surprise, moi aussi. Quoi qu'il en soit, il n'a pas rendu visite à Mme Hopper.

L'air infiniment soulagée, Lydia s'adossa à son siège.

— J'en suis heureuse, avoua-t-elle dans un murmure. Je ne savais plus que penser.

Lorsqu'elle avait approché Francesca, elle paraissait pourtant persuadée que son mari lui était infidèle.

— Sur la tombe de qui va-t-il se recueillir, Lydia ?

— Sa mère. Elle est morte il y a quatre mois, peu après notre mariage.

— Je suis désolée, je ne savais pas que vous étiez jeunes mariés.

Quelque chose ne collait pas, mais Francesca était lasse, inquiète au sujet de Maggie, et elle n'arrivait pas à mettre le doigt dessus.

— Nous nous sommes mariés en septembre, dit Lydia avec un pâle sourire. Je sais, se marier pour la première fois à vingt-cinq ans, c'est un peu âgé. J'ai beaucoup de chance.

De toute évidence, elle était troublée, et malheureuse.

— Etes-vous sûre de vouloir abandonner ?

Lydia hésita de nouveau.

— Il sera contrarié s'il l'apprend. Il vous a vue ici hier, et je pense qu'il se doute de quelque chose.

— Nous avons bien le droit d'être amies, protesta Francesca.

— Nous sommes des gens aisés, mais simples, mademoiselle Cahill, alors que vous êtes la fille d'un millionnaire. Votre sœur a épousé un baron, votre frère est un riche héritier. Nos chemins se croiseront ici ou là dans le monde, mais pas souvent. Je suis certaine que vos amis ont tous une position sociale bien plus élevée que la nôtre.

— Je me suis toujours moquée de l'argent, de la situation ou du titre, assura Francesca. Et j'aimerais vraiment que nous devenions amies.

Les yeux de Lydia s'emplirent de larmes.

— C'est tellement aimable à vous !

— Allons, dites-moi ce qui vous fait douter de l'affection de votre époux.

Lydia soupira.

— Il est devenu si distant – si rapidement ! Or je n'ai rien fait qui puisse le détourner de moi !

— Peut-être est-ce le décès de sa mère, rien de plus, tenta de la rassurer Francesca.

— Peut-être, reconnut Lydia. Lincoln l'adorait. Pour ma part, je ne la trouvais pas facile, mais c'était un fils dévoué. En outre, Rebecca Hopper est très belle. Et elle essaie ouvertement d'éloigner mon mari de moi.

Elle se leva brusquement, les poings serrés, oscillant entre colère et inquiétude.

Francesca se leva également.

— Donnez-moi encore un ou deux jours avant de renoncer définitivement.

— Bien sûr, répondit Lydia machinalement.

La porte du salon s'ouvrit à cet instant, et elle se figea.

Lincoln glissa la tête dans l'entrebâillement, souriant.

— Bonjour, mesdames.

Le regard de Francesca passa alternativement du mari à la femme. Lui semblait amusé, et elle pétrifiée.

— Je vous dérange ? s'enquit-il en pénétrant dans la pièce.

Il avait à la main un paquet enveloppé de papier cadeau. Il embrassa son épouse sur la joue. S'il avait surpris leur conversation, il le cachait bien.

— Je vois que vous recevez de nouveau Mlle Cahill. C'est une excellente idée, ma chérie.

Lydia acquiesça.

— Vous ne vous sentez pas bien, Lincoln ? Il est rare que vous soyez à la maison de si bonne heure, murmura-t-elle.

— J'avais hâte de vous retrouver, ma chère. Êtes-vous sortie, aujourd'hui ?

— Non, non. J'ai un début de migraine, je suis restée à la maison toute la journée, répondit vivement Lydia.

Elle était étrangement pâle.

— Je suis ravi de voir ma ravissante jeune femme se faire des amies, mademoiselle Cahill, commenta Lincoln aimablement.

Pour la première fois, Francesca nota combien son regard bleu était incisif, pénétrant, un peu troublant, même, tandis qu'il la parcourait de la tête aux pieds.

— Les dames adorent papoter, dit-elle. J'espérais que Lydia m'accompagnerait pour une petite promenade.

— Il neige, fit-il remarquer d'un ton léger.

Il avait raison, les rues étaient couvertes de trois bons centimètres de neige fraîche.

— Ou alors une promenade en voiture dans le parc, risqua Francesca. Central Park est absolument magique, après une bonne chute de neige.

— Une autre fois, dit Lydia d'une voix un peu enrouée. Demain, peut-être ?

Il était impossible que Lincoln ignore à quel point sa femme était mal à l'aise, songea Francesca.

— Voilà pour vous, chérie, dit-il en tendant à la jeune femme le paquet enveloppé de papier rouge, et noué d'un ruban d'un rouge plus sombre.

Francesca trouva ces couleurs presque sinistres.

— Oh, Lincoln, comme c'est gentil à vous !

— Ouvrez-le, ensuite, je vous laisserai bavarder toutes les deux.

Francesca, qui s'apprêtait à partir, se ravisa. La nature de ce cadeau pouvait être une indication de ce que cet homme éprouvait pour sa femme, aussi attendit-elle que Lydia le déballe. Ce qu'elle fit en tremblant un peu, dévoilant un volume relié de cuir.

Son mari lui avait acheté un livre ? Elle aurait sans doute préféré un bijou de chez Tiffany ou de la lingerie française.

— Ce recueil est édité par un de mes amis qui travaille au *Harper's Weekly*. Lydia adore la poésie. N'est-ce pas, ma chère ?

Francesca s'était crispée. Lincoln offrait un recueil de poèmes à sa femme ? Et alors ? Cela n'avait aucun rapport avec le poème menaçant qu'elle avait reçu la veille…

Lydia referma le livre brusquement. À en juger par son expression, Francesca aurait juré qu'elle avait peur.

— Vous m'en avez tant appris, souffla-t-elle.

Visiblement fort satisfait, Lincoln se tourna vers Francesca et la contempla ouvertement. Il ne fit cependant aucun commentaire.

— Quel merveilleux cadeau ! s'écria Francesca qui avait retrouvé sa voix.

Mais elle était tendue à l'extrême. Quelque chose n'allait pas, dans cette pièce. Pas du tout même. À moins qu'elle ne soit le jouet de son imagination ?

— Je vais vous laisser, puisque vous êtes venu passer l'après-midi avec votre femme, reprit-elle en adressant un sourire à Lincoln.

Il ne l'avait pas quittée des yeux depuis un bon moment, réalisa-t-elle.

— J'espère que je ne vous chasse pas ! dit-il en se dirigeant avec elle vers la porte.

— Non, pas du tout ! assura-t-elle avant d'ajouter à l'intention de Lydia : Voulez-vous que nous déjeunions ensemble demain ? Ou que nous allions nous promener au parc ?

Celle-ci se contenta de hocher la tête.

— Henry, raccompagnez Mlle Cahill, s'il vous plaît ! ordonna Lincoln à un domestique.

Il sourit une dernière fois à Francesca, tandis qu'un domestique apparaissait, puis il retourna au salon où sa femme se tenait toujours immobile, et ferma la porte derrière lui.

Francesca s'efforçait de dompter les folles pensées qui tourbillonnaient dans sa tête. Cette histoire de recueil de poèmes était une pure coïncidence !

N'empêche que, maintenant, elle avait envie d'en lire quelques-uns.

On lui remit son manteau, et elle regretta soudain de ne pas avoir demandé à Lydia si elle avait rencontré Lizzie O'Brien lorsqu'elle vivait à Philadelphie. Mais il y avait bien peu de chances pour que cela se soit produit !

Jennings l'attendait sur le trottoir. Lorsqu'ils étaient arrivés, la rue était déserte, mais, à présent, un bel attelage était garé derrière celui des Cahill. Et elle l'avait déjà vu quelque part, elle en était sûre.

Un valet en pantalon fauve et redingote noire apparut derrière le véhicule, et la mémoire lui revint. C'était la même voiture que celle qui stationnait devant l'église Sainte-Mary quelques heures plus tôt !

Francesca se remémora la mystérieuse femme en manteau marine qui l'avait intriguée.

Puis elle revit en pensée Lydia plantée au milieu du salon, dans sa robe jaune pâle et blanche.

Lydia était présente aux funérailles de Mary O'Shaunessy !

Elle en était pratiquement certaine. Elle courut vers le cocher.

— Une minute, jeune homme ! Je voudrais vous parler.

Les mains dans les poches, il attendait visiblement son maître ou sa maîtresse. Il sursauta.

— Oui, madame ?

— Pour qui travaillez-vous ?

Il parut déconcerté.

— Pour M. Stuart. Puis-je vous demander la raison de cette question ?

Elle était en ébullition.

— Avez-vous conduit Mme Stuart à un enterrement à Sainte-Mary, à midi ?

Il carra imperceptiblement les épaules. Comme il avait le teint extrêmement clair, il était impossible de dire s'il avait pâli ou pas.

— Je vous demande pardon ?

— Je dois savoir si Mme Stuart s'est rendue à ces funérailles !

Il hésita. Son regard se fixa soudain sur un point derrière Francesca.

Elle pivota vivement.

Lincoln Stuart se tenait sur le perron.

— Tom ! appela-t-il. Vous pouvez rentrer la voiture. Nous n'en aurons pas besoin avant ce soir.

— Bien, monsieur, fit le cocher qui prit aussitôt la jument par la bride.

Malgré la distance, Francesca scruta Lincoln Stuart.

— Puis-je vous aider ? demanda celui-ci en soutenant son regard sans ciller.

Elle secoua la tête, puis se hâta vers sa propre voiture.

Cela n'avait aucun sens ! Pourquoi Lydia serait-elle allée aux funérailles de Mary O'Shaunessy ?

Son mari lui avait offert un recueil de poèmes.

Et si c'était *lui* qui s'était rendu à l'enterrement ?

Mais une femme en bleu marine était montée dans la voiture. Se pouvait-il que ce soit une autre que Lydia ? Une personne qui aurait emprunté l'attelage des Stuart ? Rebecca Hopper, par exemple ? Stuart l'attendait-il à l'intérieur ?

Lydia avait prétendu n'avoir pas quitté la maison de la journée. Cependant, elle était petite et menue, comme la femme en bleu.

Francesca comprit tout à coup ce qui la gênait chez Lincoln Stuart : son regard était dénué d'expression.

— Que fais-tu, Francesca ?

Elle sursauta en entendant la voix de sa mère. Elle était tellement préoccupée qu'elle ne se rappelait pas être descendue de voiture ni entrée dans la maison. Elle avait encore son manteau, son chapeau et ses gants.

— Tu es plantée là telle une statue, remarqua Julia, inquiète, en l'observant avec attention.

Francesca s'efforça de revenir au présent.

— Evan vous a parlé ?

Très élégante dans son ensemble de soie vert mousse, Julia inclina la tête de côté et dévisagea sa fille.

— Tu veux savoir s'il m'a informée que tu avais une invitée... une couturière ainsi que ses quatre enfants ? Il m'a raconté une histoire ahurissante : tu lui aurais commandé une vaste garde-robe, et tu ne voudrais pas qu'elle quitte la maison avant de l'avoir terminée.

De toute évidence, elle n'en croyait pas un mot, et elle attendait une explication.

Francesca soupira. Elle ne se sentait pas la force de mentir.

— Les deux meilleures amies de Maggie Kennedy ont été sauvagement assassinées, maman. Nous craignons pour sa vie.

Julia blêmit.

— Tu m'avais *promis* de cesser ces activités !

— J'en avais l'intention. Mais Maggie est venue me supplier de retrouver le dément qui a tué Mary et, nous l'avons découvert par la suite, son autre amie, Kathleen.

Julia chercha un siège du regard. Elle semblait sur le point de se trouver mal.

— Maman ? Ça va ?

— Non. J'ai l'impression que mon cœur s'est arrêté de battre.

222

Francesca voulut lui prendre le bras, mais elle se dégagea d'un geste vif. Elle pénétra dans la pièce la plus proche, le grand salon, et se laissa tomber dans un fauteuil.

— Nous pensons que Maggie est peut-être la prochaine cible du meurtrier, continua Francesca. Alors je lui ai offert l'hospitalité.

— Je crois que je préférais encore quand tu visitais les prisons. C'en est trop, Francesca !

Celle-ci s'assit près d'elle.

— C'est une brave femme, maman. Et elle a beaucoup de chagrin. Avec quatre enfants qui dépendent d'elle...

— Dont un a volé notre argenterie, coupa sèchement Julia, faisant allusion à un incident qui s'était déroulé quelques semaines plus tôt. Ils ne peuvent pas rester ici. Et si le tueur s'introduisait chez nous ? S'il faisait du mal à un membre de notre famille ?

— Je vous en prie, maman...

Francesca aurait étranglé son frère pour n'avoir pas su présenter la situation plus finement.

— Joel n'a rien volé, répliqua-t-elle. C'est l'un de nos domestiques le coupable. Je n'ai guère eu le temps d'y réfléchir, mais je vais lui tendre un piège.

Julia leva les yeux et les mains au ciel.

— Si vous renvoyez Maggie et ses enfants chez eux, maman, insista Francesca, nous risquons d'avoir sa mort sur la conscience !

— Je ne suis pas sans cœur, s'indigna Julia. Mais c'est d'abord ton bien-être qui m'importe. Je ne veux pas que tu te mettes en danger.

Francesca hésita.

— Et si je vous promettais d'accepter de recevoir le chevalier servant de votre choix ?

Julia se redressa d'un bond.

— Quoi ?

Francesca jouait sa carte maîtresse. Elle en avait le cœur battant.

— Si vous permettez à Maggie et à ses enfants de rester ici jusqu'à ce que le meurtrier soit derrière les barreaux, je recevrai poliment le jeune homme de votre choix.

Elle grimaça intérieurement, mais elle pouvait s'accommoder des Richard Wiley et consorts, du moins un certain temps. Il ne serait pas difficile à manipuler.

— Je crois que vous avez croisé M. Wiley, l'autre jour ? s'écria-t-elle gaiement.

Julia plissa les yeux.

— Maman ?

— Tu es très motivée, Francesca, fit remarquer sa mère.

La jeune fille se sentit instantanément mal à l'aise. Commettait-elle une erreur ? Jamais, au grand jamais, elle n'avait gagné une bataille contre sa mère. Cette dernière était bien trop forte pour elle.

— En effet, répondit-elle.

— Parfait. Alors Mme Kennedy et ses enfants peuvent rester. Et tu recevras qui je déciderai.

— Bien, fit Francesca, de plus en plus troublée. Alors, vous allez convier M. Wiley à un dîner ?

Julia se leva.

— Non, riposta-t-elle en souriant.

Un sourire qui ne plaisait pas du tout à Francesca.

— J'ai omis de te dire que quelqu'un t'attendait dans la pièce voisine. Et je crois que je vais l'inviter à dîner. Disons dimanche ?

Francesca eut alors un horrible pressentiment.

— De qui s'agit-il ? risqua-t-elle d'une petite voix.

— Calder Hart.

Il n'essayait même pas de dissimuler son impatience. Lorsque Francesca s'arrêta sur le seuil du petit salon jaune, il arpentait le tapis sans cesser de consulter sa montre. Il dut sentir sa présence, car il fit volteface. Il sourit, elle non.

Comme d'habitude, il portait un costume noir égayé par une chemise d'un blanc éblouissant, ainsi qu'un gilet et une cravate sombres. Et, comme d'habitude, sa présence était troublante. Francesca avait même conscience d'en être secouée. Ils se regardèrent, et le sourire de Hart s'effaça.

Il s'avança, mais ne lui prit pas la main.

— Bonjour, Francesca.

— Calder.

Elle aurait tué sa mère! Hart ne se laisserait pas aisément manipuler. Cependant, il n'était pas du genre chevalier servant, peut-être était-elle donc tirée d'affaire.

— Je vois que je vous ai manqué! remarqua-t-il dans un éclair de dents blanches qui n'était pas un sourire. Qu'est-ce qui ne va pas?

— Rien. Je ne m'attendais pas à vous voir. Asseyez-vous. Voulez-vous boire quelque chose?

Avec un temps de retard, elle aperçut une tasse et une cafetière sur un guéridon, mais de toute évidence, il n'y avait pas touché.

— Non merci, répondit-il, tendu. Où étiez-vous? J'ai vu votre voiture arriver il y a un quart d'heure.

— Je me disputais avec ma mère, répondit-elle sèchement avant de lui tourner le dos et de s'éloigner de quelques pas.

Elle sentait son regard sur elle.

— À cause de moi?

Elle lui fit face de nouveau.

— Maman a des projets matrimoniaux. Nous concernant, vous et moi. N'est-ce pas totalement absurde? ajouta-t-elle, en souriant, cette fois.

Il ne lui rendit pas son sourire.

— Ne le prenez pas mal, Francesca, mais la plupart des mères de cette ville ont un jour ou l'autre jeté leur dévolu sur moi. Il se trouve que l'on me considère comme un excellent parti.

— Hart! Je ne suis pas n'importe quelle débutante, vous le savez!

Quelque chose la gênait, tout à coup.

— Pourquoi cela ne vous fait-il pas rire ? insista-t-elle.

— C'est la question que je me pose... J'imagine que vous me trouvez ridicule dans le rôle du prétendant parce que je ne suis pas aussi vertueux que mon demi-frère, loin s'en faut ?

Elle le fixait, incrédule.

— De quoi discutons-nous ? Vous n'êtes pas venu pour me courtiser !

— Je ne courtise jamais, point final, répliqua-t-il, se détendant visiblement. Le mariage ne m'intéresse pas, et je me ferai un plaisir d'éclairer votre mère à ce sujet.

Francesca battit des paupières. Oui, elle était tirée d'affaire.

— Qu'est-ce qui vous rend si heureuse ? interrogea-t-il, soupçonneux.

— N'éclairez pas ma mère ! Et, je vous en prie, venez dîner lorsqu'elle vous invitera.

Francesca courut jusqu'à lui et lui prit les mains.

— Je vous en supplie ! J'ai accepté de la laisser me choisir un soupirant, et c'est sur vous que c'est tombé. Mais puisque vous n'êtes pas intéressé par le mariage, cela me convient à la perfection. Oh, oui !

Elle exultait positivement.

Il la dévisagea, prenant tout son temps.

— Je suppose que je pourrai assumer ce rôle, lâcha-t-il finalement. Qu'obtiendrai-je en retour ?

Elle se raidit, mais elle ne put s'écarter, car il la retint par les mains.

— Je ne comprends pas...

Il eut un sourire en coin, perturbant, inquiétant.

— Allons, Francesca, il y a bien une petite récompense pour moi dans cette affaire ?

— Nous sommes amis, lui rappela-t-elle. Les amis se rendent des services gratuitement.

— Mais je ne suis pas comme les autres hommes. J'aime que tout ait un prix. Il faudra que j'y réfléchisse sérieusement, mais je suis certain qu'il y a quelque chose que j'aimerais recevoir de vous.

Elle se dégagea d'une secousse.

— Si nous n'étions pas amis, je penserais presque que vous avez des vues sur moi, comme sur toutes les autres femmes.

Le sourire de Hart s'évanouit lentement.

— Hart ?

— Francesca, dit-il sérieusement, je ne m'attaque jamais aux innocentes jeunes filles, aussi, malheureusement, pour fascinante que vous soyez, vous êtes hors jeu.

Elle tressaillit.

— Je vois. C'est pourquoi vous vous spécialisez dans les femmes mariées – et les prostituées ?

Il eut un petit rictus amusé. Elle était ennuyée, à présent, mais lui pas, visiblement.

— Oui.

— Vous ne niez même pas.

— J'aime la vie, Francesca. J'aime l'argent, l'art et les femmes, dans cet ordre.

— La richesse vient en premier ? observa-t-elle, à la fois rebutée et intriguée.

— Si j'étais toujours pauvre, si j'habitais un taudis, si je transportais des caisses sur les docks, je n'aurais pas de beauté dans ma vie, n'est-ce pas ? D'aucune sorte ?

Il avait raison. Il ne posséderait pas une collection d'œuvres d'art de renommée mondiale, et les femmes qui lui accorderaient leurs faveurs n'entreraient pas dans la catégorie des Daisy Jones et Bartolla Benevente. Ou même Constance.

— À ce sujet, je voudrais que vous laissiez ma sœur tranquille.

— Vraiment ?

Une étincelle amusée dansait dans ses yeux.

— Oui, vraiment. Je trouve intolérable – répugnant, même – que vous la pourchassiez dans *l'unique* but de l'attirer dans votre lit.

Elle était sincèrement furieuse, tout à coup.

Il la fixa sans mot dire, et elle se sentit affreusement mal à l'aise.

— J'y réfléchirai, concéda-t-il enfin.

Elle ne s'attendait certes pas à cette réponse.

— Est-il besoin de réfléchir ? J'aime Constance. Elle est extrêmement perturbée, en ce moment, et très vulnérable. Je vous demande de ne pas détruire son mariage, son bonheur, de ne pas la détruire, elle ! Si nous sommes réellement amis, vous renoncerez à elle.

— Entendu, dit-il.

Elle ouvrit de grands yeux.

— Entendu ? répéta-t-elle. Comme ça ?

Il lui prit la joue en coupe dans sa main.

— Oui, comme ça. Notre amitié est bien plus importante à mes yeux que quelques instants dans le lit de votre sœur. En outre, j'ai dans l'idée qu'il ne serait pas facile de l'y attirer, or je n'aime pas me donner trop de mal, ajouta-t-il avec un sourire espiègle.

Francesca était infiniment soulagée. Elle posa la main sur la sienne, se rendit compte de ce qu'elle faisait et recula.

— Merci, Calder, dit-elle d'une voix rauque. Merci.

Il la contemplait, sérieux, à présent.

Elle en fut embarrassée.

— Au fait, qu'est-ce qui vous amène ici ? reprit-elle.

— Vous.

Elle rougit.

— Je vous en prie…

— C'est la vérité.

Il passa la main dans son épaisse chevelure. D'une certaine manière, avec ses boucles brunes, son nez droit, ses pommettes hautes, sa bouche ferme, il semblait tout droit sorti de la mythologie grecque ou romaine. Bien sûr, il n'avait rien d'un dieu, et tout d'un mortel imparfait.

Il fit quelques pas dans le salon, s'arrêta devant le portrait assez conventionnel d'un enfant jouant avec un épagneul qui ne sembla pas du tout retenir son attention. C'était sans nul doute un homme extrêmement intéressant – peut-être parce qu'il était si compliqué, peut-être parce qu'il n'était pas aussi mauvais qu'il le paraissait.

Il se retourna vers elle.

— J'ai été surpris de vous trouver en compagnie de Rick, samedi soir, lâcha-t-il à brûle-pourpoint.

Elle ne put retenir un tressaillement.

— C'était un pari. Je l'ai perdu, mais il m'a quand même emmenée au théâtre et dîner ensuite, expliqua-t-elle en souriant.

— Vous êtes encore amoureuse, n'est-ce pas ?

Elle se tendit. Au cours de l'enquête sur le meurtre de son père, Hart n'avait pas mis longtemps à découvrir que son demi-frère et elle éprouvaient des sentiments l'un pour l'autre.

— Je ne suis pas une femme volage, Calder.

Il la contempla longuement, et si intensément qu'elle en rougit.

— Il est marié, Francesca, lui rappela-t-il. Que vous soyez tombée amoureuse avant de le savoir, je le comprends. Que vous le soyez toujours, je le désapprouve.

— Je vous demande pardon, mais vous n'avez pas à approuver ou à désapprouver.

— Oh, ainsi vous deux, les êtres les plus vertueux de cette ville, vous trouvez convenable d'avoir envie l'un de l'autre pendant que sa femme s'occupe de sa famille à Boston ?

La colère de Francesca flamba dans l'instant.

— Vous êtes la dernière personne à pouvoir nous juger ! explosa-t-elle.

— Certes, mais nous sommes dans un pays libre, et j'ai le droit d'avoir mes opinions. Que diable lui arrive-t-il ? Mon frère a toujours professé la plus haute moralité !

Il semblait en colère, lui aussi.

— Vous, je comprends, enchaîna-t-il. Vous êtes jeune, vous n'avez jamais regardé d'homme auparavant, alors vous vous imaginez qu'il s'agit du grand amour, ou quelque chose de ce genre. Ça ne l'est pas, en fait.

— Qu'en savez-vous ? répliqua-t-elle, furieuse. Vous ne croyez même pas à l'amour !

Il éclata de rire.

— C'est pourquoi je le sais, justement. C'est du désir que vous éprouvez, pas de l'amour. Dites-moi, combien de fois vous a-t-il embrassée, caressée ?

Elle avait envie de le gifler. Instinctivement, elle leva la main, puis elle se rendit compte de ce qu'elle allait faire et en fut horrifiée. Mais, anticipant son geste, il lui avait déjà saisi le poignet.

— C'est déplacé.

Elle se libéra d'un mouvement sec.

— Sans doute, mais vos commentaires le sont tout autant.

— Si vous ne pouvez rester éloignée de lui, c'est lui qui devrait vous éviter, déclara-t-il, le regard froid, et sombre.

— Vous défendez ma vertu, à présent ?

— Peut-être.

— Oh, je vous en prie !

— Francesca, cessez de croire que vous êtes amoureuse de mon frère. Rien de bon ne pourra en sortir. Il ne divorcera jamais, il ne quittera jamais sa femme. Et même s'il prend une maîtresse par-ci par-là, jamais il ne vous déshonorera. De cela, je suis persuadé.

Elle eut l'impression de recevoir un coup de couteau en plein cœur. Elle vacilla presque sous le choc.

— *Quoi ?*

— Jamais il ne vous déshonorera, mais…

— Ce n'est pas ça ! Il a une *maîtresse* ?

Le visage de Calder se brouillait devant ses yeux. Allait-elle s'évanouir ?

— Je ne crois pas, non. Vous vous sentez bien ?

Elle s'aperçut qu'il lui avait agrippé le bras et qu'elle s'appuyait à lui.

— Que vouliez-vous dire ? s'écria-t-elle. Y a-t-il une autre femme ?

— Pour l'amour du Ciel, je suis sûr que non, pas en ce moment. Mais pensez-vous que mon frère, qui est un homme comme les autres, serait resté chaste pendant quatre ans ? De toute évidence, il a eu des femmes après que la sienne l'a quitté, Francesca.

Elle n'y avait jamais songé. Elle s'écarta brutalement de Hart et se laissa tomber sur le sofa. Elle s'aperçut qu'elle tremblait, et se prit la tête entre les mains.

Calder avait raison, bien sûr.

Il y avait forcément eu d'autres femmes – au moins une – après Leigh Anne.

Y avait-il eu aussi de l'amour ?

Francesca ne pouvait imaginer Bragg avec une compagne qu'il n'aimerait pas.

— Seigneur ! murmura Hart.

— Il faut que je lui pose la question ! déclara-t-elle.

— Je ne voulais pas vous bouleverser ainsi, fit-il en s'asseyant près d'elle.

Elle se rencogna à l'autre bout du sofa. Il soupira.

— Celui que vous croyez aimer n'est qu'un homme, Francesca, or tous les hommes ont besoin d'une femme de temps en temps. C'est une réalité de la vie.

Elle le regarda droit dans les yeux.

— Mais il n'a pas de maîtresse pour l'instant ?

— Comment le pourrait-il ? Il est sur le devant de la scène.

— Avez-vous déjà rencontré quelqu'un avec qui il était… de cette façon ?

Hart croisa les bras, le visage fermé.

— Vous feriez mieux de lui poser ce genre de questions directement, Francesca.

Elle bondit sur ses pieds.

— Je suis sûre que oui ! Pourquoi rechignez-vous à me parler maintenant ? Vous étiez ravi de m'annoncer samedi que sa femme se trouvait à quelques centaines de kilomètres d'ici !

Il se leva lentement.

— Vous sembliez tellement heureuse. J'ai voulu vous remettre les idées en place.

— Non ! Vous êtes exactement tel que Bragg vous a décrit ! Vous étiez un garçon pénible, et à présent, vous êtes un homme pénible… et dangereux !

Il s'empourpra, et elle sut qu'elle était allée trop loin.

— Je suis navrée, Hart…

— Apparemment, il est temps que je prenne congé.

— Non, fit-elle en lui prenant le coude. Je n'aurais jamais dû dire cela !

— Pourquoi ? Nous sommes des êtres libres. De toute évidence, vous me trouvez difficile. Moi qui pensais que vous appréciiez notre amitié, ajouta-t-il froidement.

— C'est le cas ! assura-t-elle, et elle était absolument sincère.

Elle sentit quelque chose qui ressemblait à de la panique l'envahir.

— Je ne crois pas. Vous êtes obsédée par Rick. Bonne chance, Francesca. Peut-être obtiendrez-vous ce que vous souhaitez. Peut-être ai-je tort de vouloir vous protéger du déshonneur et de ce qui deviendra de la honte. Une nuit ou deux dans son lit suffiront certainement à vous calmer.

Cette fois, elle le gifla.

En plein visage.

Par pur instinct.

Hart sortit sans un mot.

Il était presque 22 heures. Francesca avait quitté la table du dîner une demi-heure plus tôt, prétextant la fatigue. Mais elle savait que personne n'était dupe. Evan et son père étaient parvenus à entretenir la conversation, tandis que sa mère lui jetait des regards pensifs. Elle-même était demeurée la plupart du temps le nez dans son assiette. Après avoir laissé la famille devant le dessert, elle avait demandé son manteau et était sortie.

Le fiacre la déposa devant la maison de Bragg. Il n'y avait pas de lumière à l'étage, mais une pièce du rez-de-chaussée était éclairée. Il s'agissait de la salle à manger.

Francesca se rappela qu'il n'avait pas de maîtresse, qu'il l'aimait, et que Hart adorait créer des problèmes.

Elle regrettait qu'il soit venu la voir. Encore maintenant, elle était bien plus bouleversée et contrariée qu'elle n'avait le droit de l'être.

Elle gravit les quelques marches du porche et tira la sonnette.

Peter mit plusieurs minutes à répondre, et quand il ouvrit enfin la porte, il était en bras de chemise, chemise sur laquelle elle remarqua des taches qui ressemblaient à de la sauce tomate.

— Mademoiselle Cahill, fit-il sans manifester la moindre surprise.

— Bragg est là ? demanda-t-elle en se débarrassant de son manteau.

— Dans son bureau.

Peter drapa sur son bras le manteau de cachemire bordé de vison et la précéda dans le couloir. Il frappa discrètement au battant avant d'ouvrir.

— Mlle Cahill, monsieur.

Bragg était appuyé d'une main à la cheminée où crépitait un bon feu. Des photos de famille en ornaient le dessus, et Francesca ne put s'empêcher de se demander s'il y en avait une de Leigh Anne cachée quelque part, chargée de souvenirs doux-amers.

Il se retourna.

— Francesca ?

Elle dut se retenir pour ne pas se jeter dans ses bras.

— Il fallait que je vous voie ! dit-elle.

Il fut près d'elle en deux enjambées et la prit par les épaules.

— Il est arrivé quelque chose de nouveau ?

— Non, pas vraiment. J'ai tout de même une information curieuse, et j'ai pensé que vous aimeriez être au courant.

Elle évitait son regard. En vérité, il était normal qu'il ait eu quelqu'un dans sa vie après le départ de sa femme. Il était trop passionné, trop viril pour rester longtemps seul. Cependant, elle regrettait que Hart ait soulevé ce lièvre.

— Quelle information ? demanda-t-il sans la quitter des yeux.

Le cœur de Francesca s'affola. Le bureau était dans la pénombre, hormis l'endroit où ils se tenaient, dans la douce lueur du feu.

— Je suis allée voir ma cliente, Lydia Stuart.

Elle était consciente d'avoir la voix un peu rauque. Elle n'arrivait pas à oublier son désarroi, et peut-être était-ce de la jalousie... Elle était étrangement perdue.

— Sa voiture était devant l'église où ont eu lieu les funérailles de Mary O'Shaunessy, poursuivit-elle. Et il se peut qu'elle ou son mari y aient également assisté.

— Quoi ? s'exclama-t-il.

Francesca lui parla alors de la femme en manteau marine, et du recueil de poèmes.

Il eut l'air très surpris.

— Que votre cliente ou son mari soient impliqués dans cette affaire serait fort étrange. Je leur rendrai une petite visite demain matin.

— C'est une bonne idée. Ils viennent de Philadelphie, Bragg. Peut-être connaissent-ils Lizzie O'Brien ?

— Ce serait un hasard invraisemblable ! Et je pense que le recueil de poèmes est une simple coïncidence, ajouta-t-il, songeur. Cela vaut néanmoins la peine d'être vérifié. Mais pourquoi assister à l'enterrement de Mary, que ce soit elle, lui ou un ami ? C'est là la question cruciale.

— Je suis d'accord. Et je suis certaine de ne pas m'être trompée, car j'ai tout de suite reconnu le cocher.

234

— Au fait, nous avons enfin retrouvé Mike O'Donnell et Sam Carter, annonça-t-il. Ils sont au poste. Je viens de passer une heure avec chacun d'eux.

— Et… ? s'impatienta-t-elle, oubliant provisoirement sa conversation avec Hart.

Ça, c'était une bonne nouvelle !

— Eh bien, si O'Donnell détestait sa femme et sa sœur, il le dissimule bien. C'est Carter qui est plein de ressentiment et de colère… et qui ne s'en cache pas. Mais il ne connaissait pas Mary, ni Maggie Kennedy. C'est du moins ce qu'il prétend. Et je le crois.

— Avez-vous parlé de Maggie avec Mike ?

— Il dit le plus grand bien d'elle. Cet homme se comporte comme un saint élevé dans la crainte de Dieu.

Elle posa la main sur son bras.

— Élevé dans la crainte de Dieu est sans doute le mot juste. Mais nous l'avons rencontré tous les deux, et c'est tout sauf un saint.

— En effet… Francesca ? Vous me cachez quelque chose. Que s'est-il passé ?

Elle hésita, et détourna le regard.

— Je suis très inquiète pour Maggie. Je voudrais que cette affaire soit résolue.

— Moi aussi, dit-il en posant la main sur son épaule. Mais il y a autre chose…

Ce n'était pas une question.

Elle leva les yeux.

— C'est juste…

Elle était trop fière pour l'interroger sur sa vie privée. Cela ne se faisait pas ! Et puis, c'était du passé, elle en était certaine.

— C'est juste quoi ? insista-t-il.

Elle secoua la tête.

— Votre satané frère est passé me voir, et il m'a grandement importunée, murmura-t-elle.

Il laissa retomber sa main.

— On dirait qu'il ne peut pas se passer de vous !

— J'en doute.

— Que voulait-il ?

— Il... il voulait savoir pourquoi nous dînions ensemble samedi soir.

Bragg la regarda, puis se tourna face à la cheminée. Elle lui effleura le dos. Il était dur et musclé sous ses doigts. Comme Peter, il était en tenue décontractée, les manches de chemise roulées.

— Et vous avez répondu... ?

— Je lui ai parlé de notre pari, murmura-t-elle.

Sa main glissa accidentellement le long du dos de Bragg. Il pivota, et leurs regards s'aimantèrent. Ni l'un ni l'autre ne bougea.

— De toute façon, cela n'a pas d'importance, souffla-t-elle, le cœur battant à grands coups irréguliers.

— Vraiment ? Qu'il aille au diable ! Je suis jaloux ! Je vais le rosser de belle manière s'il ne garde pas ses distances avec vous.

Elle fut un instant déconcertée par la violence de sa réaction.

— Il n'y a pas de rivalité, Bragg, dit-elle doucement. Ce n'est qu'un ami, je vous l'ai déjà dit. Je n'arrive pas à croire que vous soyez jaloux de lui ! Il ne vous arrive pas à la cheville !

— Vous êtes venue ce soir parce que vous êtes bouleversée, pas pour me parler des Stuart, décréta-t-il. Vous êtes venue parce qu'il vous a bouleversée.

Bizarrement, les larmes lui vinrent aux yeux tandis qu'elle hochait la tête.

— Vous avez raison...

Il prit son visage entre ses mains.

— Ne pleurez pas.

— Je ne sais pas ce qui m'arrive, murmura-t-elle.

Mais elle savait. C'était le premier homme qu'elle aimait, mais lui avait aimé d'autres femmes avant elle, et elle avait du mal à supporter cette idée. Tout en parlant, elle avait fermé les paupières, et, sans l'avoir prémédité, elle tourna la tête et lui baisa la paume.

Elle ouvrit aussitôt de grands yeux étonnés. Leurs regards se verrouillèrent.

C'était le moment de la décision, du choix. Du désir et du besoin.

Alors elle se jeta en avant... dans ses bras.

Ils se refermèrent sur elle, puissants, et sa bouche couvrit la sienne.

Elle eut l'impression que son cœur faisait un bond jusqu'au ciel tandis que leurs lèvres s'unissaient. Il trouva sa langue, et elle ne put retenir un cri de joie pure.

Elle heurta un mur du dos. Bragg lui maintenait la tête d'une main sous le menton, et son corps musclé écrasait le sien. Leur baiser s'intensifia.

Bien plus tard, il s'arracha à sa bouche. Tous deux haletaient, incapables de sourire. Le désir assombrissait les yeux de Bragg, altérait ses traits. Il fit sauter deux petits boutons de son corsage et baisa le creux de sa gorge, l'effleurant du bout de la langue.

Francesca se dit qu'elle mourrait s'ils n'allaient pas jusqu'au bout cette nuit.

Tout de suite !

Il la pressait contre lui, la tête enfouie dans son cou, les hanches plaquées contre les siennes si bien qu'elle ne pouvait ignorer l'urgence de son désir. Ils demeurèrent ainsi, oscillant l'un contre l'autre, un interminable instant.

Francesca ne pensait plus à rien. Son corps exigeait qu'elle fusionne avec cet homme, c'était tout ce dont elle était consciente. Elle laissa courir ses mains sur sa taille, ses reins.

— Emmenez-moi là-haut, souffla-t-elle.

— Seigneur !

Il s'écarta brutalement.

— Bragg !

Il la contemplait, le souffle court. Sa chemise s'était partiellement déboutonnée également, révélant son torse musclé.

— N'y songez pas! cria-t-il.

Elle resta appuyée au mur, tremblante.

— Mais si. Et vous y pensez aussi. Nous sommes des adultes. Emmenez-moi dans votre chambre.

Il ferma les yeux, et fourragea nerveusement dans ses cheveux.

— Non.

Derrière lui, le téléphone sonna.

Francesca sentit des larmes de désir frustré lui monter aux yeux – une émotion inconnue jusqu'alors. Puis elle se demanda si Hart n'avait pas raison, car il s'agissait peut-être d'amour, mais aussi de désir physique.

Elle le détesta de faire ainsi irruption dans ses pensées.

Le téléphone sonnait toujours.

— Il faut que vous partiez, dit Bragg d'un ton rude.

Elle rouvrit les yeux à l'instant où il se dirigeait vers le combiné. Elle voulait bouger, mais son corps refusait de lui obéir. Elle s'efforça d'apaiser sa respiration. Elle ressentait une insupportable frustration physique!

Il décrocha.

— Oui?

Il se raidit et, un moment plus tard, raccrocha brusquement avant de se tourner vers elle, le regard clair.

Il s'était passé quelque chose.

— Qu'y a-t-il? s'écria Francesca.

— Maggie vient d'ouvrir une lettre de Mary O'Shaunessy. Une lettre écrite le jour de sa mort.

13

Lundi 10 février 1902, 3 heures

Dès leur arrivée, un serviteur informa Bragg et Francesca que M. Cahill les attendait dans la chambre de Mme Kennedy. Francesca avait prié pour que ses parents se soient déjà retirés dans leurs appartements, et comme ni l'un ni l'autre ne la guettaient à la porte pour exiger des explications, elle avait cru sa prière exaucée.

La porte de Maggie était grande ouverte, et elle était assise sur un sofa de velours vert devant la cheminée. Evan se tenait près d'elle, mais elle était toute raide, les bras serrés autour d'elle, regardant les flammes sans les voir. Joel disparaissait dans un grand fauteuil à oreilles, les autres enfants étaient sans doute dans la chambre à coucher contiguë.

À l'entrée de Francesca et de Bragg, Evan et Joel bondirent sur leurs pieds. Evan décocha un regard noir à sa sœur, et elle devina qu'il lui reprochait de s'être trouvée chez Bragg à cette heure de la nuit. L'ignorant, elle se précipita vers Maggie.

— Ça va ?

— J'ai l'impression d'avoir reçu un message de l'au-delà.

— Puis-je voir la lettre ? intervint Bragg.

Maggie eut un petit geste en direction du guéridon.

Tandis que Bragg parcourait le texte, Francesca demanda :

— Donne-t-elle l'impression de craindre pour sa vie ?

Maggie secoua la tête.

— C'est une lettre relativement anodine. Nous ne nous étions pas vues depuis qu'elle avait été engagée chez les Janson. Alors elle raconte son travail, sa maîtresse, la maison. Elle avait l'air tellement heureuse !

Evan tendit un verre de scotch à Maggie.

— Buvez. Juste une gorgée, cela vous fera du bien, je vous le promets.

Maggie se mordit la lèvre, rougit.

— Je ne bois jamais, monsieur Cahill, avoua-t-elle sans le regarder.

Il soupira.

— Les circonstances sont assez particulières.

Elle fixait résolument ses genoux.

— Maman ? fit Joel qui s'était approché, M. Cahill essaie juste d'être gentil.

Maggie se tourna vers son fils.

— Je sais. Merci, ajouta-t-elle après un rapide coup d'œil à Evan.

— J'ai l'impression d'avoir affreusement mal agi, observa Evan, amer, alors que j'essaie seulement de me rendre utile.

— Vous êtes très aimable... monsieur, murmura Maggie.

— Evan ? Pourquoi n'emmènerais-tu pas Joel à la cuisine chercher un cookie ? suggéra Francesca.

Le visage du jeune garçon s'illumina. Il lança un coup d'œil oblique à Evan, mélange de timidité et d'admiration.

Evan lui donna une petite tape sur l'épaule.

— Excellente idée ! J'en ai envie aussi. Et nous en rapporterons un à ta mère. Qu'en dis-tu, fiston ?

— Que j'ai eu raison de ne pas les manger tous au dîner !

Ils s'éloignèrent, la main d'Evan toujours posée sur l'épaule du gamin. Francesca était heureuse qu'ils s'entendent si bien ; elle s'aperçut que Maggie aussi les suivait des yeux.

240

— Ma foi, il semblerait que nous ayons retrouvé Lizzie O'Brien, déclara Bragg.

— Vraiment ?

— Mary écrit qu'elle a eu des nouvelles de Lizzie, qui vit à Philadelphie. Apparemment, elle a reçu une lettre d'elle. Mes hommes ont déjà fouillé son appartement, mais ils ne cherchaient pas cette lettre, évidemment.

Francesca se leva.

— La plupart des gens ne jettent pas les lettres qu'ils reçoivent. Surtout si elles viennent d'amis proches qui ont déménagé.

— J'ai l'intention de trouver cette lettre cette nuit, déclara Bragg. Plus tôt j'aurai l'adresse de Lizzie, mieux ce sera. Newman ira à Philadelphie l'interroger, et il la ramènera peut-être à New York.

Se tournant vers Maggie, il ajouta avec douceur :

— Je suis désolé que vous ayez reçu cette missive maintenant. Comment l'avez-vous eue entre les mains, au fait ?

— Quand Francesca – je veux dire Mlle Cahill – et son frère sont allés chercher les enfants, Joel a rapporté le courrier. Je n'en reçois pas souvent, et une lettre est un événement. Mais dans l'excitation d'emménager ici, il a oublié de me la remettre. Il ne s'en est souvenu qu'il y a une demi-heure.

Elle avait pâli.

— J'ai été bouleversée quand j'ai vu la signature...

— La lettre est assez banale, expliqua Bragg à Francesca. Mary est ravie de son nouveau poste – de sa vie en général. Elle s'inquiète juste pour Katie qui demeure impitoyablement repliée sur elle-même. Il y a cependant un mystère.

Francesca haussa les sourcils.

— Lequel ?

— Je sais, intervint Maggie. J'ai moi-même été plutôt surprise.

— Je cite, reprit Bragg : « Pour couronner le tout, j'ai rencontré un homme. Souhaite-moi bonne chance. »

C'est ainsi qu'elle termine sa lettre. Avez-vous une idée de qui il peut s'agir?

Maggie secoua la tête.

— Je ne savais absolument pas qu'il y avait quelqu'un.

— Il faut trouver cet homme, décréta Francesca. Il n'est pas impossible que ce soit lui l'assassin. Nous devons absolument le débusquer, et peut-être conviendrait-il de commencer par la liste que Newman, sur ma demande, a dressée de tous les gens qui assistaient aux funérailles de Mary.

— C'est exactement ce que je pensais, confirma Bragg.

Mardi 11 février 1902, 10 heures

Quels rêves étranges! Elle était dans les bras de Bragg, dans son lit. Ils étaient nus, et leur passion ne connaissait pas de limites. Elle sentait contre elle sa peau, ses muscles, sa virilité. C'était si bon!

Mais quand elle se réveilla, sous le choc tant ces sensations lui avaient paru réelles, elle se sentit malade, et effrayée.

Comme si c'était un péché.

Ce qui n'avait aucun sens! Francesca se demanda si sa conscience luttait contre sa détermination à ne pas laisser Leigh Anne détruire leur bonheur. Ses principes moraux étaient peut-être si profondément ancrés en elle qu'elle ne parvenait pas à les ignorer.

À moins qu'il ne s'agisse d'autre chose?

Elle avait trop dormi. Elle se levait bien trop tard, ces derniers temps et, en descendant l'escalier, elle se félicita de ne pas avoir cours avant midi. Elle avait renoncé à l'idée de se mettre en congé. Mieux valait retrouver le meurtrier au plus vite, pour revenir à ses études, et à un semblant de vie normale.

Des voix de femmes montaient de la salle du petit-déjeuner.

Elle s'arrêta, surprise, croyant reconnaître celle de Sarah Channing.

Elle se ressaisit et pénétra dans la pièce pour découvrir Sarah et Bartolla en compagnie de son frère.

— Bonjour, paresseuse! lui lança celui-ci avec un sourire.

Elle lui décocha un regard faussement courroucé avant de se tourner vers Sarah, presque jolie dans une robe bleue toute simple. Bartolla, quant à elle, était époustouflante en ensemble fuchsia.

— Quelle surprise! Il est à peine plus de 10 heures!

— Nous espérions que vous vous joindriez à nous pour une journée d'aventures, déclara Bartolla aimablement. Autrement dit: courir les boutiques, s'offrir un somptueux déjeuner arrosé de bon vin, et ensuite, qui sait? J'adorerais skier à Cherry Hill, dans le parc.

— Je n'aime pas courir les boutiques, avoua Francesca en se forçant à sourire. En fait, je déteste cela.

— Et c'est la femme qui a commandé dix nouvelles toilettes à notre couturière privée qui dit cela? railla gentiment Evan. J'ai la curieuse impression de ne pas être invité, ajouta-t-il à l'intention de Bartolla, une étincelle au fond des yeux.

— C'est une journée exclusivement réservée aux femmes, rétorqua-t-elle, le regard tout aussi brillant.

— Je ne savais pas que vous aimiez skier. Je ne connais pas de femmes qui pratiquent ce sport.

— J'adore ça!

— Moi aussi. Peut-être pourrions-nous envisager un court séjour dans le Vermont? Les pistes y sont magnifiques.

— Avec grand plaisir! Vous descendez vite?

— Pas en compagnie féminine.

— Moi, j'aime la vitesse! l'avertit-elle.

Evan parut enchanté.

— Ne me dites pas que vous appréciez la course?

— Bien sûr que si!

Il rit avant de s'adresser à sa fiancée.

— Aimeriez-vous apprendre à skier, Sarah ?

La jeune fille hésita. Francesca savait qu'elle n'avait aucune envie de se lancer dans le sport, et elle eut pitié d'elle. En fait, cela crevait les yeux que Bartolla et Evan étaient attirés l'un par l'autre. Sarah pouvait-elle l'ignorer ?

De toute évidence, Evan se rendait aussi compte que Sarah n'était pas emballée.

— Vous pourriez siroter un chocolat chaud au refuge. C'est magnifique, la montagne.

Elle s'humecta les lèvres.

— Et si vous y alliez sans moi ? J'ai déserté mon atelier, ces derniers temps, Evan. Je rêve de m'y enfermer pour quelques jours.

— Je serais désolé si vous décidiez de ne pas vous joindre à nous, assura-t-il, mais ce n'était que simple politesse.

— Je pense que vous vous amuserez plus sans moi, dit doucement Sarah. Vous avez tellement de goûts en commun ! Je gâcherais votre plaisir, à vous attendre sans cesse. Non, j'aime autant travailler à ma peinture.

— Si vous préférez peindre… fit-il en haussant les épaules.

— C'est le cas, vraiment, répliqua-t-elle, un zeste d'impatience dans le regard. Mais ne vous privez pas pour moi. Je suis sûre que vous passerez un moment merveilleux.

Francesca eut envie de lui tirer les cheveux ! Elle voulait vraiment les encourager ? Même si Bartolla semblait aimer beaucoup sa cousine, il y avait de gros risques qu'elle et Evan, tous deux passionnés et expérimentés, ne finissent dans les bras l'un de l'autre.

— J'irai ! déclara Sarah, changeant brusquement d'avis. Je meurs d'envie d'apprendre à skier, finalement.

— Depuis quand ? s'étonna Evan.

— Depuis peu, répondit-elle suavement. En fait, vous en parlez tous deux avec tant d'enthousiasme que cela semble très tentant !

Il lui jeta un coup d'œil contrarié, puis hocha brièvement la tête.

— Je dois partir. Mais continuez à préparer notre voyage.

Ces derniers mots semblaient destinés à la seule Bartolla.

Quand il fut sorti, celle-ci remarqua :

— Vous devriez aimer le ski, Francesca. C'est tellement exaltant.

— Possible, répondit Francesca. Mais nous ne pouvons partir avant que les meurtres soient résolus.

Bartolla la considéra avec intérêt, tandis que Sarah semblait à la fois impressionnée et inquiète.

— Bartolla m'a appris que vous pourchassiez un assassin... qu'il était ici, dans cette maison ! s'écriat-elle. Je serais tellement bouleversée s'il vous arrivait quelque chose, Francesca !

— C'est gentil, Sarah, mais je suis suffisamment maligne pour pincer un criminel sans me mettre en danger.

— Je l'espère !

— Mmm... fit Bartolla d'un air songeur.

Francesca, qui s'était dirigée vers la desserte, lui lança un coup d'œil par-dessus son épaule, brusquement mal à l'aise.

— Alors, où en êtes-vous de votre enquête ? s'enquit la comtesse.

— Il y a tout lieu de croire que nous approchons du dénouement, répondit Francesca. En fait, je ne peux vous accompagner ce matin, car j'ai des choses à faire à ce sujet.

En réalité, elle devait assister à un cours, ce qu'elle ne pouvait bien sûr avouer à ses compagnes. Après quoi, elle avait l'intention de passer chez Lydia Stuart, et de lui demander sans détour si elle avait assisté à l'enterrement de Mary O'Shaunessy.

Bartolla sourit.

— Vous savez quoi ? Vous voilà avec deux assistantes. Nous venons avec vous, et nous nous efforcerons de vous aider. Ce sera une véritable aventure !

Francesca fit de son mieux pour dissimuler son manque d'enthousiasme.

Comme elles descendaient de l'attelage des Channing, Francesca expliqua :

— Mme Stuart est ma cliente, mais c'est strictement confidentiel. Il s'agira donc d'une visite de politesse – je suis certaine qu'elle sera enchantée de faire votre connaissance, car elle vient tout juste d'emménager à New York. Il se peut toutefois que je sois obligée de lui poser une ou deux questions en privé.

— C'est un peu ennuyeux de ne pas savoir ce que l'on cherche, remarqua Bartolla.

Elle portait un superbe manteau de zibeline, pas de gants, mais un large bracelet de diamants et plusieurs bagues.

— J'avais l'espoir que nous tenterions d'élucider ces deux horribles meurtres à la croix.

Francesca soupira.

— Il faut que je me construise une clientèle, et une réputation.

— Je vous admire d'avoir le courage et la volonté de devenir détective professionnelle, déclara Sarah.

— Ne sommes-nous pas semblables, vous et moi ? Sauf que c'est vers l'art que vous pousse votre passion.

— Je crains de ne pas vous ressembler, Francesca, avoua Sarah. Excepté peut-être dans mon amour pour mon travail – que vous semblez la seule à comprendre, ainsi que Bartolla.

La jeune fille frissonna.

— Je vous comprends, en effet. Nous devrions entrer.

— Tu es brillante, renchérit Bartolla tandis qu'elles se dirigeaient vers la porte.

— Je suis habile, mais certainement pas brillante, protesta Sarah, avant d'ajouter avec vivacité : Je suis tout excitée ! Calder Hart a répondu positivement à notre invitation pour ce soir. J'espère que cela ne t'ennuie pas, Bartolla ?

La comtesse éclata de rire.

— Hart ne me dérange pas le moins du monde ! Mais, par le Ciel, il est tellement imbu de sa personne !

Francesca imagina Hart et Bartolla dans l'intimité, et cette idée la dérangea tout en l'intriguant.

— Vous le connaissez bien ? ne put-elle s'empêcher de demander.

— Je suis sûre que vous le savez déjà, plaisanta Bartolla. Nous étions amants, et il était tout simplement magnifique !

Francesca ne s'attendait pas à une telle franchise, et elle rougit.

— Vraiment ?

— Allons, Francesca, vous êtes peut-être vierge, mais vous êtes intelligente et au courant de la vie, j'en suis certaine. Que cet homme soit très viril est une évidence, non ? Il est seulement trop sûr de lui à mon goût. Mais tout peut arriver ! Un de ces jours, il sera réduit à merci, et j'espère que je serai là pour assister à sa défaite.

Francesca ne sut que répondre, mais elle ne pensait pas qu'il existât sur terre une femme capable de mettre Hart à genoux.

Sarah s'était empourprée.

— Comme tu en parles ouvertement ! J'aimerais être assez brave pour ne jamais me marier, et prendre un amant si j'en avais envie.

Francesca en demeura sans voix.

— Tu devrais agir comme tu l'entends, déclara Bartolla. Les règles et les conventions sont faites pour être transgressées. Surtout par toi, Sarah, qui es bohème dans l'âme.

— Je ne suis pas bohème, murmura Sarah.

Francesca n'en croyait pas ses oreilles, et elle se rendait compte qu'elle aimait bien Bartolla. Celle-ci finirait peut-être dans le lit d'Evan, auquel cas elle ne lui adresserait plus jamais la parole, mais elle l'appréciait tout de même. Comment faire autrement?

— C'est ce que vous souhaitez vraiment, Sarah? Rester célibataire?

— Ne pensez surtout pas que j'insulte votre frère, Francesca! s'écria Sarah, alarmée. Je l'aime beaucoup. Sincèrement.

— Mais vous n'êtes pas amoureuse de lui.

C'était indéniable, bien que ce fût difficile à imaginer. Une jeune femme timide et banale comme Sarah aurait dû être folle de joie d'avoir trouvé un fiancé tel qu'Evan. Mais elle était si peu ce qu'elle semblait être au premier abord...

— Je ne suis pas amoureuse, en effet, admit-elle. Néanmoins, je suis certaine que j'arriverai à l'aimer, avec le temps.

Il y avait une pointe de désespoir dans ses paroles.

Bartolla eut un reniflement fort peu gracieux.

— Vous n'allez pas du tout ensemble, tous les deux. Je n'ai jamais vu un couple plus mal assorti!

Francesca battit des paupières, gênée.

— Quoi? reprit Bartolla. Vous n'êtes pas de cet avis?

— Si. C'est ce que je pense depuis le début.

— Nos parents sont déterminés, se défendit Sarah, et je n'ai pas la force d'aller contre la volonté de maman.

— Mais si, tu l'as! Laisse-toi juste guider par ton côté bohème.

— Vous préféreriez vraiment ne jamais vous marier? voulut savoir Francesca.

Elle-même avait professé la même opinion, mais elle savait qu'un jour ou l'autre elle aurait envie de se marier. D'épouser l'homme de sa vie. Bragg.

Ils élucideraient des crimes ensemble, se battraient pour la réforme ensemble, vieilliraient ensemble. Ce serait le bonheur parfait.

— Je ne suis pas romantique, Francesca. Je n'aime qu'une chose: mon travail. Et le mariage me fait peur.

— Peur?

— J'ai peur que mon mari ne m'empêche de m'adonner à ma véritable passion. Pour l'instant, je suis libre de peindre toute la journée si cela me plaît. Ou plutôt, j'étais libre jusqu'à ces fiançailles.

Elle était déprimée, tout à coup.

Francesca et Bartolla échangèrent un long regard.

— Ce n'est pas juste, déclara finalement Francesca.

— Non, en effet. Sarah est différente de nous, n'est-ce pas? Elle est douée d'un génie que nous ne possédons pas. Dieu lui en a fait cadeau pour une raison ou une autre. Et Evan, pour lequel j'ai néanmoins beaucoup d'affection, n'en a pas la moindre idée.

— C'est vrai, acquiesça Francesca. Pourrions-nous convaincre Mme Channing de briser cet engagement?

— Nous pourrions essayer, en tout cas, fit Bartolla avec un sourire conspirateur. Le jeu en vaut la chandelle, vous ne croyez pas?

— Si! répondit Francesca sans hésiter.

Sarah les regardait alternativement, les yeux écarquillés.

— Je serais très heureuse si je n'étais plus obligée de me marier.

Cette fois, Lincoln Stuart ne se montra pas.

Lydia fut à la fois surprise et ravie de les recevoir. Elle demanda du thé et des biscuits, et la conversation roula sur l'arrivée de Bartolla aux États-Unis, sur sa vie en Europe, puis sur la soirée des Channing, à laquelle les Stuart furent aussitôt conviés. Lydia déclina l'invitation, mais Francesca devina à son regard qu'elle brûlait d'accepter.

Lorsqu'elle s'excusa et sortit afin de demander du citron pour le thé, Francesca la suivit.

— Lydia, pourrais-je vous parler en privé un instant? demanda-t-elle lorsqu'elles furent dans le hall.

L'expression de la jeune femme se transforma instantanément. Une lueur d'angoisse s'alluma dans son regard.

— Francesca, chuchota-t-elle, j'apprécie tout ce que vous avez fait pour moi, mais j'ai décidé que vous aviez raison. Lincoln ne fréquente pas Rebecca Hopper, et ses retards sont dus à d'autres causes. Je n'ai plus besoin de vos services, finalement. Bien entendu, je vous paierai pour le mal que vous vous êtes donné.

Francesca avait l'impression bizarre que sa cliente souhaitait se débarrasser d'elle.

— Avez-vous aimé le livre que vous a offert votre mari ? s'entendit-elle demander.

Lydia sursauta.

— Je n'ai pas eu le temps de le lire.

— Vous avez beaucoup de recueils de poèmes ?

La jeune femme parut intriguée par cette question.

— Non. En fait, je n'aime pas vraiment la poésie. Mais mon mari est un grand lecteur, et il insiste pour que je fasse de même.

Les questions se bousculaient dans la tête de Francesca.

— Lorsque vous habitiez Philadelphie, vous est-il arrivé de rencontrer une jeune femme du nom de Lizzie O'Brien ? Elle était couturière, je crois.

Lydia semblait en pleine confusion.

— Quelle étrange question. Je n'en sais rien du tout. J'y réfléchirai, mais la couturière qui travaillait pour moi s'appelait Mathilde Lacroix.

C'était un coup d'épée dans l'eau, songea Francesca.

— Assistiez-vous aux funérailles de Mary O'Shaunessy ? demanda-t-elle tout à trac.

Lydia accusa le coup, et Francesca fut certaine qu'elle lui cachait quelque chose.

— Pardon ? Vous me demandez si j'ai assisté à un enterrement ?

Elle avait rougi, c'était indéniable.

— Avez-vous entendu parler des meurtres à la croix ? s'enquit-elle d'une voix douce.

— De quoi s'agit-il ? fit Lydia, qui s'était visiblement raidie.

— Je travaille dessus avec le préfet Bragg.

— Mais quel rapport cela a-t-il avec moi ? s'écria Lydia.

— Votre voiture et votre cocher étaient devant l'église où l'on a enterré l'une des victimes, Mary O'Shaunessy, lundi dernier à midi, en l'église Sainte-Mary. J'ai vu une femme de votre taille environ, vêtue d'un manteau bleu marine, quitter l'église et monter dans votre attelage.

— Ce n'était pas moi, répondit froidement Lydia.

— Vous êtes formelle ?

Francesca n'en croyait rien.

Lydia eut un sourire crispé.

— Je suis certaine que je ne me trouvais pas là, et vous vous trompez, pour la voiture. C'était Lincoln qui s'en servait, ce jour-là. Nous n'en avons qu'une, et lundi il l'a prise pour se rendre au magasin.

— Je vois.

Après tout, Lydia disait peut-être la vérité. Mais dans ce cas, il fallait absolument découvrir l'identité de la femme en bleu.

— M'accusez-vous de quelque forfait ? reprit Lydia, tendue.

— Ce n'est pas un crime que de se rendre à des funérailles.

— Le dernier enterrement auquel j'aie assisté, c'était celui de ma belle-mère.

— Je suis désolée.

— Moi aussi. Ce meurtre n'avait aucun sens.

Francesca tressaillit.

— Votre belle-mère a été *assassinée* ?

Lydia sembla déconcertée.

— Oui. Je pensais que vous le saviez.

— Je n'en avais pas la moindre idée, avoua Francesca avec un calme qu'elle était loin d'éprouver.

14

Francesca n'en revenait pas.

— Comment a-t-elle été tuée ? Et surtout, pourquoi ?

— Comme je vous l'ai dit, cela n'avait aucun sens. C'était une vieille dame, et il y avait un cambrioleur chez elle. La police pense qu'elle l'a surpris en train de lui dérober des bijoux. Hélas, le voleur, qui n'a jamais été attrapé, l'a poignardée dans le dos avant de s'enfuir.

— C'est étrange. En général, les voleurs se contentent de voler, et la plupart ne sont pas armés. À quoi bon tuer une vieille femme quand s'enfuir suffit ?

— Je n'en sais rien. Pauvre Lincoln ! Il était bouleversé. Nous avons annulé notre voyage de noces, bien sûr.

— Je suis navrée, murmura Francesca.

Il fallait absolument qu'elle fouille cette maison. Elle ne savait pas ce qu'elle y chercherait, mais quelque chose clochait dans toute cette histoire.

— Vous aussi avez dû être effondrée, reprit-elle.

— Je n'en suis pas encore remise. Elle était si gentille ! J'ai perdu ma propre mère lorsque j'étais enfant, alors c'était tellement bon d'avoir Dorothea... Bien, je peux aller demander ce citron pour le thé, à présent ?

Francesca eut un sourire de pure forme. Lydia ne lui avait pas semblé nourrir une affection particulière pour sa belle-mère jusque-là.

— Oui, bien sûr ! Et pardonnez mon indiscrétion.

Elle avait hâte de tout raconter à Bragg.

— Alors, risqua Maggie Kennedy. Qu'en pensez-vous ?

Debout devant la psyché, Francesca ouvrait des yeux ronds.

— Mademoiselle Cahill ? Ça vous plaît ? s'inquiéta Maggie.

— Ce n'est pas moi, articula Francesca.

La femme qu'elle contemplait était une vision, une vision hardie en rouge sombre. C'était une tentatrice, une séductrice, il n'y avait rien d'intellectuel en elle. La personne qui lui faisait face n'était pas une réformatrice, ni un bas-bleu, mais une créature qui n'avait qu'une idée en tête : séduire les hommes.

— Vous êtes si belle, murmura Maggie. C'est même peut-être un peu trop…

La robe était fort décolletée et moulante. Francesca se sentait nue dans le tissu arachnéen. Le corsage était bordé de dentelle, et la soie, au motif sinueux ton sur ton, ondulait voluptueusement sur ses hanches, ses reins, ses cuisses, avant de s'évaser avec grâce autour de ses chevilles. D'ordinaire, les robes du soir avaient des jupes plus larges.

— Je ressemble à ma sœur.

— Pas vraiment, répliqua Maggie en croisant son regard dans le miroir. Constance est si… lisse, et… froide. Il n'y a rien de froid dans cette toilette.

— Tout le monde va me regarder, dit Francesca en frissonnant.

— Sûrement !

Bragg s'évanouirait en la voyant, songea-t-elle. Puis elle sentit une vague d'excitation monter en elle. Non, il ne s'évanouirait pas, mais il serait incapable de dire non la prochaine fois qu'elle se retrouverait dans ses bras.

Hart aussi l'admirerait.

Elle se raidit. Elle ne l'avait pas revu depuis qu'elle l'avait giflé. Était-il encore furieux ? Elle avait le désagréable pressentiment qu'il était du genre rancunier, et elle ne se réjouissait pas vraiment à l'idée de croiser son chemin.

— Puis-je desserrer votre chignon ? Vos cheveux sont beaucoup trop tirés.

Francesca hésita. Mais, après tout, pourquoi pas ? Contrairement à la majorité des femmes, elle détestait se faire coiffer, aussi se contentait-elle de nouer ses cheveux sur la nuque, bien que la mode exigeât plus de souplesse.

— Je peux vous les friser, suggéra Maggie. Il n'est que 17 heures, nous avons le temps.

Francesca était attendue chez les Channing à 19 heures. Elles avaient le temps, en effet. Maggie avait tenu à ce qu'elle essaye la robe de bonne heure, au cas où quelques retouches auraient été nécessaires, mais elle lui allait à la perfection.

— D'accord, dit Francesca. Je vais jouer le grand jeu, pour une fois.

Maggie sourit.

On frappa à la porte, et la tête d'Evan apparut dans l'entrebâillement

— Francesca, as-tu vu… ?

Il s'interrompit, éberlué.

— Je t'en prie, s'écria sa sœur, si tu dois faire un commentaire, qu'il soit gentil ! J'ai l'impression d'être une petite fille déguisée en dame.

Evan entra dans la pièce en laissant échapper un sifflement admiratif.

— Je n'aurais jamais imaginé que tu puisses avoir une telle allure. Tu vas briser des douzaines de cœurs, ce soir !

— Tu crois ?

Un seul cœur l'intéressait, et le briser ne faisait pas partie de ses projets.

254

— J'en suis sûr ! C'est votre œuvre ? demanda-t-il à Maggie.

La jeune femme acquiesça, toute rose de plaisir.

— Oui, monsieur.

— Auriez-vous enfin l'amabilité de m'appeler Evan ? dit-il avec une feinte exaspération. Madame Kennedy ?

Elle esquissa un sourire, mais baissa la tête.

— J'essaierai.

— Je me demandais, reprit-il, si vous me permettriez d'emmener de nouveau les garçons faire une promenade en traîneau demain. Ils se sont bien amusés, cet après-midi.

— C'est très gentil, merci. Je n'y vois aucune objection.

— Peut-être aimeriez-vous vous joindre à nous ? Disons, vers midi ?

Maggie le regarda, stupéfaite.

— Oh, mais je ne peux pas ! J'ai la garde-robe de Mlle Cahill à terminer, et…

Pour un peu, Francesca se serait dit qu'il existait une sorte de lien romantique entre son frère et Maggie. Mais c'était impossible. Evan aimait les femmes les plus belles, les plus élégantes – des femmes comme Bartolla Benevente, ou sa maîtresse, l'actrice Grace Conway. Maggie était jolie, mais elle était couturière, et jamais Evan ne lui porterait une attention particulière.

— Maggie, intervint-elle, je serais ravie que vous alliez vous promener en traîneau avec mon frère et les enfants. Cela vous changera les idées. En fait, ce sera tellement plaisant que si j'étais invitée, j'irais aussi !

Evan sourit, la prit dans ses bras, lui écrasant les côtes, et la souleva de terre.

— Evan ! Ma robe !

— Oh, oh ! Tu ne te sens plus déguisée ?

Il adressa un clin d'œil à Maggie.

— Bravo ! À demain midi, alors.

Il sortit à grandes enjambées, négligeant de fermer la porte derrière lui.

Francesca eut un petit rire nerveux. Jamais son frère ne lui mentirait, donc, s'il appréciait réellement sa robe...

— Vos cheveux, fit Maggie d'une voix étrangement altérée.

Francesca fit volte-face, mais Maggie regardait ailleurs.

Francesca pénétra dans la salle de bal au bras d'Evan, derrière leurs parents. Il souriait fièrement, et Francesca ne s'était jamais sentie aussi bien, surtout à une soirée. Julia était également fort contente. En voyant sa fille dans sa robe de soie rouge, un pendentif de perle et diamant au cou, les cheveux flous, elle avait cru un instant qu'il s'agissait d'une inconnue. Elle avait même murmuré, stupéfaite :

— Francesca ? C'est bien toi ?

Pour une fois, Francesca avait été ravie d'obtenir l'approbation de sa mère, et c'était un sentiment très curieux.

Ils avaient quelques minutes de retard et, tandis qu'ils saluaient Sarah, sa mère et Bartolla, l'invitée d'honneur, Francesca nota que la salle de bal était déjà bien remplie. Elle aperçut Constance et Montrose entourés d'un groupe d'amis. Sa sœur souriait et bavardait, mais Neil semblait maussade.

Francesca éprouva un pincement de culpabilité. Elle avait complètement oublié de passer le voir. De toute évidence, leurs problèmes n'étaient pas résolus, et elle éprouva brusquement le besoin de les aider à traverser cette passe difficile.

— Quelle robe somptueuse, Francesca !

Elle croisa le regard de Bartolla qui la détaillait de la tête aux pieds sans sourire. Elle tressaillit, car elle avait l'étrange impression que sa nouvelle amie n'aimait pas la voir ainsi vêtue.

— Merci.

— Il faut que vous me donniez le nom de votre couturière, reprit Bartolla, son délicieux sourire retrouvé.

Elle portait une robe de satin vieil or ornée de dentelle, et plus de diamants que Julia elle-même. Le doré n'était pas la teinte qui la flattait le plus, mais elle n'en demeurait pas moins une fort jolie femme, et bien des hommes regardaient dans leur direction.

Francesca croisa le regard d'un gentleman, et il lui sembla soudain que c'était *elle* que l'on admirait.

Elle devait se tromper. Forcément.

— Est-ce bien là ma belle-sœur ? lui souffla Montrose à l'oreille.

Elle sursauta. Elle ne l'avait pas entendu approcher. Elle remarqua que Constance était restée avec ses amis, à l'autre bout de la pièce, d'où elle lui fit un petit salut de la main. Elle avait l'air incrédule, elle aussi.

— Bonsoir, Neil !

Impulsivement, elle embrassa son beau-frère sur la joue.

Il recula, déconcerté. Mais quoi de plus normal ? Pendant des années, elle avait bredouillé et bégayé en sa présence, et cela ne faisait que quelques semaines qu'elle l'avait surpris avec sa maîtresse dans une situation des plus compromettantes.

— Est-ce bien ma petite sœur ? répéta-t-il.

— Je n'ai pas changé. Ne vous laissez pas duper par une toilette. Comment allez-vous ?

Il s'était déjà rembruni.

— Très bien, répondit-il.

Elle lui glissa son bras sous le sien, et ils se mirent à déambuler autour de la salle. Des serveurs en spencer passaient avec des plateaux couverts de flûtes de champagne et de verres de punch. D'autres, en gilet blanc, offraient des amuse-bouches. Le dîner serait servi à 20 h 30, dans la salle à manger adjacente où cinquante tables avaient été dressées, nappées de lin blanc, ornées de fleurs, d'argenterie et de cristaux. Plusieurs invités saluèrent Neil au passage, et de nombreuses têtes se retournèrent sur Francesca.

— Vous n'avez pas l'air d'aller bien, lui avoua-t-elle franchement. Neil, est-ce qu'on me regarde ?

Il eut un bref sourire las.

— Bien sûr ! Vous êtes la plus jolie femme de la soirée. Sans exception.

Francesca croisa son regard turquoise et comprit à quel point elle avait changé. Jadis – cela lui paraissait si loin ! –, elle s'était entichée de cet homme. À sa manière, en sœur cadette qu'elle était, elle était tombée désespérément amoureuse de lui le jour même où il avait été présenté à Constance. Des années durant, elle l'avait adoré. Jusqu'au mois dernier, en fait, où elle avait découvert son infâme secret.

— Vous savez, il y a encore un mois, j'aurais donné ma vie pour entendre un tel compliment dans votre bouche.

— Vous avez changé, acquiesça-t-il. La petite fille est devenue une femme sûre d'elle.

Elle rougit.

— Merci, Neil. Mais c'est de vous que je voulais parler.

Ses yeux s'assombrirent.

— En même temps, vous n'avez pas changé, Francesca. Je n'ai pas envie de vous parler de moi ni de mes affaires personnelles. Je vous en prie, cette fois, ne vous en mêlez pas.

— Je veux simplement vous aider, Neil.

Il se contenta de baisser les yeux sur elle.

Il aurait pu dire : « Vous en avez fait assez comme ça », mais il s'en abstint. Après tout, c'était elle qui avait révélé à Constance son infidélité. Cela dit, sa sœur avait déjà des soupçons, et elle lui avait demandé de lui révéler ce qu'elle savait.

— Y a-t-il quelque chose que je puisse faire ?

— Pas vraiment, répondit-il, sombre.

Soudain, il se raidit.

Francesca se retourna spontanément, et vit Hart s'arrêter près du petit groupe dans lequel se trouvait Constance. Son cœur fit un bond.

Sa sœur le laissa lui baiser la main, il dit quelque mot, et elle sourit. Neil s'élança en avant.

Francesca le retint par le bras.

— Ne vous tracassez pas au sujet de Hart, Neil.

— Ah bon? Nous allons régler cela ce soir, j'en suis sûr.

— Neil, écoutez-moi! le supplia Francesca à voix basse. J'ai parlé à Hart. Il n'importunera pas Constance, j'en suis certaine.

Neil revint à elle.

— Quoi?

Francesca répéta ce qu'elle venait de lui dire.

— Et vous le croyez? Cet homme n'a pas une once de moralité. Il ne fait que mentir. Il sent que Constance est vulnérable en ce moment, et il en profite pour la pourchasser sans relâche.

Il avait un mauvais sourire aux lèvres, et Francesca frémit de tout son être.

— Vous l'aimez sincèrement, n'est-ce pas?

— Oui. Et que Dieu me pardonne, car je l'ai perdue.

Ses paroles, et plus encore son ton l'alarmèrent vraiment.

— Elle vous aime, Neil. Mais elle a besoin d'un peu de temps pour s'y retrouver dans ses sentiments. Elle a beaucoup souffert.

— Croyez-vous que je l'ignore? Seigneur! Comme j'aimerais effacer ce que j'ai fait!

— Pourquoi? ne put s'empêcher de demander Francesca. Pourquoi êtes-vous allé trouver une autre femme?

Il se ferma.

— Cela ne vous regarde pas.

Il libéra son bras d'une secousse et se dirigea à grands pas vers son épouse, et Hart.

Francesca s'aperçut soudain que ce dernier la fixait. Dès que leurs regards se croisèrent, il lui tourna le dos. Son cœur se mit à battre plus vite.

Elle tenta de se ressaisir. C'était la dernière personne qu'elle eût envie de voir! Vraiment. Pourtant il fallait qu'elle en finisse avec ses excuses et, plus important, qu'elle prévienne toute bagarre entre Montrose et lui. Elle suivit son beau-frère, avec l'impression de monter à l'échafaud.

Comme elle approchait du petit groupe, elle sentit tous les regards converger sur elle, hormis, naturellement, celui de Hart, qui continuait à lui tourner le dos.

Montrose enlaça la taille de Constance, un peu rudement sans doute, car elle tressaillit.

— Hart, dit-il froidement en guise de salut.

Hart soupira, mélange d'agacement et d'ennui.

— Montrose.

Francesca les avait rejoints.

— Constance! s'écria-t-elle en s'interposant directement entre les deux hommes.

Ils étaient aussi athlétiques l'un que l'autre, et elle eut l'impression de se trouver entre deux trains lancés à pleine vitesse.

— Tu es ravissante, ce soir, dit-elle à sa sœur.

En vérité, Constance l'était toujours, et Francesca n'avait même pas remarqué qu'elle portait une robe turquoise – de la couleur des yeux de son mari.

Sa sœur sourit.

— Francesca? C'est bien toi?

Exactement les mêmes mots que Julia.

— C'est bien moi.

Elle faisait face à sa sœur, intensément consciente de la présence de Hart derrière elle. Son regard semblait la transpercer. Elle avait beau s'être habituée à sa robe, elle se sentait de nouveau nue, brusquement. Prenant son courage à deux mains, elle pivota.

— Bonsoir, Calder.

Il lui décocha un regard froid, puis la parcourut d'un bref coup d'œil à la fois grossier et indifférent.

Elle fut affreusement choquée.

Pas tant par sa froideur que par son expression. C'était celle d'un homme concentré sur le sexe, qui venait de décider qu'elle ne valait pas le moindre effort. Comme s'il s'agissait d'un quartier de viande.

— Mademoiselle Cahill.

Le signe de tête fut brusque, puis il s'éloigna sans avoir daigné sourire.

Francesca en resta bouche bée.

Il y eut quelques gloussements nerveux parmi les dames.

— Francesca ? Qu'est-ce que cela signifie ? demanda Constance, stupéfaite.

À son grand étonnement, Francesca sentit les larmes lui monter aux yeux. Elle entendit à peine sa sœur, car elle avait déjà relevé sa jupe et courait derrière Hart.

— Attendez !

Il hésita, puis continua à avancer.

— Hart ! Bon sang !

Il se retourna enfin, les mâchoires crispées à se briser les dents.

À bout de souffle, elle le rejoignit.

— Je suis désolée.

— Vraiment ?

— Oui, je suis désolée, répéta Francesca qui s'aperçut qu'elle transpirait.

« Au temps pour la beauté ! » songea-t-elle.

— Mais vous aviez dépassé les bornes, ajouta-t-elle.

Il fit mine de poursuivre son chemin.

Elle lui agrippa le bras.

— Vous étiez…

— Je défendais votre vertu, coupa-t-il brutalement. Stupidement, je dois dire.

— Ma vertu n'a pas besoin d'être défendue, répliqua-t-elle, à la fois méfiante et nerveuse.

— Pas par moi, en effet. Mais, curieusement, je me sentais le devoir de vous empêcher de commettre une erreur irréparable – qui vous briserait le cœur.

Francesca se mordit la lèvre.

— Je suis une adulte.

— Non, vous ne l'êtes pas.

Elle ouvrit la bouche pour protester, mais il enchaîna :

— Une robe rouge ne fait pas de vous une femme, Francesca.

Ses paroles la blessèrent. Il dut s'en rendre compte, car il se radoucit.

— Vous êtes très belle, ce soir, mais vous n'êtes pas une femme adulte.

— J'ai vingt ans !

— Avec le nez dans les livres et la tête dans les nuages.

— Vous êtes un sceptique !

— C'est vrai.

Ils se fixaient sans ciller.

— J'apprécie le fait que vous vouliez me protéger, Calder. J'ai réagi trop vivement. Ne pouvons-nous oublier simplement ce qui s'est passé ?

Elle se tut. Son regard avait glissé sur son décolleté.

Jamais il ne l'avait regardée ainsi, elle en était consciente. Il n'y avait rien là de désobligeant, et il ne savait sans doute même pas qu'il s'était arrêté sur ses seins. Elle avait envie de croiser les bras sur sa poitrine, mais cela aurait été puéril, et elle se l'interdit.

— Calder, je vous en prie...

Elle avait du mal à s'exprimer. Il revint à son visage.

— Nous sommes amis, insista-t-elle, et notre amitié est très importante pour moi. Je ne sais pas ce qui m'a pris. Je n'ai jamais frappé personne de ma vie. Ne pouvons-nous oublier ce qui s'est passé ? répéta-t-elle.

Le temps parut se suspendre. Elle transpirait de plus en plus. Elle avait l'impression que la terre s'était arrêtée de tourner. L'instant lui paraissait capital. Elle aurait aimé lui offrir un sourire vainqueur, ou lui prendre la main, ou faire quelque chose qui l'incite à lui pardonner vraiment, mais elle était pétrifiée.

— Je ne veux pas renoncer à notre amitié, dit-il enfin, mais ne me frappez plus *jamais*, Francesca, ou vous le regretteriez amèrement.

Elle frémit, car la menace était bien réelle. Que ferait-il si elle recommençait? Non pas qu'elle en eût l'intention, bien sûr! Elle secoua la tête afin de s'éclaircir les idées. En vain.

— Je ne vous giflerai plus jamais, Calder.

— Non, je ne pense pas, en effet.

— Et...

Elle hésita une seconde avant de céder à une impulsion. Elle lui effleura la manche.

— ... je sais que vos intentions étaient bonnes. Je...

Elle s'interrompit.

Hart ne l'écoutait pas. Il fixait ses jambes comme s'il pouvait voir à travers sa robe, qui du reste laissait peu de place à l'imagination.

À celle de Hart, en tout cas. À quoi avait-elle pensé lorsqu'elle avait choisi de porter cette robe?

— Hart?

Il leva les yeux, et elle aurait juré qu'il avait rougi.

— Oui?

— Alors, amis? demanda-t-elle d'une voix un peu rauque.

— Amis.

Leurs regards demeurèrent rivés l'un à l'autre, et elle fut soudain prise d'une envie absurde, invraisemblable, de virevolter autour de lui en lui demandant s'il aimait sa robe. Elle rêvait tout à coup de se montrer coquette, d'onduler des hanches, de jouer les allumeuses. Mais l'autre Francesca, le bas-bleu, la réformatrice savait que jamais elle n'oserait faire une chose pareille. Car il aurait fallu être stupide pour ignorer que quelque chose avait changé entre eux, désormais; ce quelque chose était profond, sombre, effrayant.

Et Hart n'était pas un homme avec lequel on joue.

Comme elle l'avait dit à Constance, on risquait de se brûler à jouer avec le feu.

Le regard de Hart s'altéra, il perdit toute expression, comme si un voile avait été jeté sur son âme.

Il esquissa un sourire crispé.

— Eh bien, ce pourrait être votre jour de chance.

Son intonation lui déplut. Déjà très tendue, elle se tendit davantage lorsqu'elle se retourna.

Bragg se tenait à quelques pas, et elle se demanda depuis combien de temps il était là.

15

Elle oublia aussitôt Hart qui passa vivement devant eux. Elle sourit, mais Bragg ne se dérida pas.

— J'ai cherché à vous joindre toute la journée, commença-t-elle, nerveuse.

Elle n'avait rien fait de mal, alors pourquoi se sentait-elle dans la peau d'un voleur pris la main dans le sac?

Il la dévisageait, puis il regarda sa robe, revint à ses yeux.

— Que se passe-t-il entre Hart et vous?

— Rien du tout. Depuis combien de temps étiez-vous là?

— Suffisamment pour constater qu'il vous contemplait comme il contemple toutes les femmes.

Il était visiblement en colère.

— Si vous le prenez seulement pour un ami, poursuivit-il, vous vous trompez du tout au tout.

Elle était contrariée, mécontente et, curieusement, sur la défensive.

— Nous sommes de simples *amis*, Bragg, s'entêta-t-elle.

Pour couronner le tout, voilà qu'elle avait l'impression de mentir.

— Il m'a même fait remarquer qu'une robe rouge ne faisait pas de moi une femme adulte.

Elle s'empourpra à ce souvenir. Mais évidemment, elle n'était pas le genre de femme à impressionner un homme comme Hart.

— Et il se montre grossier et insultant de surcroît ! commenta Bragg qui se radoucit quelque peu. Vous êtes de toute évidence une femme adulte, Francesca. Mon regard a été attiré par vous dès que je suis entré dans cette pièce. L'espace d'un instant, je ne vous ai pas reconnue.

Il s'autorisa un demi-sourire, quoique sans joie.

Elle se rapprocha de lui. Elle avait choisi cette toilette en pensant à lui, à sa réaction lorsqu'il la verrait.

— Ce n'est pas ainsi que vous m'aimez, risqua-t-elle, comme la révélation la frappait de plein fouet.

— Ce n'est pas ça ! répliqua-t-il vivement.

— Je le lis dans vos yeux.

Elle était stupéfaite, consternée... ébranlée.

Il hésita.

— Comment pourrais-je ne pas vous apprécier dans cette tenue ? Tous les hommes présents vous regardent... vous admirent.

Elle ne comprenait que trop bien son erreur.

— Vous n'êtes pas jaloux, dit-elle.

Ce n'était pas une question.

— Non.

Elle se mit à trembler imperceptiblement.

— Vous admirez la réformatrice, l'intellectuelle, l'enquêtrice même.

— Ne vous méprenez pas, Francesca.

— Je vous comprends parfaitement, murmura-t-elle, bouleversée au plus profond d'elle parce que c'était vrai. Je ne suis pas réellement moi, ainsi, et nous sommes les seuls à le savoir, vous et moi.

Ils se fixèrent longuement.

— Oui, dit-il enfin à voix basse. Vous n'êtes pas la dame en rouge.

Il avait tellement raison. Elle n'était pas, elle ne serait jamais la dame en rouge. Et il s'en moquait. Il l'aimait pour ce qu'elle était vraiment. Comment pouvait-il si bien la connaître ? Comment était-il possible qu'elle parvienne à lire dans ses pensées ?

— C'est drôle, dit-elle lentement. J'ai accepté la coupe de cette robe, le tissu, la couleur, tout, en imaginant votre regard lorsque vous me verriez dans cette toilette. Et cependant, je ne me suis jamais sentie à mon aise, ni quand je l'ai choisie ni quand je l'ai enfilée ce soir.

— Le regard que je pose sur vous est toujours le même. Vous pourriez être en haillons, qu'il ne changerait pas.

Une fois encore, la réponse n'était pas celle qu'elle espérait – pas du tout. Pourtant, c'était mieux, tellement mieux. Et elle avait terriblement honte d'avoir – ne serait-ce que fugitivement – trouvé Hart séduisant.

— Comment est-ce arrivé? Mon univers a basculé du jour au lendemain, Bragg. J'étais une réformatrice, une étudiante, et plus rien n'est pareil, désormais.

Il sourit.

— La vie est imprévisible. Mais rien ne vous empêche de redevenir uniquement une étudiante et une réformatrice.

Elle mit les mains sur ses hanches.

— Sur ce, que diriez-vous de marcher un peu? J'ai essayé de vous joindre toute la journée pour vous communiquer une nouvelle qui pourra peut-être nous aider dans notre enquête.

Elle se sentait en terrain plus sûr.

Il soupira et leva les yeux au ciel, mais il souriait, visiblement soulagé lui aussi de revenir à un sujet moins personnel.

— Ah, même en rouge, la jeune femme qui me plaît tant est de retour.

— Elle n'a jamais disparu.

Il lui prit le bras et, tandis qu'ils traversaient la salle de bal, elle se rendit compte que des têtes se tournaient vers eux – vers elle.

— Cela n'a peut-être aucun intérêt, le prévint-elle. Il se trouve que ma cliente, Lydia Stuart, est jeune mariée. Or, un mois après son mariage, sa belle-mère a été assassinée. Comme elle est enterrée ici, je suppose qu'elle est morte dans cette ville. mais ils vivaient à Philadelphie, alors il est possible que je me trompe sur ce point.

Il s'arrêta et la regarda avec de grands yeux.

— Comment a-t-elle été tuée ?

— Au cours d'un banal cambriolage. Elle a surpris un voleur, et il l'a poignardée. Apparemment, il a dérobé quelques bijoux. On ne l'a jamais arrêté.

— Intéressant ! La plupart des cambrioleurs préfèrent s'enfuir sans leur butin plutôt que de tuer. Et la voiture des Stuart était devant l'église le jour de l'enterrement. Lincoln était en rendez-vous, aussi n'ai-je pas eu l'occasion de lui parler. En revanche, je suis passé voir Mme Stuart. Elle prétend qu'elle est restée toute la journée chez elle avec une migraine, et que c'est son mari qui a pris la voiture.

Il fit une pause, puis ajouta :

— Je les ai vus arriver il y a quelques minutes.

— Ils sont là ? s'étonna Francesca.

— Oui, et j'ai entendu Mme Stuart s'extasier d'avoir été invitée.

— En effet, elle a été invitée cet après-midi par Sarah et Bartolla, mais elle n'envisageait pas de venir.

Par-dessus l'épaule de Bragg, Francesca accrocha le regard d'un beau jeune homme blond qui lui sourit. Elle se détourna.

C'est alors qu'elle aperçut Bartolla, entourée de six messieurs qui la courtisaient ostensiblement. Ce n'était guère surprenant, et elle ne fut pas étonnée non plus de constater qu'Evan faisait partie du groupe. Cependant, deux des gentlemen lui sourirent à elle, Francesca, et cela la stupéfia.

Bartolla regarda dans sa direction, cherchant à voir qui distrayait ses admirateurs, et elle lui sourit également.

— Vous savez, dit Francesca, songeuse, peut-être que les gens me regardent parce qu'ils savent que la vraie Francesca Cahill préférerait avoir le nez dans ses livres plutôt que d'assister à une soirée mondaine.

Ou avoir la tête dans les nuages, se souvint-elle.

— À moins qu'ils ne se moquent de moi parce que je me suis habillée en séductrice. Je ne me ridiculise pas, j'espère ?

— Non, répondit-il en lui reprenant le bras. Comment pourriez-vous être ridicule, Francesca ? En fait, vous provoquez une double agitation. Les hommes célibataires veulent savoir qui vous êtes et pourquoi ils ne vous ont pas remarquée plus tôt. Quant aux femmes, elles sont tout simplement jalouses.

Ils quittèrent la salle de bal.

— Votre nouvelle amie, Bartolla, par exemple, est toutes griffes dehors.

Francesca était tellement étonnée qu'elle ne put s'empêcher de glisser un regard par-dessus son épaule. Bartolla était toujours entourée de sa cour, et elle flirtait outrageusement. Mais tout en parlant, elle ne les quittait pas des yeux, Bragg et elle.

— J'espère que vous vous trompez, dit-elle. Vraiment. Je me suis prise d'amitié pour elle. Nous nous ressemblons, par certains côtés. Et nous avons désormais un but commun : libérer Sarah et mon frère des chaînes de leur engagement.

— Les « chaînes de leur engagement » ? N'exagérez-vous pas un peu ? Sarah pourrait bien se révéler la meilleure chose qui soit arrivée à votre frère.

Francesca risqua un dernier coup d'œil en arrière avant de pénétrer dans la bibliothèque où deux messieurs conversaient tranquillement. Ce faisant, elle surprit Hart qui les fixait, Bragg et elle. Il affichait un visage sans expression, et se détourna à l'instant où elle réalisa que c'était son regard à lui qui l'avait contrainte à se retourner.

— S'il vous a fait des avances déplacées, je l'étranglerai de mes propres mains, déclara Bragg qui l'avait vu également.

— Ne parlez pas ainsi! s'indigna Francesca. C'est votre frère!

— Mon demi-frère, et il est une source d'ennuis depuis...

Il s'interrompit, furibond.

— Depuis quand? Depuis le jour de sa naissance?... Je veux que vous deveniez amis, Bragg.

— N'y comptez pas.

— Vous ne vouliez pas qu'il soit condamné pour le meurtre de Randall, lui rappela-t-elle.

Les deux messieurs sortaient de la bibliothèque, et il leur sourit brièvement.

— S'il avait été coupable... commença-t-il.

— Il ne l'était pas, coupa-t-elle.

Une fois dans la bibliothèque, une vaste pièce aux confortables divans et aux murs tapissés de livres, il lui fit face.

— Pourquoi le défendez-vous toujours?

Elle fut prise de court.

— Seriez-vous jaloux? hasarda-t-elle après une hésitation.

— Oui. Parce qu'il est libre et moi pas... en ce qui vous concerne.

Elle sourit.

— Et cela vous fait plaisir? dit-il.

Il haussait les sourcils, mais elle constata que son humour reprenait le dessus.

— Oui... Alors, où étiez-vous, toute la journée?

— J'avais plusieurs réunions officielles. Normalement, les enquêtes policières ne font pas partie de mes tâches. Nous avons trouvé ce matin de bonne heure la lettre que Lizzie O'Brien a écrite à Mary avant sa mort. J'ai envoyé Newman à Philadelphie, et si elle habite toujours à la même adresse, nous pourrions fort bien avoir de ses nouvelles dès ce soir.

Francesca était tout excitée.

— Il va la ramener avec lui?

— Seulement s'il y a une bonne raison de le faire. Il a reçu l'ordre de l'interroger très sérieusement dès qu'il l'aura trouvée, et il sait où me joindre.

Comme elle réfléchissait à ce que pourrait dire ou ne pas dire Lizzie, Bragg regarda à deux fois tandis qu'une personne passait devant la porte ouverte. Il la planta là, et sortit dans le hall.

D'abord surprise, elle lui emboîta le pas, en proie à un soudain malaise. Elle eut tout juste le temps de voir disparaître une femme très menue aux cheveux de jais.

Elle eut peur, soudain.

— Vous connaissez cette personne, Bragg ?

Il secoua la tête, mais il avait deux taches rouges sur les pommettes.

— Vous semblez bouleversé, murmura-t-elle, inquiète. Qui était-ce ?

— Je suis désolé, répondit-il avec un sourire contraint. Un instant, j'ai cru qu'il s'agissait de Leigh Anne.

Francesca en eut le cœur à l'envers.

— Vous ne l'avez vue que rapidement, et de dos. Vous êtes certain que ce n'était pas elle ?

Il secoua la tête.

— Leigh Anne est encore plus petite, et elle a le teint plus clair. Et j'ai tout de même vu le profil de cette femme. Non, ce n'est pas elle. De toute façon, elle ne viendra pas à New York.

Francesca était accablée. Son épouse était à une demi-journée de train de là. Elle était amoureuse d'un homme marié.

Pourquoi ne cessait-elle de l'oublier ?

— Qu'auriez-vous fait si ç'avait été elle ?

— Pardon ?

Le ton était calme, mais il avait l'air égaré. Jamais elle ne l'avait vu ainsi.

— Qu'auriez-vous fait si ç'avait été elle ? répéta-t-elle.

— Je ne vois pas l'intérêt de cette question, répondit-il avec brusquerie.

Son ton lui fit l'effet d'une gifle. Jamais il ne lui avait parlé ainsi, et elle en fut terriblement blessée.

Il se détourna, passa la main dans son épaisse chevelure aux reflets cuivrés.

— Est-elle encore à Boston ?

Il lui adressa un long regard douloureux, puis il la fit rentrer dans la bibliothèque dont il ferma la porte. Elle ne bougea pas.

Il lui prit les mains.

— Je suis navré. Je ne voulais pas vous parler de cette façon, Francesca. Pardonnez-moi.

Elle se dégagea.

— On pourrait presque penser que vous l'aimez encore.

— Je ne l'ai jamais aimée ! s'exclama-t-il.

— Vous m'avez avoué vous-même que vous étiez tombé follement amoureux d'elle au premier regard, répliqua-t-elle.

À son grand désarroi, elle s'aperçut qu'elle était au bord des larmes.

— C'était du désir, rétorqua-t-il sèchement. Rien de plus.

Elle eut l'impression de recevoir une nouvelle gifle.

— Vous n'étiez pas consumé de désir quand vous m'avez vue pour la première fois, dit-elle, amère.

— Qu'en savez-vous ?

— Vous n'avez rien manifesté…

— À l'instant où je vous ai vue, mon univers entier a été chamboulé. Je vous ai remarquée, de l'autre côté de la pièce, avant même que l'on nous ait présentés. Vous étiez d'une extrême beauté et vous sembliez malheureuse. De toute évidence, la soirée vous ennuyait à mourir. Lorsque Andrew m'a présenté à vous, vous avez entamé un débat politique, Francesca. Je me rappelle chacune de vos paroles, je me rappelle tout. Vous portiez une sage robe bleue, exactement du même bleu que vos yeux.

Elle tremblait.

— Est-ce cela, le désir ? souffla-t-elle, sachant que ça n'était pas cela.

Il serra les dents.

— Non, ce n'est pas le désir.

Elle se détourna, mais il lui attrapa le bras, et l'obligea à lui faire face.

— Bien sûr que si, c'est du désir, Francesca, bon sang !

Il l'attira brusquement dans ses bras et, avant qu'elle comprenne ce qui lui arrivait, il plaquait sa bouche sur la sienne, forçait ses lèvres. Sa main s'enroula autour de sa nuque, l'empêchant de bouger. Elle eut l'impression qu'un éclair brûlant la traversait de part en part. Ses mollets heurtèrent le rebord d'un sofa et elle y tomba, Bragg avec elle.

Elle sentit le renflement dur de son sexe contre sa hanche. Le choc en même temps que l'excitation lui arrachèrent un cri. Seigneur, c'était ainsi qu'il était ! songea-t-elle dans le brouillard de la passion.

Il la couvrit de son corps, pesant sur elle de tout son poids, et releva la tête.

Son regard brûlait. Chaleur, désir...

— Ne me dites jamais ce que je ressens, fit-il d'une voix sourde. Seul l'immense respect que j'éprouve à votre égard me retient.

Incapable d'articuler un mot, elle se contenta de hocher la tête.

Il remua sur elle, afin de souligner ses paroles. Il n'y avait pas à s'y tromper ! Il était excité, voulait qu'elle le sache. Et c'était infiniment dangereux.

Il plongea son regard dans le sien. Fascinée, elle ne se déroba pas.

— J'ai eu envie de vous au premier regard, Francesca, mais je suis un gentleman, et je ne l'ai pas montré.

Elle comprit qu'il allait se lever. Non, pas encore ! Impulsivement, elle dégagea l'un de ses bras et le glissa autour de son cou. Cette fois, le baiser vint d'elle.

Elle effleura sa bouche très doucement, elle goûta ses lèvres, puis elle sentit son sexe palpiter de nouveau, et, au comble de l'exaltation, elle ouvrit les jambes en gémissant. Elle avait besoin de lui, tout de suite, là !

Il fourrageait dans ses cheveux, mimait de la langue l'acte d'amour.

Francesca entendit vaguement la porte.

La main de Bragg couvrait son sein à travers la soie rouge, et elle mourait d'envie de caresser sa virilité.

Un bruit de pas l'alerta.

— Bragg...

Elle le repoussa. Il se pétrifia, puis se redressa d'un bond.

Elle tourna la tête, et découvrit Bartolla qui les regardait. La comtesse sourit, puis sortit.

Francesca s'assit, ses cheveux ruisselant sur ses épaules.

Le regard de Bragg allait de la porte, que la comtesse avait gentiment refermée, à Francesca. Il semblait ne pas y croire !

— Merde ! lâcha-t-il.

Jamais elle ne l'avait entendu jurer de cette façon, et elle trouva cela cocasse, vu les circonstances. Elle partit d'un rire hystérique.

Elle traversa le hall le plus discrètement possible et gagna à toute allure le salon réservé aux dames, non sans que quelques couples se retournent sur elle, bouche bée.

C'était une catastrophe ! Elle était complètement échevelée, et sa peau était marbrée de rouge, sans doute à cause de la barbe naissante de Bragg. Heureusement, elle avait ramassé quelques épingles avant de quitter la bibliothèque, et elle parvint à attacher ses cheveux en chignon sur la nuque. Peut-être Constance l'aiderait-elle à réparer les dégâts...

Dans le miroir, elle se trouva méconnaissable.

Elle n'était plus dans les bras de Bragg, mais ne pouvait penser à rien d'autre. Son cœur battait encore à grands coups désordonnés, elle avait du mal à respirer normalement, sa peau fourmillait, son corps palpitait. La femme qui lui faisait face dans la glace était de toute évidence sous l'emprise du désir.

Elle ressemblait à une fille de joie !

Et maintenant qu'allaient-ils faire ?

Elle venait de découvrir un aspect inconnu de la personnalité de Bragg. Un délicieux frisson la parcourut.

Elle tenta de rajuster son corsage, n'y parvint pas tout à fait, et renonça. Enfin, après avoir rassemblé son courage, elle lissa sa jupe et quitta la pièce. Il fallait à tout prix qu'elle s'isole avec Bartolla et qu'elle la supplie de se montrer discrète.

Elle avait peur.

La salle de bal était bondée, et bientôt, les invités seraient priés de passer dans la pièce voisine pour le souper. En attendant, on buvait du champagne, on grignotait des canapés, des groupes s'étaient formés, qui bavardaient ici ou là. Néanmoins, Francesca n'eut aucun mal à repérer Bartolla, entourée d'hommes naturellement.

Tandis qu'elle s'approchait, elle se sentit rougir. Evan se tenait au côté de Bartolla, si proche que leurs hanches devaient se toucher. Lorsqu'il vit sa sœur, il sourit, puis écarquilla les yeux, incrédule. Francesca se prépara à recevoir une verte semonce.

Il se détacha du groupe.

— Que diable t'est-il arrivé ? murmura-t-il. On dirait qu'on t'a lutinée dans le foin !

— Il ne s'est rien passé, mentit-elle. Evan, je t'en prie, pas maintenant !

— Je tuerai celui qui a osé te manquer de respect, commença-t-il.

Elle lui agrippa la main.

— Non. Mêle-toi de tes affaires, Evan, et accepte que ta petite sœur ait grandi.

Il se crispa.

— Je t'en prie, ajouta-t-elle.

Il hésita un peu.

— Dis-moi seulement de qui il s'agit.

Négligeant de répondre, elle se dirigea vers Bartolla.

— Puis-je vous parler un instant ?

La comtesse sourit comme si de rien n'était.

— Certainement.

Elle s'excusa, et suivit Francesca à l'écart.

— Je vous supplie de ne pas parler de ce que vous avez vu ! s'écria la jeune fille, anxieuse.

— Je suis heureuse que vous preniez du bon temps, Francesca, assura Bartolla. Sincèrement.

— Mais je peux compter sur votre discrétion ? insista Francesca.

— Naturellement ! Nous sommes amies, dorénavant, or je ne trahis jamais mes amis.

Francesca fut submergée par une immense vague de soulagement.

— Merci.

Bartolla lui pressa la main.

— Mais j'espère que vous savez ce que vous faites. Un homme marié est un choix extrêmement dangereux, pour une jeune célibataire innocente telle que vous.

Francesca vira à l'écarlate.

— Je ne fais rien.

— Vraiment ? Ce n'est pas ce que j'ai vu ! répliqua Bartolla, amusée.

Francesca était de plus en plus mal à l'aise. Elle espérait de tout cœur pouvoir faire confiance à cette femme qu'elle connaissait à peine.

— Je veux dire que j'ai l'intention de rester son amie, un point, c'est tout.

— Vous êtes amoureuse, follement amoureuse, et lui aussi. Vous ne pourrez jamais vous contenter d'amitié.

Francesca frissonna. En effet, elle ne voulait pas se contenter d'amitié, alors pourquoi était-elle inquiète et effrayée ?

Bartolla lui tapota l'épaule.

— Ne vous tracassez pas trop, ma chère. Cependant, il aurait mieux valu que vous jetiez votre dévolu sur un homme disponible – et moins expérimenté que Bragg.

Francesca se raidit.

— Qu'entendez-vous par « expérimenté » ? Qu'est-ce que cela signifie ?

— Qu'il est plus âgé que vous, qu'il a eu des aventures, et qu'il est marié. Vous êtes vierge, ce qui fait pratiquement de vous une écolière.

— Quelles aventures ? s'écria Francesca.

— Je ne sais pas exactement, répondit Bartolla, un peu agacée. Un homme sexy qui approche les trente ans a forcément de l'expérience, Francesca. C'est tout ce que je veux dire.

— Sexy ?

Francesca n'avait jamais entendu un tel mot.

Bartolla eut un grand sourire.

— Ma foi, il est sexy. Je tenterais bien ma chance, quand vous en aurez assez de lui.

Francesca n'en croyait pas ses oreilles.

— Sauf, bien sûr, que je ne pourrais pas, continuait Bartolla, vu que je suis une amie de Leigh Anne.

— Parlez-moi d'elle, se surprit à demander Francesca, alors même que son instinct lui déconseillait tout à coup de faire confiance à cette femme.

— Que voulez-vous savoir ?

— À quoi elle ressemble ?

— Elle est extrêmement belle. Cent fois plus que moi… ou que vous. Peut-être est-ce à cause de son incroyable fragilité. Les hommes s'agglutinent autour d'elle comme les abeilles autour d'un pot de miel.

L'instinct de Francesca lui soufflait que Bartolla essayait de la déstabiliser. Et elle y parvenait.

— Continuez.

— Mais je crois que c'est son visage qui leur porte le coup de grâce. Un visage tellement pur ! En forme de cœur, avec des joues pleines, d'immenses yeux bleus, une bouche un peu boudeuse. Les hommes adorent les lèvres pulpeuses.

La comtesse haussa les épaules.

— C'est assez déconcertant, car il n'y a pas trace d'innocence en elle, mais à la voir, on dirait un ange.

« De mieux en mieux ! » songea Francesca.

— Comment a-t-elle pu quitter Bragg ?

— Je l'ignore. Elle refuse catégoriquement de parler de lui. Ce qui est significatif, non ?

Francesca croisa les bras bien fort autour de sa taille.

— Que voulez-vous dire, Bartolla ?

— Je pense qu'il y a encore quelque chose entre eux. Si elle est toujours en colère contre lui après tant d'années… Vous n'êtes pas de mon avis ?

Francesca se rappela la réaction de Bragg lorsqu'il avait aperçu la frêle jeune femme brune dans l'entrée. Elle en eut le cœur chaviré.

— Si, murmura-t-elle.

Elle priait toutefois pour qu'il s'agisse de haine.

— Ils ne se sont pas vus depuis quatre ans, la rassura Bartolla. À votre place, je ne m'inquiéterais pas trop pour l'instant.

Francesca esquissait péniblement un sourire lorsqu'elle vit Sarah approcher, radieuse, en compagnie de Calder Hart. Elle en fut contrariée. Il allait deviner au premier regard. Deviner ce qu'elle venait de faire !

— Francesca ! Bartolla ! M. Hart nous invite à venir admirer sa collection d'œuvres d'art. Quand nous voudrons ! s'écria Sarah avec enthousiasme.

Francesca fut incapable de lui sourire. Il lui fallut faire appel à toute sa volonté pour oser regarder Hart.

Ce dernier arborait une expression indéchiffrable, mais il la parcourait lentement du regard. Un inventaire détaillé…

Francesca était effondrée.

— C'est merveilleux, Sarah, murmura-t-elle.

Elle devait se retenir pour ne pas fondre en larmes ! Mais où se réfugier ?

— Vos souliers sont noirs, fit-il remarquer calmement.

Elle n'avait pas eu le temps de commander les mules assorties à sa robe, et celles qu'elle portait étaient trop lourdes, mais elle espérait que personne ne le remarquerait.

— En effet, répondit-elle, la gorge nouée. Sarah est aussi passionnée que vous par l'art, réussit-elle à ajouter.

Il demeura impassible.

— C'est ce qu'elle m'a avoué.

Bartolla eut un soupir impatient.

— Tu ne souhaitais pas dire autre chose à M. Hart, Sarah ?

Celle-ci rougit et leva un regard plein de respect vers Calder.

— Je peins un peu.

Il ne quittait pas Francesca des yeux. Il ne fallait surtout pas qu'elle pleure, qu'il voie à quel point elle était bouleversée ! Il se tourna enfin vers Sarah en souriant.

— Je sais.

La jeune fille ne put cacher sa surprise.

— Mais… comment l'avez-vous appris ?

— Un intéressant portrait de trois enfants qui jouent sous un pont du trolleybus a attiré mon attention à la galerie Hague. Je me suis renseigné, et on m'a informé que l'artiste était Mlle Sarah Channing.

Sarah n'en revenait pas.

— Vous avez du talent, mademoiselle Channing, poursuivit Hart. Dans quelques années, votre œuvre aura acquis la maturité que vous ne pouvez posséder vu votre âge et votre peu d'expérience.

Sarah en rougit de plaisir.

— Je serais ravie de vous offrir cette toile, monsieur Hart. Enfin… si vous en avez envie.

— Hague semble certain de la vendre. Bien que j'apprécie votre offre, et que le tableau me plaise beaucoup, je vous suggère de le laisser réaliser votre première vente.

Sarah acquiesça, mais parut quelque peu déçue par son refus.

Francesca avait envie de dire à Hart d'accepter ce présent, mais elle ne cessait de penser à Leigh Anne, qui se trouvait à une demi-journée de New York. Si elle venait en ville, il n'en sortirait rien de bon, elle en était certaine. Pourtant, Bragg était amoureux d'*elle*, pas de sa femme.

Pour ne rien arranger, elle était intensément consciente de la sombre présence de l'homme qui se tenait devant elle.

— Sarah est brillante, déclara Bartolla. Ses portraits sont de pures merveilles.

— C'est vrai, renchérit Francesca, le regard de Hart de nouveau rivé sur elle. Celui qu'elle a réalisé de Bartolla est saisissant. Elle est parvenue à capter sa personnalité.

Seigneur, sa voix chevrotait !

— Vraiment, fit Hart sans ciller.

— J'aime prendre les femmes pour modèles, expliqua Sarah. Je ne sais pas pourquoi, mais je tente toujours de restituer l'essence de la personne que je peins, et pas seulement son apparence physique. C'est comme un défi que je me lancerais !

— Je vous passerai peut-être une commande, dit Hart, pensif.

Sarah ouvrit de grands yeux.

— C'est une excellente idée, commenta Bartolla. Vous ne serez pas déçu.

Francesca en oublia un instant ses problèmes. Sarah était pétrifiée. Elle oscillait entre choc, espoir et excitation. Cela pouvait décider de sa carrière. Hart était un collectionneur de renommée mondiale. Son simple aval pourrait la propulser sur la scène internationale.

— Accepteriez-vous de faire un portrait pour moi ? reprit-il, en se tournant vers la jeune fille.

— Bien sûr !

— Nous pourrons discuter du prix à un autre moment.

— Je le ferai gratuitement ! s'écria Sarah qui tremblait d'émotion.

Il eut un sourire incroyablement doux.

— Je paierai ce tableau, mademoiselle Channing.

Cette dernière en demeura muette de saisissement. Impulsivement, Francesca l'étreignit.

— C'est merveilleux ! Finalement, vous êtes gentil, ajouta-t-elle à l'adresse de Hart.

— Non, répondit-il froidement.

Son intonation et son expression lui déplurent. Elle eut le brusque pressentiment qu'un coup mortel allait suivre.

— Oh, oh ! Je sens l'explosion proche ! s'exclama Bartolla joyeusement. Alors, qui sera le sujet du portrait, Hart ?

Il la gratifia d'un sourire tendu, puis planta son regard sombre dans celui de Francesca.

— Mlle Cahill.

Francesca sentit un grand froid l'envahir.

— Telle qu'elle est là. Dans cette robe rouge, ses cheveux remontés à la hâte, le corsage de travers. Exactement ainsi.

Sur ce, il s'éloigna à grandes enjambées.

16

Mardi 11 février 1902, 1 heure

Francesca était entourée de Bartolla, de Sarah et d'Evan, ainsi que d'un couple de jeunes fiancés éperdument amoureux, John et Lisa Blackwell. Il y avait en outre deux messieurs, et Hart était l'un d'eux. Francesca soupçonnait sa mère d'être derrière ce choix.

Ils étaient à table depuis environ une demi-heure, et l'on avait déjà servi l'entrée arrosée de champagne brut. Hart ne lui avait pas adressé la parole une seule fois, ni n'avait daigné lui accorder un regard. Il s'entretenait avec John Blackwell de la situation politique des régions où leurs sociétés d'import-export possédaient des bureaux.

En dépit de l'affreuse migraine qui la tenaillait, Francesca écoutait leur échange. Elle apprit ainsi avec intérêt que Hart allait souvent à Hong Kong ou à Constantinople. Si elle ne s'était pas sentie aussi mal, elle aurait volontiers posé des questions sur le régime actuel d'Arabie, que ses caravanes traversaient. Mais là, elle n'avait aucune envie de participer à la conversation, oh, non !

Elle savait qu'il n'avait nullement l'intention de commander son portrait. Il avait utilisé ce prétexte pour lui dire, à sa manière tordue, qu'il savait ce qui s'était passé et qu'il désapprouvait. Comme si son opinion lui importait ! Il n'en demeurait pas moins que c'était cruel de sa part, car la pauvre Sarah en était encore toute chamboulée. Elle imaginait sans doute déjà la pose qu'elle lui ferait prendre. Quoi qu'il en soit, il n'était pas question de poser pour un portrait qui serait destiné à ce goujat !

Bartolla croisa son regard et sourit. Francesca fut incapable de lui retourner son sourire.

Elle se demandait si elle n'allait pas invoquer une excuse pour rentrer à la maison. L'intermède entre Bragg et elle l'avait profondément ébranlée. Étrangement, elle s'accrochait au souvenir de leur étreinte comme si c'était l'événement le plus important de sa vie. Et puis, elle ne pouvait s'empêcher de s'interroger sur sa réaction lorsqu'il avait vu cette jeune femme qui ressemblait à son épouse. Elle aurait tellement voulu que cela n'ait pas eu lieu justement ce soir…

— Tu es bien silencieuse, Francesca, fit remarquer Evan alors que Hart et Blackwell venaient de s'interrompre afin de boire une gorgée de champagne.

— La journée a été longue, répondit-elle. Je suis lasse.

Hart tourna enfin la tête vers elle.

Elle soutint son regard, s'efforçant d'afficher une expression aussi impassible que lui.

Il était impossible de deviner ses pensées, mais la tension était franchement intolérable. Elle n'osait bouger de crainte de le toucher. Et, avec Sarah de l'autre côté, qui risquait de tout entendre, elle ne pouvait lui reprocher son attitude ou lui demander pourquoi ils étaient encore brouillés.

Ils n'auraient pas dû l'être ! Ils avaient réglé le problème de la gifle.

— Alors, quand allez-vous poser pour Sarah, Francesca ? lança Bartolla.

Un demi-sourire aux lèvres, Hart s'appuya au dossier de sa chaise.

Francesca aurait pu étrangler la comtesse.

— Je n'en ai aucune idée.

— Pourquoi pas demain ? suggéra Sarah avec passion.

— Vous peignez ? intervint Lisa Blackwell.

C'était une jolie blonde aux yeux bruns, et jamais Francesca n'avait vu deux personnes aussi éprises que Lisa et John. Il n'y avait rien d'artificiel chez elle, elle respirait la franchise.

— Oui, avoua Sarah dans un souffle.

— C'est une artiste remarquable, déclara Bartolla. D'ailleurs, M. Hart lui a commandé un portrait de Francesca.

— C'est merveilleux !

Lisa considéra tour à tour Hart et Francesca, et on entendait presque résonner les cloches du mariage dans sa tête.

— Tiens, tiens, fit John Blackwell, le célibataire le plus convoité de la ville aurait-il enfin rendu les armes ?

— Appelez ça comme vous voudrez. J'ai simplement eu une brusque envie de posséder un portrait de Mlle Cahill.

Il tournait pratiquement le dos à Francesca, qui le foudroya d'un regard qui signifiait : « Pas pour tout l'or du monde ! »

Il posa de nouveau les yeux sur elle. Alors qu'elle était furieuse, il paraissait parfaitement maître de lui. Elle eut envie de lui flanquer des coups de pied, ne serait-ce que pour obtenir une réaction.

— Je suis si heureuse que j'en ai le souffle coupé ! reprit Sarah. M. Hart a envie de posséder une de *mes* toiles !

— C'est une chance immense, observa Evan.

Les yeux de Sarah scintillaient.

— Oh, oui ! Et vous n'imaginez pas ce que cela signifie pour moi !

— Je m'en réjouis, dit-il aimablement.

— Merci, Evan.

Soudain, Francesca aperçut Bragg qui se frayait un chemin entre les tables et se dirigeait vers la sortie. On l'avait placé à quelque distance d'elle, en compagnie des notables de la ville. Puis elle repéra l'inspecteur Newman qui patientait sur le seuil.

Il était rentré de Philadelphie !

Elle bondit sur ses pieds.

— Excusez-moi. Je reviens.

Elle sourit à la ronde, et s'élança derrière les deux hommes, qui avaient déjà disparu.

Lorsqu'elle les rejoignit, Bragg écoutait d'un air concentré Newman qui s'exprimait avec véhémence.

— Que se passe-t-il ? s'enquit-elle.

— Eh bien…

— Eh bien quoi ? s'impatienta-t-elle. Vous avez trouvé Lizzie O'Brien ?

Bragg répondit à la place de son subordonné :

— L'adresse que Lizzie a donnée à Mary est celle d'une maison vide. Une demeure cossue qui est en vente. Parce que son propriétaire s'est récemment marié et qu'il est parti habiter à New York.

Francesca mit un moment à assimiler ce fait nouveau.

— Vous voulez dire que c'est la maison de Lincoln Stuart ?

Bragg sourit.

— Oui.

Sur des charbons ardents, Francesca attendait dans la bibliothèque en compagnie de Newman que Bragg revienne avec Lincoln et Lydia.

Lorsqu'ils arrivèrent enfin, Lydia arborait un visage pâle et anxieux. Lincoln quant à lui exigeait haut et fort des explications.

— Asseyez-vous, je vous en prie, proposa Bragg en désignant un sofa.

— Je préfère rester debout, répliqua sèchement Lincoln. Je veux savoir pourquoi mon épouse et moi avons été arrachés à notre table !

— On vous a priés de venir ici afin que je puisse vous poser quelques questions, monsieur Stuart, répondit posément Bragg. Je travaille vingt-quatre heures sur vingt-quatre à une enquête policière, au sujet de laquelle votre femme et vous pourrez peut-être me fournir des éclaircissements.

Lincoln lui décocha un regard noir.

— Je n'ai rien à voir avec une enquête d'aucune sorte.

— Moi non plus, renchérit Lydia, le teint gris cendre, à présent.

— Possédez-vous une maison, actuellement en vente, au 236 Harold Square à Philadelphie, monsieur Stuart ?

Lincoln cligna des yeux.

— Pourquoi cette question ?

— Répondez, s'il vous plaît.

— Oui, en effet.

— Vous en êtes propriétaire, insista Bragg.

— N'est-ce pas ce que je viens de vous dire ?

— Combien de temps y avez-vous vécu ? interrogea Bragg, ignorant le ton hostile de son interlocuteur.

— Deux ans. De quoi s'agit-il ?

— Aviez-vous comme employée une femme du nom de Lizzie O'Brien ?

— Non ! aboya Stuart.

Bragg attendit une seconde avant de reprendre :

— Vous en êtes absolument certain ?

— Absolument. Nous avions trois domestiques, là-bas. Le cocher, Tom, la cuisinière, Giselle, et une femme de chambre. Qui ne s'appelle pas Lizzie mais Jane.

Bragg se tourna vers Lydia.

— Madame Stuart ? N'avez-vous jamais eu, même temporairement, une certaine Lizzie O'Brien parmi vos employés ?

Lydia secoua la tête.

— Il faut que je m'asseye, murmura-t-elle en se laissant tomber sur le sofa. Nous avons fait quelque chose de mal ?

— Non, la rassura Bragg dans un sourire.

Francesca vint s'asseoir près d'elle et lui prit la main. La jeune femme paraissait terrorisée.

— Avez-vous déjà eu recours à Lizzie O'Brien pour des travaux de couture ? insista Bragg. C'était son métier, il me semble.

— Je ne crois pas. Je n'en sais rien.

— Le nom ne vous est pas familier ?

— Non, souffla Lydia.

— J'exige de savoir de quoi il s'agit ! s'exclama Lincoln. Nous sommes en train de manquer l'un des dîners les plus raffinés de ma vie.

— Deux jeunes femmes ont été sauvagement assassinées, monsieur Stuart. Vous avez entendu parler des meurtres à la croix, je suppose ?

Lincoln se dandinait d'un pied sur l'autre, visiblement mal à l'aise.

— Quel rapport avec nous ?

— Lizzie O'Brien pourrait bien être la prochaine victime, si elle est encore en vie.

Stuart était aussi pâle que sa femme, à présent.

— Je ne comprends toujours pas…

Cette fois, le sourire de Bragg n'avait plus rien de rassurant.

— Elle a donné comme adresse à l'une de ses amies le 236 Harold Square.

Lincoln sembla frappé de stupeur. Il regarda son épouse qui était tout aussi surprise.

— C'est tout simplement impossible, articula-t-il enfin.

— Vraiment ? J'ai encore une question, et j'apprécierais une réponse sans détour.

Intriguée, Francesca lui jeta un coup d'œil.

— Qui de vous deux a assisté aux funérailles de Mary O'Shaunessy, et pourquoi ?

— Pardon ? Nous ne connaissons pas de Mary O'Shaunessy, affirma Lincoln.

Lydia se taisait.

— Où étiez-vous lundi, monsieur Stuart ?

— Lundi ?

Il était tout rouge, à présent.

— Lundi, j'étais à mon magasin. De 9 heures à 17 heures, heure de la fermeture.

— Vous n'êtes pas sorti pour déjeuner ?

Lincoln secoua la tête, puis il soupira.

— Bien sûr que si. Mais pouvais-je m'en souvenir, alors que l'on me traite en criminel ? Je suis sorti à midi, comme tous les jours. Il y a un bon petit restaurant à quelques rues de ma boutique.

— Donc, un serveur pourra confirmer que vous vous y trouviez bien lundi à midi ?

— Certainement.

— Madame Stuart ? fit Bragg.

— J'étais à la maison avec une violente migraine.

— Vous voilà satisfait ? reprit Lincoln.

— Etes-vous allé au restaurant à pied ?

Lincoln eut l'air déconcerté.

— Naturellement. Il est tout près. En outre, j'avais laissé la voiture à ma femme.

Les Stuart avaient regagné la salle à manger, Newman était rentré chez lui. Francesca et Bragg se retrouvèrent face à face.

— Lequel des deux ment ? demanda-t-elle enfin.

— Je l'ignore. Mais aujourd'hui leur cocher a été pris d'une brusque crise d'amnésie – il était incapable de se rappeler où il était allé lundi. Je suppose qu'on lui a ordonné de se taire sous peine de perdre son emploi. Je n'ai pas insisté. Je ne voudrais pas qu'il soit renvoyé, surtout si les Stuart sont impliqués.

— Ils le sont forcément ! Leur voiture était devant l'église. L'un d'eux – ou un ami – connaissait Mary O'Shaunessy, déclara Francesca.

Bragg lui tapota l'épaule.

— Calmez-vous. C'est ce qu'il apparaît, mais nous ne disposons pas de toutes les preuves.

— Quel que soit celui qui ment, l'autre le protège.

— Oui.

— Lizzie a forcément travaillé pour eux, Bragg. Pourquoi donner leur adresse, sinon ?

— Vous avez peut-être raison. À moins qu'une de leurs servantes n'ait été une amie de Lizzie, qui s'en serait servie comme boîte aux lettres ? Il nous faudra interroger le personnel. Je me demande si elle est encore en vie, ajouta-t-il sombrement. Quoi qu'il en soit, j'irai faire un tour au 236 Harold Square. En attendant, je vais prévenir la police de Philadelphie dès ce soir, et leur demander de commencer une perquisition en règle.

— Pour chercher un corps ?

— Oui. Et afin de rassembler le maximum d'indices. Nous n'avons pas grand-chose pour l'instant.

— Si on la découvre là-bas, nous saurons avec certitude que le meurtrier est Lincoln Stuart.

— Peut-être. Ou bien Lydia, ou un domestique.

— Vous soupçonnez Lydia ? s'étonna Francesca.

— Je n'élimine personne. Mike O'Donnell reste le suspect le plus plausible, et il est en garde à vue. Mais je vais devoir le relâcher bientôt, Francesca. La loi interdit de retenir quiconque sans charges précises.

— Je sais.

— En outre, le suspect plus évident n'est pas forcément le bon, lui rappela-t-il.

Elle lui effleura le bras.

— Bragg ? Je vous ferais remarquer que vous avez dit : il *nous* faudra interroger le personnel.

Elle souriait.

— C'était un lapsus !

— Admettez donc que je suis indispensable dans cette enquête !

Il soupira.

— Je l'admets. Mais je ne suis pas certain que ce soit uniquement dans l'enquête que vous soyez indispensable.

Elle retint son souffle, anticipant ce qui allait suivre.

— Vous m'êtes indispensable à moi, et c'est arrivé si vite que j'en ai parfois le vertige.

Elle était aux anges. L'angoisse, l'irritation, la tension qu'elle avait ressenties une partie de la soirée disparurent comme par enchantement.

— J'éprouve la même chose, vous le savez, dit-elle doucement.

— Je le sais, oui.

Il y eut un silence. Elle sentait qu'il avait envie de la prendre dans ses bras, mais ils devaient se montrer d'une extrême prudence, désormais.

— J'ai une idée, lâcha-t-elle soudain.

— Voilà qui ne m'étonne guère.

— Les Stuart sont en train de souper. Le bal se prolongera bien au-delà de minuit. Pourquoi ne pas en profiter pour faire un petit tour chez eux ?

— Curieusement, c'est exactement ce à quoi je pensais.

Une bouffée d'excitation l'envahit.

— Alors allons-y sans attendre, proposa-t-elle.

— Ne devriez-vous pas vous excuser ?

— J'enverrai un serveur avertir Evan que je suis rentrée à cause d'une migraine, répliqua-t-elle, rayonnante.

La porte en façade était verrouillée, naturellement. Mais pas la porte de service. Il ne semblait pas y avoir de domestiques lorsqu'ils pénétrèrent dans la souillarde. Francesca réprima un sourire.

— Vous allez être impressionné, chuchota-t-elle à Bragg.

Elle sortit une bougie de son petit sac du soir.

— Je vous demande pardon ?

— Après l'affaire Burton, j'ai établi la liste des objets à emporter constamment avec moi. Mais ce n'est qu'après le meurtre de Randall que j'ai acheté le nécessaire. J'ai aussi des allumettes, précisa-t-elle en jubilant.

— *Non !* Et ça, qu'est-ce que c'est ?

Il s'était emparé du petit pistolet.

Elle tressaillit.

— Eh bien, c'est une arme !

— Je n'aime pas ça du tout, Francesca, déclara-t-il, oubliant de baisser la voix.

— C'est simplement pour me défendre, se justifia-t-elle.

— Pour vous défendre ? répéta-t-il, incrédule. La prochaine fois que vous serez confrontée à une brute du genre Gordino ou Carter, il vous arrachera ce joujou de la main. Et ce n'est pas une balle tirée par ce pistolet qui les arrêtera – à moins que votre but soit de tuer.

Elle frémit. Ce n'était pas le moment de lui avouer que c'était justement parce qu'elle avait rencontré récemment Gordino et Carter qu'elle avait décidé de ne jamais se séparer de son arme.

— J'espère ne pas avoir besoin de m'en servir, dit-elle.

— Sottises ! aboya-t-il.

Il remit le pistolet dans le sac et prit les allumettes.

— Il est chargé ?

Elle acquiesça. Elle avait acheté des balles la veille.

— Nous en discuterons plus tard, fit-il en allumant la bougie. Mais il est hors de question que vous vous promeniez avec une arme, Francesca, un point c'est tout.

— Ce qui ne ressemble guère à une discussion, objecta-t-elle.

Il ignora sa remarque, et ils traversèrent la cuisine. La demeure des Stuart devait avoir été construite un demi-siècle plus tôt, et les pièces étaient petites, comme souvent dans les maisons victoriennes.

— Le personnel dort sans doute ailleurs. Ce qui signifie qu'il n'y a personne, puisque le cocher est à la soirée Channing.

C'était aussi l'avis de Francesca.

— Ici, c'est sans doute la bibliothèque, dit-elle en désignant une porte close. Si nous montions directement à l'étage, dans les chambres ?

Bragg s'arrêta néanmoins devant la porte.

— C'est une bonne idée, mais je souhaiterais quand même jeter un coup d'œil ici. On ne sait jamais.

Tandis qu'il se glissait dans la pièce, Francesca se dirigea vers l'escalier. Elle gravit lentement les marches grinçantes, en proie à une brusque appréhension. Elle n'aurait pas aimé se retrouver seule avec Lincoln dans cette maison déserte, songea-t-elle. Ce qui, heureusement, n'avait aucune chance de se produire.

Il y avait deux pièces à l'étage, et elle pénétra dans l'une d'elles, de toute évidence une chambre d'amis qui ne servait jamais. Les meubles étaient recouverts de housses. Elle ouvrit vivement la porte suivante ; c'était la chambre des maîtres. Elle regarda autour d'elle, hésitante.

Il y avait un paravent chinois dans un angle, un vaste fauteuil et un canapé devant la cheminée, ainsi qu'un banc capitonné au pied du lit. Deux tables de chevet flanquaient ce dernier, et un secrétaire de facture délicate, appartenant probablement à Lydia, se dressait dans un autre angle de la pièce.

Deux photos seulement ornaient la cheminée : un cliché de mariage, et le portrait d'une personne âgée, sans doute la défunte mère de Lincoln.

Francesca s'approcha d'une des tables de nuit. Une petite croix pendait à une fine chaîne d'or... Mais une croix ne faisait pas de Lydia une meurtrière.

Elle ouvrit le tiroir du secrétaire, et y dénicha une feuille de papier qu'elle déplia vivement. C'était une lettre signée Mary O'Shaunessy. Pourquoi Lydia recevrait-elle une missive de Mary ? se demanda-t-elle, déconcertée. Puis elle découvrit qu'elle était destinée à Lincoln.

Cher monsieur,

Je vous écris pour vous dire que, malgré le plaisir que j'ai eu à vous rencontrer, je ne puis accepter votre invitation à dîner. Si vous étiez célibataire, je serais fort heureuse de faire plus ample connaissance. En vérité, je le regrette infiniment.

Sincèrement,

Mary O'Shaunessy

Le choc était tel que Francesca se laissa tomber sur le lit.

Lincoln et Mary ?

Lincoln Stuart avait courtisé Mary O'Shaunessy ?

Cela expliquerait sa présence aux funérailles. Ou celle de Lydia qui aurait pu vouloir surprendre son mari en train de pleurer la disparition d'une rivale.

Mais cela signifiait-il pour autant que Lincoln avait tué Mary ?

Certes pas ! Quoique si Mary l'avait repoussé… Cependant, il semblait évident à travers ces quelques lignes que Mary était attirée par Lincoln, et que seule sa profonde honnêteté l'avait tenue éloignée de lui.

Un meurtrier se promenait en liberté. Un homme qui avait atrocement assassiné deux jeunes femmes qui étaient amies, et risquait d'en tuer deux autres… si Lizzie était encore en vie. En tout cas, cela expliquait l'enterrement. À coup sûr, Lincoln s'y trouvait, sous un quelconque déguisement, et Lydia était venue l'espionner.

Une porte claqua au rez-de-chaussée, et Francesca bondit sur ses pieds. Puis elle tenta de se rassurer. C'était sûrement Bragg.

Cela dit, le bruit ressemblait à celui de la porte d'entrée.

Elle glissa la lettre dans son corsage. Après une brève hésitation, elle courut de l'autre côté du lit, ouvrit le tiroir de la table de nuit, y découvrit quelques pièces de monnaie, des reçus, une petite bible.

Lincoln était-il croyant ? En tout cas, c'était certainement son côté du lit.

Elle tendit l'oreille. Elle avait cru entendre des pas dans l'escalier. Et si ce n'était pas Bragg ?

Brusquement, un homme fit irruption dans la pièce. Elle faillit crier, mais il fut sur elle en deux enjambées et éteignit la bougie entre le pouce et l'index. C'était Bragg, qui la saisit par le bras.

— Ils viennent de rentrer, chuchota-t-il. J'ai trouvé un poème, dans la bibliothèque. Anodin, sauf qu'il y est question du dessein de Dieu, et que l'écriture est masculine. Lincoln Stuart se pique d'être poète.

— Il poursuivait Mary de ses assiduités, souffla Francesca. Et Lydia le savait, car elle était en possession d'une lettre que lui avait écrite Mary. Serait-il possible que les deux meurtres n'aient aucun rapport ? Que Lydia ait tué Mary par jalousie ?

— Non. Nous avons affaire à un fou, Francesca, qui a menacé de frapper de nouveau. Auriez-vous oublié le poème qu'il a déposé chez vous ? L'affaire se corse. Sortons d'ici avant qu'ils ne s'aperçoivent de notre présence. Fouiller sans mandat de perquisition est illégal. Je vais le convoquer dès cette nuit au quartier général afin de l'interroger.

Francesca ignorait que leur enquête nocturne était illégale, et elle en fut un peu surprise. Elle se raidit en entendant, cette fois pour de bon, des pas dans l'escalier.

Si Lincoln était l'assassin, pensa-t-elle en un éclair, ils étaient en danger, pour peu qu'il soit armé.

Elle avait un pistolet. Mais Bragg ? Durant l'intermède dans la bibliothèque des Channing, elle n'avait rien remarqué.

Avisant un placard derrière eux, elle s'empara de sa main pour l'y entraîner.

Mais il se dégagea et marcha le plus naturellement du monde vers la porte.

— Bonsoir, Stuart, fit-il. Nous attendions votre retour avec impatience.

17

Lincoln se tenait sur le seuil, l'air surpris et contrarié, son épouse derrière lui.

— Que se passe-t-il ? s'enquit-elle.

— Désolé de vous déranger, dit vivement Bragg. Entrez, je vous en prie.

Lincoln ne bougea pas.

— Vous n'avez pas le droit de pénétrer dans ma maison à mon insu ! Comment êtes-vous entré ? La porte était fermée à clé.

— Je suis ici en mission officielle, répliqua Bragg. Malheureusement, la porte de service n'était pas verrouillée.

Lincoln jeta un coup d'œil furieux à son épouse.

— J'en parlerai à Giselle, promit-elle.

— Je ne répondrai pas à de nouvelles questions, décréta Lincoln. Il est tard, et vous nous avez suffisamment ennuyés pour la soirée. Votre comportement n'est guère civil, préfet.

— Pourquoi ne m'avez-vous pas dit que vous connaissiez Mary O'Shaunessy ?

— Quoi ?

Lincoln avait blêmi, et Lydia était aussi extrêmement pâle.

— Qu'est-ce que cela signifie ? murmura-t-elle.

Bragg s'adressa à Francesca :

— Pourquoi ne descendriez-vous pas avec Mme Stuart ?

Francesca fit mine de s'approcher d'elle, mais Lydia secoua la tête.

— Je n'irai nulle part ! s'écria-t-elle, d'une voix suraiguë. De quoi accusez-vous mon mari ?

— De rien, pour l'instant. Il va cependant devoir m'accompagner en ville pour répondre à certaines questions.

— En ville ? répéta Lincoln.

— Au quartier général de la police.

Lincoln jeta un coup d'œil suppliant à son épouse.

— Je ne connais pas de Mary O'Shaunessy ! se défendit-il. Vous n'avez pas le droit de traîner d'innocents citoyens au commissariat de police.

— En théorie, vous avez raison. Cependant, le juge Kinney est un ami personnel, donc, si je me rends directement chez lui, j'en ressortirai muni d'un mandat d'arrêt. Je reviendrai alors d'ici une heure avec plusieurs officiers de police, et tout sera fait dans les règles… J'ai omis de préciser que dans ce cas de figure, je devrai vous accuser d'un délit. En l'occurrence, ce sera de meurtre.

Lincoln avait cessé de respirer. Puis son regard se fit glacial.

— Très bien. Je vais vous accompagner à votre bureau de mon plein gré. Mais je vous avertis, préfet, vous commettez une erreur. Une terrible erreur.

Décidément, ils disaient tous la même chose, songea Francesca.

Tandis que Francesca rentrait chez elle – avec une clé, car la porte avait été soigneusement fermée –, elle se demanda si Bragg avait réussi à établir un lien entre Lincoln Stuart et les quatre amies. Et si Maggie Kennedy le connaissait. L'avait-elle déjà rencontré, et se souviendrait-elle de lui le cas échéant ?

Quoi qu'il en soit, elle avait la très nette impression que Lincoln et Lydia cachaient quelque chose.

Le coup d'œil qu'ils avaient échangé ne lui avait pas échappé. Celui de Lincoln était froid et furibond, celui de Lydia effrayé, mais ils n'en avaient pas moins communiqué en silence.

Elle s'immobilisa soudain.

Lydia n'avait pas soufflé mot de la relation de son époux avec Mary O'Shaunessy, alors que la lettre de celle-ci était en sa possession.

Quelque chose ne tournait pas rond. Pas du tout même ! Certes, c'était Lydia qui était venue la trouver pour lui demander d'enquêter sur l'infidélité supposée de son mari. Mais elle avait désigné Rebecca Hopper, et non pas la victime du second meurtre. Peut-être venait-elle tout juste de découvrir sa rencontre avec Mary. Sentant maintenant qu'il était impliqué dans une affaire sordide, elle avait décidé de ne pas l'évoquer afin de le protéger.

N'avait-elle pas tenté de mettre fin à leur collaboration, la veille, en prétextant qu'elle ne soupçonnait plus Stuart ?

Francesca accrocha son manteau, car aucun serviteur ne s'était montré, ce qui était tout à fait inhabituel. Certes, il était tôt, à peine 11 heures, et Julia avait précisé qu'ils ne rentreraient certainement pas avant minuit.

Elle poursuivit sa réflexion. Si Lydia savait que son époux était un meurtrier, elle devenait en quelque sorte sa complice, ce qui faisait froid dans le dos.

Tandis qu'elle montait au premier, Francesca se promit de parler à Maggie dès le lendemain matin. Elle avait eu une dure journée de travail, et elle ne voulait pas la déranger, mais elle aurait mis sa main au feu qu'elle connaissait Lincoln. Du reste, à l'heure qu'il était, Bragg avait peut-être obtenu des aveux de ce dernier.

Francesca poussa la porte de sa chambre et s'arrêta net. Pourquoi n'avait-on pas laissé une lampe allumée ? Il n'y avait pas non plus de flambée dans l'âtre. C'était étrange ! Plus qu'étrange ! Elle n'osait pas faire un geste.

Quelque chose clochait.

Où était le personnel ?

Elle se rappela que Lincoln se trouvait avec Bragg, et Mike O'Donnell en prison. Toutefois, Gordino était en liberté. Et nul ne savait où était Sam Carter.

Francesca ouvrit son sac et en sortit son pistolet. Les quelques dizaines de grammes d'acier et de nacre la rassurèrent aussitôt.

La maison était anormalement silencieuse.

Se faisait-elle des idées, ou bien en était-il toujours ainsi à minuit – surtout lorsque tout le monde était sorti ?

Elle frissonna. Elle ne se rappelait pas avoir connu cette immobilité, et tout le monde n'était pas sorti. Il y avait dans la maison quatre enfants de trois à dix ans, tout de même ! Mais ils devaient dormir depuis des heures.

Elle sentit les poils de sa nuque se hérisser.

Quelque chose n'allait pas, son instinct le lui soufflait. Il fallait qu'elle aille voir Maggie.

Brusquement, elle eut peur de la retrouver poignardée, une croix sanglante sur la gorge.

Elle sortit de sa chambre en courant, nota que le hall était faiblement éclairé.

Tout était trop sombre, trop silencieux. Pourquoi n'entendait-elle pas les cris d'un enfant ? Pourquoi les domestiques n'étaient-ils pas en train de siroter une dernière tasse de thé dans la cuisine ?

Elle s'arrêta, haletante. L'escalier était plus sombre encore. Comme si quelqu'un avait éteint toutes les lampes sur son passage.

Au-dessus d'elle, elle entendit une porte claquer.

Ou une fenêtre ? Pour l'amour du Ciel, que se passait-il ?

Maggie et les enfants étaient au deuxième, et elle monta les marches en courant, la main crispée sur son arme, en s'efforçant d'oublier ce que lui avait dit Bragg quant à son efficacité face à un vrai dur.

Pourquoi n'avait-on pas laissé un policier en faction près de Maggie et des enfants ?

Elle atteignait le palier, plongé dans le noir, lui aussi, quand elle entendit un hurlement à glacer le sang.

Un instant, elle ne sut que faire. C'était Maggie qui avait crié, elle en était sûre. Sans réfléchir davantage, elle tira un coup de feu en l'air dans l'espoir de faire diversion et d'empêcher le meurtrier d'aller jusqu'au bout de son forfait.

L'explosion fut assourdissante. Elle se fit toute petite, craignant que la balle ne ricoche. Mais seul un tableau tomba, presque à ses pieds.

— Pas un geste ! cria Lydia du seuil de la chambre de Maggie. Si vous bougez, je l'étripe comme on le faisait avec les poissons qu'on attrapait quand on était enfants.

Elle tenait Maggie devant elle, un couteau pointé sur sa gorge. Elle n'avait plus rien de doux… Au contraire, sa voix était dure, gutturale, comme s'il s'agissait d'une autre personne.

Malgré la pénombre, Francesca lut une prière épouvantée dans le regard de Maggie.

On commença à tambouriner avec force contre une autre porte, un peu plus loin dans le couloir.

— Ne bougez pas, bon Dieu ! gronda Lydia en resserrant sa prise sur Maggie.

Francesca comprit tout en un éclair. Mais il fallait d'abord penser aux enfants.

— Où sont les petits ?

Lydia eut un sourire mauvais.

— Enfermés dans leur chambre, mademoiselle Cahill. Il a fallu que vous veniez fourrer votre nez dans des affaires qui ne vous regardaient pas !

Francesca croisa de nouveau le regard empli d'effroi de Maggie.

— Ça va ?

Elle acquiesça.

— Pas pour longtemps, coupa brutalement Lydia. Comme si j'avais besoin d'avoir un autre problème sur les bras, bon sang !

Francesca ne comprenait que trop bien ce que cette femme voulait dire. Elle connaissait sa véritable identité, désormais…

— Vous ne vous en tirerez jamais, risqua-t-elle. Bragg se rendra vite compte que vous vous êtes servie de Lincoln.

— Vous ne serez plus là pour le voir ! Lâchez votre arme.

Francesca hésita. Cette femme avait assassiné deux de ses amies, et s'apprêtait à tuer Maggie, et sans doute elle-même, tout en s'arrangeant pour que son mari soit emprisonné à sa place.

— Lâchez ce pistolet ! ordonna de nouveau Lydia.

Maggie poussa un petit cri comme la lame du poignard lui entamait la chair.

Francesca laissa tomber son arme.

— Ne lui faites pas de mal, je vous en supplie ! Partez. Je jure que nous ne vous empêcherons pas de vous enfuir… Lizzie.

Lizzie O'Brien sourit.

— Quelle intelligence !

— Vous vous êtes jouée de votre mari, n'est-ce pas ? murmura Francesca. Mais pourquoi avoir tué vos deux meilleures amies ? Pourquoi les poèmes ? Pourquoi les croix ?

— J'ai trouvé le coup des poèmes très malin, expliqua tranquillement Lizzie. Lincoln se targue d'être un poète, il passe son temps à écrire ces stupides vers. Il fallait que je passe pour un homme détraqué, afin d'égarer la police. Et ça a marché, non ?

— C'était très astucieux, reconnut Francesca à contre-cœur.

Elle échangea un coup d'œil avec Maggie, qui était livide.

— Mais je ne comprends toujours pas pourquoi, reprit-elle.

— Je ne voulais pas tuer qui que ce soit, s'énerva Lydia. Franchement. Mais je ne pouvais pas leur faire confiance ! Je savais qu'elles diraient à Lincoln la vérité à mon sujet dès qu'elles seraient au courant.

Ses pupilles se dilatèrent dangereusement.

— Elles avaient toujours été tellement parfaites ! Quand on était petites, ce n'était que des : « N'est-elle pas charmante, notre Kathleen ? » Ou encore : « Regarde cette adorable Maggie. Pourquoi n'es-tu pas aussi gentille qu'elle ? » Quand j'ai eu pour la première fois des rapports avec un garçon, mon père m'a fouettée au sang, et m'a conseillé de prendre modèle sur la douce et pieuse Mary. Elle, elle n'aurait jamais fréquenté un garçon, oh, non !

— Seulement, elle a rencontré Lincoln... continua Francesca à sa place.

— Il est tombé amoureux d'elle ! cria Lizzie. Nous nous sommes croisées par hasard il y a une semaine, et je n'ai pu faire autrement que de l'inviter à la maison. Lincoln est rentré alors qu'elle était là, et, comme d'habitude, Mary a eu la vedette. Elle est si parfaite, si pure, si bonne ! J'ai vu la façon dont il la regardait, et j'ai su qu'il fallait que j'y mette un terme sur-le-champ. Alors je l'ai invitée de nouveau à prendre le thé.

Lizzie eut un sourire féroce.

Francesca tremblait de la tête aux pieds. Mary avait dû s'apercevoir que Lizzie était folle, c'est pourquoi elle avait tenté de l'approcher, elle, Francesca, avant sa mort. Mais personne ne saurait jamais pourquoi elle avait changé d'avis à la dernière minute.

— Vous l'avez invitée chez vous pour l'assassiner. Vous l'avez suivie hors de la maison ? Vous l'avez tuée, puis enterrée ailleurs ?

— Oui ! reconnut Lizzie d'une voix vibrante de défi. Que faire d'autre ? Elle allait tout raconter à Lincoln, j'en étais certaine ! Et s'il apprenait que j'étais Lizzie O'Brien et non la douce et gentille Lydia Danner, il me chasserait. J'ai tout ce que je veux, désormais. Il peut moisir en prison, quelle importance ? J'aurai sa maison, sa voiture, son argent ! Je ne pouvais pas laisser mes chères vieilles amies détruire tout ce que j'avais eu tant de mal à acquérir.

— Alors vous avez décidé de les éliminer ? Tout simplement ?

Francesca était glacée d'horreur.

— Dès que j'ai eu réussi à convaincre Lincoln de m'épouser, j'ai commencé à réfléchir à un plan. Sa mère vivait à New York, et il avait l'intention d'y habiter de nouveau. Qu'aurais-je dû faire ? L'épouser, m'installer ici, et vivre dans la peur constante de tomber sur Kathleen, ou Mary, ou Maggie ? C'étaient les seules personnes susceptibles de m'identifier.

Elle grimaça un sourire.

— J'ai choisi d'éliminer Kathleen en premier. Il se trouve que bien avant de rencontrer Lincoln, j'avais commis l'erreur de lui confier mon projet de me faire passer pour une dame convenable afin de me dégoter un homme riche. Je me souviens de sa réaction scandalisée. Elles n'ont jamais eu une once de cervelle, ces trois-là, commenta-t-elle avec un ricanement méprisant. Ni de cran.

— Tu es diabolique, souffla Maggie. Malfaisante et folle !

— La ferme ! hurla Lizzie.

Sa lame entama la chair, et un filet de sang se mit à couler sur la gorge de Maggie.

— Non ! hurla Francesca qui se précipita en avant.

— Arrêtez !

Maggie semblait au bord de l'évanouissement.

— Je ne suis pas diabolique, espèces d'idiotes ! Pourquoi croyez-vous que j'aie tracé une croix sur leurs gorges ? Je voulais que Dieu sache que j'étais aussi pieuse qu'elles ! Toute ma vie Il a jeté sur moi un regard sévère, mais maintenant, je Le sens enfin, et Il sourit. Il est content parce que j'ai fait la paix avec Lui.

Francesca croisa le regard de Maggie, l'exhortant en silence à ne pas bouger, ne pas parler. Celle-ci parut comprendre, mais il y avait une question dans ses yeux, une question à laquelle Francesca était incapable de répondre. *Et maintenant ?*

— Ne vous regardez pas comme ça, toutes les deux, les avertit Lizzie. Je suis intelligente. Très intelligente ! Pourquoi croyez-vous que je vous aie engagée ? Je voulais que vous trouviez le corps, ça faisait partie de mon plan. Semer des indices comme des miettes de pain, afin de vous mener à Lincoln.

C'était un monstre – et elle était complètement détraquée !

Maggie fut incapable de tenir sa langue.

— Tu es ignoble ! Aucune d'entre nous n'aurait imaginé que tu puisses être si mauvaise. Nous te trouvions fantasque, dissipée, mais jamais nous ne t'aurions crue diabolique ! Tu n'as donc aucun remords ?

Les larmes tremblaient dans ses yeux.

— Tais-toi ! aboya Lizzie. C'est toi que je prendrai le plus de plaisir à tuer. Sainte Maggie ! Si pure ! Repoussant tous les hommes... À croire que tes enfants étaient nés grâce à l'immaculée conception !

— C'est injuste ! protesta Maggie en tournant la tête afin de voir celle qu'elle avait crue son amie. Tu sais combien j'ai aimé le père de Joel !

Lizzie poussa une sorte de grognement.

— Je dois reconnaître qu'il t'aimait aussi. J'ai essayé plus d'une fois de le séduire, mais il n'a jamais cédé à mes avances.

— Dieu me protège, je te hais, murmura Maggie, les joues ruisselantes de larmes, à présent. Tu brûleras en enfer, pour ça.

— Certainement pas ! Je vais retourner dans ma jolie maison au coin de la Sixième Avenue ! contra Lizzie avant de s'adresser à Francesca : Vous avez obtenu ma confession, n'est-ce pas, astucieuse jeune personne ? Mais je vous jure que vous n'aurez pas l'occasion d'en faire usage. Entrez dans cette chambre.

Francesca demeura immobile. Elle avait en effet obtenu les aveux de cette démente, mais ils ne lui serviraient à rien si elle obéissait à Lizzie.

Joel.

Il avait cessé de cogner contre la porte.

Il était malin, mais avait-il pu entendre la conversation de l'autre côté du battant ? Francesca n'en était pas sûre. Néanmoins il n'avait pu ignorer le cri de sa mère.

Elle reprit soudain espoir.

— Entrez dans cette chambre, mademoiselle Cahill, répéta Lizzie. Si vous tentez quoi que ce soit, je lui coupe l'artère, ajouta-t-elle, menaçante.

Ravalant un sanglot d'angoisse, Francesca avança lentement.

Maggie semblait plus calme. « Que dois-je faire ? » disait son regard.

Francesca calcula que ses parents ne rentreraient sans doute pas avant une demi-heure. Quant à Bragg, même s'il se rendait compte qu'il s'était trompé de coupable, il lui faudrait probablement autant de temps pour arriver ici. Elles ne pouvaient compter que sur elles-mêmes.

Et Joel.

Mais il était enfermé dans une autre pièce.

Francesca pénétra dans la chambre qu'éclairaient deux petites lampes, suivie de Maggie et de Lizzie. Cette dernière ferma la porte du pied.

— Je vous laisserai partir sans encombre si vous lâchez Maggie, proposa Francesca. Lorsque la police débarquera, vous vous serez enfuie depuis longtemps. Vous êtes maligne, je suis certaine que vous trouverez le moyen de quitter la ville discrètement.

— Oh, ne soyez pas ridicule ! répliqua Lizzie. Je n'ai aucune intention de passer le restant de mes jours à me cacher. J'aime vivre dans le luxe, selon ma fantaisie. Lincoln ira en prison à ma place. Il n'est pas question que je perde ma belle maison ni ma position dans la société.

— Je suis désolée de vous contredire, risqua Francesca, qui s'efforçait de s'exprimer aussi posément que possible, mais Lincoln est avec la police en ce moment.

Ils sauront donc que ce n'est pas lui qui nous a tuées, Maggie et moi.

Lizzie sourit.

— Je sais, je ne suis pas idiote ! Il suffit que je me débarrasse de vos deux cadavres afin qu'on ne les retrouve jamais. Ou alors dans un tel état qu'aucun légiste ne sera capable de dire à quand remonte l'heure du décès

Francesca en avait la nausée.

— Bragg saura que j'ai été tuée après 11 heures ! rétorqua-t-elle.

— Mais il va relâcher Lincoln sous peu, puisqu'il est innocent. Et quand ils trouveront votre corps, et qu'ils comprendront qu'il s'agit de vous, il ne saura pas si vous êtes morte cette nuit, demain ou après-demain. Je ne suis pas idiote, répéta Lizzie.

— Tu es folle, murmura Maggie.

— Tu m'as toujours exaspérée, siffla Lizzie. Parce que de nous toutes, c'était toi la plus parfaite, la plus vertueuse.

Elle tenait maintenant le poignard au niveau de sa cage thoracique, et le lui enfonça vicieusement entre les côtes.

Maggie laissa échapper un cri.

— Arrêtez ! hurla Francesca.

— Je crois que la petite Sarah Channing m'aime bien, reprit Lizzie comme si de rien n'était.

Elle soutenait Maggie, blafarde. Du sang tachait la chemise de nuit blanche juste au-dessus de la main gauche de Lizzie.

— Je suis sûre qu'elle me consolera quand j'irai pleurer sur son épaule parce que mon époux s'est révélé être un assassin. J'ai une nouvelle amie !

— Tu es… méprisable, balbutia Maggie.

— Je me trouve plutôt brillante, pour la fille d'un poissonnier.

C'était maintenant ou jamais, comprit Francesca.

Il y avait du feu dans la cheminée et, même s'il ne crépitait pas, les bûches étaient encore rougeoyantes.

Elle allait se brûler horriblement, mais elle n'avait pas le choix.

Elle sentit sur elle le regard de Maggie, qui avait deviné ses intentions et la suppliait de ne pas faire quelque chose d'aussi dangereux, d'aussi définitif.

— Qu'est-ce qu'il y a ?

Lizzie appuya davantage la pointe du poignard, et le sang jaillit du flanc de Maggie.

Francesca se rua vers la cheminée.

Lizzie poussa un cri.

La vitre vola en éclats alors que Francesca s'emparait d'un tison.

La douleur fut fulgurante.

— Qu'est-ce que... *Non !*

Aveuglée par les larmes, Francesca lança le morceau de bois sur la jupe de Lizzie qui s'enflamma aussitôt. Au même instant, Joel franchit la fenêtre telle une sorte d'ange vengeur.

Transformée en torche vivante, Lydia laissa échapper un hurlement épouvantable. Elle lâcha Maggie, le poignard, et se mit à courir follement dans la chambre, avant de se jeter par la fenêtre.

Deux officiers de police étaient postés de chaque côté de la porte d'entrée tandis qu'on transportait Lizzie, inconsciente, dans l'ambulance. Bragg et Newman surveillaient les opérations. La jeune femme était cruellement brûlée, mais la neige avait eu raison des flammes.

Francesca, quant à elle, était assise dans le salon, la main recouverte d'onguent et soigneusement bandée. Ce qui ne l'empêchait pas de souffrir atrocement.

Sa mère était au bord des larmes. Elle ne l'avait jamais vue pleurer – sauf le jour où Constance avait accouché de son premier enfant après un travail long et risqué. Lorsque Neil était enfin venu annoncer que c'était une fille, Julia avait éclaté en sanglots.

Assise près de Francesca, elle tenait sa main valide en tentant de dominer ses émotions.

Andrew était debout devant elles, les mains dans les poches, en chemise empesée, son nœud papillon défait au cou.

Ils étaient rentrés environ cinq minutes après l'arrivée de Bragg et de ses hommes.

Francesca adressa un petit sourire vaillant à sa mère qui ne le lui rendit pas. Elle regarda alors son père, très sombre, lui aussi. Puis elle se rendit compte que Bragg était sorti avec Newman.

Elle avait provisoirement apaisé sa main brûlée en la frottant dans la neige. Après avoir constaté que Lizzie était encore en vie, elle s'était précipitée à l'étage pour s'occuper de la blessure de Maggie. Bragg était entré en scène alors qu'elle essayait de bander la plaie. Ils avaient échangé deux phrases : elle lui avait dit que Lizzie O'Brien était la meurtrière, et il avait répondu qu'il le savait déjà.

À présent, le Dr Finney était auprès de Maggie.

— Maman ? Je vous en prie, remettez-vous. Je n'aime pas vous voir si bouleversée !

— Tu es ma fille ! s'écria Julia. Pour l'amour du Ciel, Francesca, la dernière fois que je t'ai aperçue, tu étais au bal, assise entre M. Hart et Sarah, apparemment en train de passer une excellente soirée. Et en rentrant à la maison, nous te trouvons la main gravement brûlée, il y a une femme – une meurtrière – inconsciente dans la cour, et la malheureuse Mme Kennedy a été poignardée ! Et tu voudrais que je ne sois pas bouleversée ?

— Ma brûlure n'est pas si grave, tenta de la rassurer Francesca. C'est l'extrémité des doigts, surtout, qui a été touchée. Dans une semaine, il n'y paraîtra plus.

— Le Dr Finney est tout de même censé venir changer ton pansement chaque jour afin d'éviter tout risque d'infection ! En outre, il a dit qu'il était *possible*, mais *peu probable*, que tu puisses te passer des pansements dans une semaine.

Francesca ne l'ignorait pas. Il faudrait vraisemblablement plusieurs semaines avant qu'elle soit capable d'utiliser normalement sa main droite.

— Il fallait que je sauve la vie de Maggie.

— Non. C'est la police qui était responsable de la vie de Mme Kennedy. Pas toi.

— Francesca, intervint Andrew, personne ne t'admire plus que moi. Tu ne m'as donné que des raisons d'être fier de toi. Je remercie Dieu que tes blessures ne soient pas plus graves.

Il hésita avant de poursuivre:

— Je suis fier de toi, une fois encore, chérie, répéta-t-il, fier que tu aies sauvé la vie de Mme Kennedy.

Julia émit un petit cri de protestation.

Francesca esquissa un sourire, réconfortée, comme d'habitude, d'avoir le plein soutien de son père.

— Merci, papa.

Evan fit irruption dans la pièce.

— Seigneur! Il y a des policiers partout, et je viens de voir une ambulance quitter l'allée.

Son regard se posa sur la main bandée de sa sœur, et il s'interrompit une seconde, avant de lancer:

— Que s'est-il passé?

— Je me suis brûlée mais je vais bien, assura-t-elle.

— Elle sera guérie dans quelques semaines, renchérit Andrew.

Le père et le fils ne s'étaient pas parlé depuis un certain temps à cause de ces fiançailles décidées unilatéralement. En vérité, Evan faisait la tête à Andrew, un peu à la manière d'un adolescent difficile. Pour une fois, cependant, il s'adressa directement à son père.

— Quoi?

— Il semblerait que la meurtrière à la croix ait décidé d'en finir avec Mme Kennedy. Ta sœur a sauvé la situation. Ce faisant, elle s'est brûlé la main.

— Maggie va bien? s'enquit vivement Evan.

— Elle a reçu un coup de poignard, mais elle s'en remettra, commença son père.

Il n'eut pas le loisir d'aller plus loin, car déjà Evan s'était rué hors du salon.

C'est alors que Bragg s'encadra sur le seuil. Aussitôt, le cœur de Francesca fit un bond, et elle eut une folle envie d'être seule avec lui.

— Puis-je parler un instant à Francesca en privé? demanda-t-il.

— Bien sûr, répondit Andrew.

Julia pressa une fois encore la bonne main de sa fille.

— Dorénavant, je t'interdis de te mettre en danger.

— Je vais bien, maman, murmura Francesca.

Les yeux bleus de Julia s'embuèrent de nouveau tandis qu'elle se levait. Son mari lui offrit son bras, et tous deux sortirent.

Bragg referma les portes avant de rejoindre Francesca en hâte. Il s'assit près d'elle, s'empara de sa main gauche qu'il enveloppa des siennes. Leurs regards se verrouillèrent.

— C'est vrai, vous allez bien?

— Vous le savez, répondit-elle doucement.

— Je ne sais rien du tout, Francesca. Vous auriez pu être gravement blessée. Vous êtes tout de même passée à un cheveu de la mort.

Son angoisse de même que ses sentiments à son égard étaient tellement évidents que Francesca ne put s'empêcher d'en éprouver de la joie.

— Mais rien de tel ne s'est produit. Je risque simplement d'avoir une cicatrice à la main droite, ce dont je me moque éperdument.

— Eh bien, pas moi! protesta-t-il.

— Bragg, elle avait poignardé Maggie! Elle menaçait de nous éliminer, et elle ne plaisantait pas, je vous assure. Que vouliez-vous que je fasse d'autre?

Il embrassa la paume de sa main gauche, et, curieusement, ce baiser la remua autant que l'interlude dans la bibliothèque des Channing, plus profondément même. Elle était bouleversée par l'intensité de ses propres sentiments.

— Je sais, fit-il, un peu bourru. Vous avez l'esprit vif, et vous êtes la femme la plus courageuse que je connaisse.

Elle se rendit soudain compte que des larmes tremblaient au bout de ses cils.

— Vous pleurez? souffla-t-elle.

— Non, mentit-il. Je suis encore sous le choc. Je ne sais que faire pour vous tenir à l'écart de tout danger.

Elle aussi avait envie de pleurer, maintenant.

— Eh bien, dit-elle d'une voix chevrotante, je ne risque pas de me lancer dans une nouvelle enquête pendant quelques semaines, avec une main hors d'usage.

— Merci, mon Dieu! Nous aurons ainsi deux ou trois semaines de répit! s'écria-t-il avec fougue.

— Peut-être était-ce un peu dangereux, admit-elle.

— *Peut-être?*

— J'ai vraiment eu peur, Bragg, avoua-t-elle en commençant à trembler convulsivement.

Sans se soucier de l'endroit où ils se trouvaient, ni de qui était dans le hall, à côté, il l'entoura de ses bras. Elle enfouit le visage au creux de son cou, se laissa aller contre sa robuste poitrine comme si elle voulait se fondre en lui. Là, et uniquement là, elle était en sécurité.

Ses cheveux s'étaient dénoués depuis longtemps, et elle sentit les doigts de Bragg jouer avec les mèches soyeuses. C'était infiniment rassurant. Il lui baisa le haut du crâne.

— Vous suivrez sagement les instructions du médecin? demanda-t-il avec douceur, les lèvres sur ses cheveux.

— Oui, murmura-t-elle.

Une larme glissa entre ses paupières closes.

— Vous feriez bien de vous reposer pendant quelques jours. Il ne faut surtout pas que cette brûlure s'infecte.

Elle ne bougeait pas, bien qu'elle eût envie de le regarder.

— Si vous continuez à me serrer ainsi contre vous, j'obéirai à tous vos désirs.

Elle sentit, sans le voir, qu'il souriait.

— Dans ce cas… plus d'enquêtes policières.

— Mmm…

Il l'embrassa de nouveau dans les cheveux, puis s'écarta à regret. Ils échangèrent un interminable regard.

— Je n'en ai aucune envie, mais il vaudrait mieux que je m'en aille, dit-il.

Elle comprenait. Si sa mère entrait, elle devinerait instantanément ce qu'ils éprouvaient l'un pour l'autre.

— Oui, souffla-t-elle.

— Je passerai prendre des nouvelles demain.

18

Mardi 11 février 1902, après minuit

Le Dr Finney sortait de la chambre de Maggie lorsque Evan l'atteignit. Finney le salua, mais il l'entendit à peine, ne le regarda même pas. « Maggie a été poignardée », ne cessait-il de se répéter, les yeux rivés sur la jeune femme. Appuyée à ses oreillers, affreusement pâle et visiblement désorientée, elle semblait si fragile ! Pourtant elle était forte, il le savait, elle élevait seule ses quatre enfants. Les trois plus jeunes étaient assis au pied du lit, tandis que Joel se tenait à son côté, dans sa longue chemise de nuit.

En voyant Evan, elle écarquilla les yeux.

— La blessure est peu profonde et aucun organe vital n'a été touché, disait le Dr Finney. Elle est très courageuse, solide, elle commencera à clopiner dès demain ou après-demain.

Sur ce, il s'éloigna, laissant Evan planté sur le pas de la porte.

Maggie s'efforçait de se redresser, tout en remontant ses couvertures jusqu'au menton. Joel se précipita pour l'aider.

En dépit du diagnostic optimiste du médecin, Evan demeurait inquiet.

— Je vous en prie, ne vous agitez pas, dit-il. Pardonnez-moi de faire ainsi irruption dans votre chambre. Vous vous sentez bien ?

— Très bien, répondit-elle en évitant son regard. Merci de vous en soucier, monsieur Cahill.

Il ne se sentit pas soulagé pour autant.

— Au nom du Ciel, qu'est-il arrivé ? demanda-t-il, encore sous le choc. Puis-je entrer ?

Elle lui jeta un bref coup d'œil.

— Il est tard, dit-elle.

Malgré son état de faiblesse, les mots étaient fermes. Un refus poli mais définitif.

Il comprit, naturellement. Elle devait pourtant savoir qu'il n'avait pas l'intention de lui faire des avances, ni maintenant ni jamais.

— Il est tard, je sais. Mais… je me tracasse à votre sujet.

— Merci.

Elle saisit la main de Joel, et Evan s'aperçut qu'elle tremblait. Elle était loin d'être aussi sereine qu'elle voulait le paraître, et il ne l'en admira que davantage. Son courage face à l'adversité était surprenant. Comment se débrouillait-elle pour survivre sans mari, avec quatre petits, et son talent de couturière pour tout gagne-pain ?

— Puis-je au moins mettre les enfants au lit ? proposa-t-il.

La petite Lizzie, âgée de quatre ans, luttait pour garder les yeux ouverts. Elle était appuyée contre Paddy, le seul qui ressemblât vraiment à sa mère, avec sa chevelure flamboyante et ses yeux bleus lumineux.

— Ce serait abuser de votre bonté, murmura-t-elle.

— Certainement pas !

Evan se força à sourire pour dissimuler son inquiétude.

Il pénétra dans la chambre et prit Lizzie dans ses bras. Avec un soupir de bien-être, la fillette se blottit contre son torse.

— Paddy, Matthew, reprit-il, votre maman va bien, mais elle a besoin de dormir afin de se rétablir au plus vite. Au lit ! Toi aussi, Joel.

Ce dernier ne semblait pas ravi à l'idée de quitter sa mère qu'il interrogea du regard.

— Ça va, dit-elle gentiment. Et tu es le héros du jour.

Il ne sourit pas. Il était de toute évidence conscient du danger qu'avait encouru sa mère.

— C'est Mlle Cahill, le héros. Je peux dormir là, par terre, près de toi.

Evan intervint avant que Maggie puisse répondre :

— C'est très courageux de vouloir veiller sur ta mère, Joel, mais deux officiers de police sont postés en bas, et je ne serai pas loin.

L'idée venait de lui traverser l'esprit. Bien que tout danger semblât en effet écarté, il songea qu'il pourrait passer la nuit dans une chambre d'amis à cet étage.

Joel soupira.

— Bonne nuit, m'man.

Elle eut un sourire tendre, chargé d'amour maternel. Tandis qu'elle embrassait son fils aîné, son regard croisa celui d'Evan.

Ce fut un instant d'exception. Elle avait des yeux extraordinaires dont il ne pouvait se détacher.

Elle ne se détourna pas non plus, comme elle en avait l'habitude, et il y eut un instant de flottement.

— Ils ne tarderont pas à s'endormir, assura Evan, embarrassé.

Cette fois, elle se déroba.

— Merci, monsieur Cahill.

— Evan, je vous en prie, rectifia-t-il.

Elle ne répondit pas, et il emmena les enfants dans la chambre voisine. Joel attendit le dernier moment pour se coucher. Evan ébouriffa les cheveux des garçons et déposa un baiser sur la joue de Lizzie qui dormait déjà.

— Vous voulez que je laisse une veilleuse ? demanda-t-il.

— Oui ! s'écrièrent en chœur les deux plus petits.

Il réprima un sourire. La veille, il était allé leur jeter un coup d'œil en rentrant, et il avait noté qu'ils ne dormaient pas dans le noir complet.

Avant de sortir, il s'arrêta près du lit où Joel était allongé, tout raide, comme s'il s'apprêtait à veiller toute la nuit.

— La maison est bien fermée, dit-il pour le tranquilliser. Tu es un jeune garçon en pleine croissance, tu as besoin de sommeil.

Il s'efforçait d'être à la fois ferme et paternel.

Joel hocha légèrement la tête. Il semblait retenir ses larmes.

— Il n'arrivera rien de fâcheux à ta mère, reprit Evan à mi-voix. En fait, je vais dormir dans la chambre en face de la sienne, au cas où.

Joel se dérida.

— Vous feriez ça ? Pour elle ?

— Pour vous tous, répondit Evan avec un sourire qu'il espérait rassurant.

Il ne savait toujours pas ce qui s'était passé, et il lui fallait tous les éléments.

Une petite étincelle rusée s'alluma dans le regard de Joel.

— Vous avez envie d'être seul avec elle ?

Evan fut surpris, puis il se rendit compte que c'était vrai. Mais pas comme le pensait le petit, car il n'y avait rien de romantique dans ce qu'il éprouvait envers Maggie Kennedy.

Comment cela aurait-il été possible ?

Contrairement à certains de ses amis, il ne s'amusait jamais avec les filles de bar ou les servantes. Du reste, Maggie était couturière, et visiblement vertueuse. Certes, il la trouvait attirante. Il était viril, il aimait les femmes, il avait des besoins. Et puis, elle était vraiment jolie, avec ses étonnants yeux bleus. Mais quelle différence cela faisait-il ? Pour se distraire, il y avait les femmes comme sa maîtresse, Grace Conway, et Bartolla Benevente.

Non, il n'y avait rien de trouble dans son désir de se retrouver seul avec Maggie. Il voulait juste la réconforter, être sûr qu'elle allait aussi bien qu'elle le prétendait.

— Ta mère est mon amie, déclara-t-il à Joel d'un ton sérieux. Et j'ai envie de rester un moment avec elle, en effet, afin de m'assurer qu'elle va passer une bonne nuit.

Joel lui sourit.

— Elle est jolie, hein ?

Evan comprit que le gamin nourrissait des idées de mariage, et il lui ébouriffa les cheveux.

— Oui, elle est très jolie, mais ne te monte pas la tête. Je suis fiancé, tu te souviens ?

Comme toujours, penser à ses fiançailles le déprima. Non qu'il détestât Sarah. Elle était parfaite comme amie. Mais il avait sincèrement espéré se marier un jour avec une femme qu'il désirerait, et admirerait, bref, qu'il pourrait vraiment aimer.

Joel ne put cacher sa déception.

— Ouais…

Evan faillit lui avouer que personne n'était plus déçu que lui.

— Dors bien, se contenta-t-il de dire avant de regagner la chambre de Maggie à pas lents.

Éveillée, elle fixait la porte. Néanmoins elle évita tout contact direct avec son regard. Comme s'il la rendait nerveuse… ce qui était sans doute le cas, mais pourquoi ? Il n'en avait pas la moindre idée.

— Puis-je entrer, juste un instant ? hasarda-t-il, oubliant qu'il lui avait déjà posé la question et qu'elle avait refusé.

Elle hésitait visiblement.

— Je ne mords pas, reprit-il d'une voix douce.

Elle hocha la tête, et tourna les yeux vers la cheminée.

Il s'approcha, mais veilla à laisser trois bons mètres entre le lit et lui.

— Comment vous sentez-vous ?

Elle le regarda enfin.

— Le Dr Finney m'a donné du laudanum. La douleur a diminué, et j'ai sommeil.

— Parfait.

Il parcourut du regard sa silhouette menue sous le couvre-pieds. Elle avait remonté le drap jusqu'au menton, ce qui l'amusa. Ce n'était pas cela qui empêcherait son imagination de battre la campagne. Il l'avait vu suffisamment souvent pour savoir que son corps était mince et parfaitement harmonieux.

— Avez-vous besoin de quelque chose ? Une tasse de thé ? Un verre de lait ? Du cognac ?

— Non, je vous remercie.

Des larmes lui montèrent soudain aux yeux.

Spontanément, il vint s'asseoir au bord du lit et s'empara de ses mains. Des mains étonnamment fragiles malgré leur habileté.

— Cette soirée a été terrible, madame Kennedy. J'aimerais pouvoir remonter le temps et que tout redevienne normal.

Elle se dégagea.

— Je suis désolée. Je suis épuisée. Je pense que je vais dormir, finalement.

Il bondit sur ses pieds.

— Oui, vous en avez besoin. Demain, à la lumière du jour, vous vous sentirez mieux.

— Comment le pourrais-je ? s'écria-t-elle avec véhémence, le regardant droit dans les yeux, cette fois. Une femme que je croyais mon amie s'est révélée monstrueuse ! Elle a tué mes deux meilleures amies, et a essayé de m'assassiner !

Il se rassit et reprit ses mains dans les siennes, bien qu'elle tentât de lui résister.

— Il vous faudra du temps pour surmonter ce drame. Je souhaiterais pouvoir vous donner des conseils, mais jamais je ne me suis trouvé dans une situation de ce genre.

Il se sentait impuissant, et il ne savait absolument pas quoi faire pour la réconforter.

Elle lui sourit à travers ses larmes, tout en libérant ses mains.

— Vous êtes si bon, murmura-t-elle.

— Qui ne le serait, dans ces circonstances ? dit-il, un peu déconcerté.

Elle lui avait déjà dit qu'il était bon. Avait-elle été si mal traitée par les hommes, pour le trouver exceptionnel ? Il considérait quant à lui son attitude tout à fait normale pour un gentleman.

— Beaucoup de gens, répondit-elle.

Il éprouva encore plus de sympathie pour elle.

— Si je puis me permettre, je ne suis pas de cet avis.

— Toute votre famille est merveilleuse, fit Mary d'une voix étranglée. Vous avez été si gentils ! Votre mère, votre père, et votre sœur... je ferais n'importe quoi pour elle ! J'espère de tout mon cœur qu'un jour viendra où je pourrai vous rendre vos bienfaits.

— Il vous suffit de vous remettre, dit-il doucement.

Il sourit en voyant ses paupières s'alourdir.

— J'ai l'impression d'avoir le cerveau dans du coton, souffla-t-elle, les yeux presque fermés.

— Le laudanum, expliqua-t-il en se levant à contre-cœur. Eh bien, bonne nuit, madame Kennedy.

Ses cils frémirent mais elle ne fit pas un geste, ne dit pas un mot. Elle avait sombré dans le sommeil. Il sortit sur la pointe des pieds.

Et alla dormir dans la chambre d'amis de l'autre côté du couloir.

Mercredi 12 février 1902, 10 heures

La soirée avait été délicieuse, songea-t-elle, la plume à la main. Elle se sentait merveilleusement bien, un peu rêveuse, tandis que des images de la veille dansaient dans sa tête. Dans toutes, elle était au centre de l'attention, entourée d'une cour d'hommes enamourés.

Elle songea à Evan Cahill et elle eut chaud au creux des reins. S'il ne brisait pas ses fiançailles, aurait-elle le courage de devenir sa maîtresse bien qu'il fût engagé auprès de sa cousine ? Mais l'éventualité ne se présenterait pas, car ils étaient tellement mal assortis, Sarah et lui. Tandis qu'elle-même et Evan formaient un couple parfait.

Il fallait qu'elle se remarie, et le plus tôt serait le mieux. Personne ne savait que son méprisable mari avait investi toute sa fortune dans les chemins de fer, l'électricité, les mines, et l'avait léguée à ses enfants issus de son premier mariage. Elle avait passé huit années de sa vie avec ce vieux grigou, et tout ce qu'elle avait eu en retour, c'étaient quelques centaines de milliers de dollars. En Italie, on ricanait derrière son dos – et même en face –, car ce que lui avait laissé le comte n'était un secret pour personne. Ici, en revanche, on la prenait pour une riche veuve, c'était donc l'endroit rêvé pour dénicher un riche époux.

Evan n'était pas aussi fortuné qu'elle l'aurait souhaité, mais il le serait après le décès de son père. Et cela vaudrait la peine d'attendre. Il était jeune, beau… et très doué au lit, elle en était certaine.

Elle soupira, ravie, car il ne l'avait guère quittée de toute la soirée. En fait, quelques invités avaient même remarqué leur attirance réciproque, elle était assez futée pour s'en être rendu compte.

On frappa discrètement à la porte.

Bartolla enfila un déshabillé sur sa chemise de nuit vert pâle ornée de dentelle ivoire, et répondit :

— Entrez !

Sarah pénétra dans la chambre, l'air radieux.

— Quelle belle soirée nous avons passée ! s'écria-t-elle, presque jolie tant elle était heureuse.

La comtesse éclata de rire.

— En effet. Et je sais pourquoi tu es si contente.

— Hart veut me rencontrer cet après-midi afin que nous discutions du portrait et arrêtions un prix.

C'était la première fois que Bartolla voyait Sarah aussi exaltée hors de son atelier. Elle ne l'était d'ordinaire que lorsqu'elle peignait.

— Tu imagines ? poursuivit la jeune fille. L'un de mes tableaux sera accroché chez lui, à côté d'œuvres de renommée mondiale !

Bartolla rit de nouveau, se réjouissant du bonheur de sa cousine qu'elle aimait sincèrement.

— Mais, ma chérie, il se pourrait que tu aies du mal à persuader Francesca d'accepter. Avoue que c'est amusant de voir Hart la poursuivre de ses assiduités, alors qu'elle est follement amoureuse du très marié Bragg, son propre frère.

Sarah se rembrunit aussitôt.

— Il la poursuit de ses assiduités ? Non, Bartolla, tu te trompes. Ils sont simplement amis.

— Hart n'a que faire d'être ami avec les femmes, déclara Bartolla avec assurance. Bien qu'en l'occurrence, ce ne soit peut-être que pour ennuyer Bragg, qu'il déteste.

Elle le savait, Hart adorerait gâcher l'idylle entre son frère et Francesca.

— Je n'ignore pas que M. Hart a la réputation d'être grossier, méchant, égoïste, et parfaitement mufle avec les femmes. Mais franchement, Bartolla, il ne volerait jamais la bien-aimée de son frère. Il éprouve une sincère affection pour Francesca, c'est évident.

— Ce qui est surtout évident, c'est qu'il aimerait l'attirer dans son lit ! rétorqua la comtesse.

Sarah sursauta, choquée.

— Je ne crois pas !

Bartolla haussa les épaules. Dieu que sa cousine était naïve ! Elle ne jugea pas indispensable de préciser que la « sincère affection » de Hart pour Francesca s'évanouirait dès qu'il serait parvenu à ses fins.

— Puis-je te donner un conseil ? demanda-t-elle.

Sarah acquiesça.

— Francesca t'aime bien, et si tu insistes, elle acceptera de poser pour toi. Cela te permettra de te faire un nom dans le milieu artistique, ou au moins d'attirer l'attention des marchands comme des collectionneurs. Et jamais elle ne voudrait te priver de cela.

Sarah hésitait.

— Soit tu convaincs Francesca, ma chérie, enchaîna Bartolla, soit tu perds la commande et la possibilité de faire ton entrée dans le monde des arts.

— Je sais, murmura Sarah. Je vais persuader Francesca de poser mais pas de la façon que tu suggères. Sans arrière-pensée. C'est une belle femme, elle possède un esprit sans pareil et ce genre de bonté désintéressée qui est si rare de nos jours. Et de toute évidence, Hart en est conscient. Ce portrait sera le meilleur que j'aie jamais fait. Comment pourrait-elle s'en formaliser ? Franchement ? J'ai l'intention de me rendre chez elle tout à l'heure, et j'ai pensé que tu voudrais peut-être m'accompagner.

Bartolla aimait bien Francesca, mais elle ne l'avait pas appréciée dans cette somptueuse robe rouge qui, à son goût, mettait bien trop l'accent sur sa sensualité et sa beauté. Elle l'avait assez vue pour le moment, et était bien décidée à l'encourager à reprendre ses enquêtes, ses études… et ses anciennes toilettes.

— Je préfère me reposer, répondit-elle. Je suis encore fatiguée de la soirée d'hier.

La déception de Sarah ne dura pas.

— Il vaut mieux que je lui parle seule, je suppose.

— Je pense, oui.

Bartolla songeait à ce qui se tramait, et elle sourit en tapotant la main de sa cousine.

— Nous allons vivre un hiver fort intéressant, déclara-t-elle.

— À coup sûr ! renchérit Sarah. Veux-tu te joindre à moi pour le petit-déjeuner ? Oh… tu écrivais une lettre !

— Oui, fit Bartolla. Je vais boire un chocolat ici en la terminant.

— À ta guise.

Sarah l'embrassa sur la joue et sortit.

La comtesse relut sa missive.

Bien chère Leigh Anne,

J'ai appris que vous vous trouviez actuellement à Boston auprès de votre père qui est souffrant. Je prie pour qu'il se remette, et je pense chaque jour à votre famille et à vous.

Je suis en ce moment à New York où je passe un excellent séjour. Hier soir, ma cousine a donné une réception en mon honneur, et nous avons dansé jusqu'à l'aube.

J'ai fait la connaissance de votre mari par hasard, et j'ai compris pourquoi vous lui étiez tombée dans les bras. Dans certains cercles, on le considère comme un homme d'action, capable de réformer la police de la ville notoirement corrompue. De toute évidence, c'est un personnage fort, intelligent, déterminé. Mais vous ne m'aviez pas dit combien il était séduisant physiquement ! Je crois qu'il est à demi indien, ou quelque chose de ce genre. Quoi qu'il en soit, il fait tourner bien des têtes féminines, et une en particulier.

Francesca Cahill est issue de l'une des plus riches familles de la ville. Elle est extrêmement belle, jeune, célibataire, et bien plus cultivée que vous ou moi. Je ne cesse de les voir ensemble, or je ne suis là que depuis une semaine. Hier soir, au bal, je les ai surpris en grande conversation privée, mais je suis certaine qu'ils parlaient d'enquêtes policières. Il se trouve qu'elle est détective amateur, et qu'elle a apporté son concours sur l'affaire Randall, un meurtre dont vous avez sûrement entendu parler par les journaux.

New York est un tourbillon de fêtes, de dîners, de bals et de soirées musicales. Il est tombé quinze centimètres de neige la nuit dernière, mais cela n'arrête pas ces joyeux citadins, ma chère ! Vous devriez songer à me rejoindre dès que votre père ira mieux. Je suis sûre que vous adorerez l'ambiance de cette ville, et que nous passerons de merveilleux moments ensemble. Je demanderai à ma tante si cela ne l'ennuie pas de vous accueillir chez elle. Prévenez-moi si vous pensez venir.

Sincèrement,

Bartolla Benevente

La comtesse sourit, contente d'elle. Puis elle réfléchit.

La poste était si lente. Elle allait faire livrer cette lettre en main propre aujourd'hui même.

Francesca frappa doucement à la porte de Maggie. Il était midi et elle venait juste de se réveiller. Sa main la lançait toujours, et elle se sentait patraque, comme si elle avait la grippe. Elle avait réussi à s'habiller avec l'aide de Bessie, et s'était précipitée au deuxième étage.

Elle trouva la jeune femme au lit, sans ses enfants. Elle était fort pâle, mais sourit à son entrée.

— Vous m'avez sauvé la vie, déclara-t-elle sans préambule.

Francesca alla s'asseoir au bord du lit.

— Nous nous sommes sauvées mutuellement.

Elle n'avait pas envie de se remémorer les événements de la veille. C'était trop effrayant, trop atroce. Elle s'efforçait de chassser de son esprit la vision de Lizzie O'Brien sautant par la fenêtre dans sa robe en flammes, mais elle savait que jamais elle n'oublierait.

— Comment pourrai-je assez vous remercier pour tout ce que vous avez fait? reprit Maggie, les yeux embués de larmes.

— Vous m'avez déjà largement remerciée. Où sont les petits?

Mary détourna les yeux.

— Votre frère les a emmenés se promener. Il se montre terriblement gentil.

— Il *est* terriblement gentil, assura Francesca. C'est sa nature. Comment vous sentez-vous?

— J'ai mal au côté, mais ce n'est rien comparé à ce que j'éprouve au fond de mon cœur.

Francesca lui prit la main.

— Je suis navrée. Navrée que vous ayez perdu deux amies chères, et navrée que Lizzie soit devenue ce qu'elle est.

Maggie hocha la tête sans mot dire, puis:

— Elle vivra ?

— Oui. Mais il faudra sans doute plusieurs mois avant qu'elle soit en état d'affronter un procès.

Maggie poussa un lourd soupir.

— On ne sait jamais. Je veux dire, elle a toujours été la plus solide d'entre nous. Plus solide, plus dure, plus directe. Mais nous l'aimions, mademoiselle Cahill. J'avais treize ans quand je l'ai rencontrée, douze quand j'ai connu Kathleen et Mary.

Francesca ne savait trop que dire.

— Peut-être a-t-elle toujours été déséquilibrée, hasarda-t-elle.

— Je l'ignore. Elle menait une vie dissolue et se moquait que cela se sache. Elle sortait avec des tas de garçons et s'en vantait. Elle riait des prêtres qui essayaient de la remettre dans le droit chemin, refusait d'aller à confesse. Il lui arrivait de nous reprocher d'être humbles, et pieuses. Parfois, elle nous faisait un peu peur, avoua Maggie. Je comprends mieux pourquoi, à présent. Je savais qu'elle avait aguiché Mike O'Donnell, même après qu'il avait épousé Kathleen. Mais je feignais de ne pas le voir. Je savais aussi qu'elle s'était jetée à la tête de mon Joseph. Comme j'avais confiance en lui, je tentais de me persuader que ce n'était qu'un jeu, qu'elle n'avait pas vraiment l'intention de le séduire. Je me trompais, bien sûr.

— J'ai l'impression qu'elle était terriblement jalouse de vous trois, et que cela n'a fait qu'empirer avec les années, au point de lui faire perdre l'esprit. Croyez-vous possible qu'elle vous ait détestées en secret durant tout ce temps ?

— Je commence à le penser, souffla Maggie. Mais le plus effrayant dans tout cela, c'est que lorsque nous étions jeunes, je crois que, d'une certaine manière, nous l'admirions d'avoir un tel tempérament. Aucune de nous n'aurait osé se dérober à la confession, jurer, fumer ou boire. Nous sommes arrivées vierges au mariage. Nous n'avions pas son courage, alors, secrètement, nous étions un peu envieuses.

Maggie était visiblement bouleversée.

— Ne vous reprochez pas d'avoir fait confiance à une vieille amie ! s'écria Francesca. Ne vous reprochez pas non plus de n'avoir pas compris combien elle était perverse. Et dites-vous bien que vous avez cent fois plus de courage qu'elle, Maggie. Le choix que vous avez fait de vivre dans l'honneur et la dignité n'est pas facile, et cependant vous le faites avec tant de grâce !

Maggie esquissa un pauvre sourire.

— Vous êtes trop indulgente à mon égard, mademoiselle Cahill.

— Je suis sincère, assura Francesca. Je ne sais pas être autrement.

— Je commence à m'en rendre compte.

— Et finirez-vous un jour par m'appeler Francesca ?

— Je ne crois pas, répondit Maggie.

Elles échangèrent un sourire complice.

— Francesca ? Tu as une visite. Hart.

Installée dans un fauteuil devant la cheminée de sa chambre, Francesca essayait vainement d'étudier. Sa main la faisait souffrir, et elle avait la migraine. Dehors, la neige tombait à gros flocons. Après être restée au lit toute la matinée, elle avait passé le début de l'après-midi à se reposer dans sa chambre, et s'interrogeait à présent sur la nécessité de prendre un peu de laudanum. Il devait être environ 17 heures.

Elle comprit qu'elle n'avait pas vraiment le choix. S'il était au courant, pour sa main – et s'il ne l'était pas déjà, il le serait bientôt –, il allait lui infliger un interminable sermon, or elle ne se sentait pas en état de se défendre. À moins qu'il ne soit venu que pour l'inciter à poser pour Sarah ? Mais celle-ci l'avait déjà convaincue – c'était pour elle une occasion unique de se faire un nom.

Elle soupira en se rendant à la salle de bains. Et frémit en découvrant son reflet dans le miroir. Elle avait l'air d'un spectre ! Le teint blême, les yeux cernés, les traits tirés par la douleur, les cheveux, emmêlés – elle les avait noués lâchement pour ne pas aggraver sa migraine.

Elle ravala ses larmes. Il ne s'agissait que d'une brûlure, après tout ! Le Dr Finney avait changé son pansement dans l'après-midi, et n'avait pas décelé trace d'infection. D'ici quelques jours elle aurait moins mal. En attendant, elle pouvait prendre le laudanum qu'il lui avait prescrit.

Eh bien, en la voyant ainsi, Hart ne songerait plus à l'ennuyer avec cette histoire de portrait. Il risquait même d'annuler purement et simplement la commande.

En fait, il la reconnaîtrait à peine. Elle n'était plus la séductrice en robe rouge de la veille, oh, non ! Elle n'était même pas la Francesca habituelle. Il ne s'intéresserait pas à elle sur ce plan et, bon sang, elle en était ravie !

Il arpentait le petit salon d'un pas furieux. À l'instant où elle s'arrêta sur le seuil, il fit volte-face. Et se pétrifia.

Malheureusement, le cœur de Francesca fit un bond en le voyant. Mal à l'aise, elle était incapable de détacher son regard de lui.

Il était aussi immobile qu'une statue. L'espace d'une seconde, il avait paru bouleversé, mais, à présent, son visage était fermé, parfaitement indéchiffrable.

— Francesca, vous allez bien ? demanda-t-il enfin d'un ton calme.

Elle acquiesça et, à sa grande confusion, une larme lui échappa.

— Ça va, répondit-elle d'une voix étranglée.

— Vous souffrez, je le vois, reprit-il en s'approchant d'elle. La brûlure est-elle profonde ?

— Pas trop. Je serai débarrassée de ces bandages dans une dizaine de jours, et d'ici quelques semaines, je devrais retrouver totalement l'usage de ma main.

Elle était fascinée par son regard intense, et son malaise augmenta. Ou bien étaient-ce les battements de son cœur? Il s'arrêta si près que leurs genoux se touchaient presque.

— Qui vous a mis au courant? risqua-t-elle. Bragg?

Son visage s'anima enfin tandis qu'il affichait une expression contrariée.

— Ne mentionnez pas le nom de mon frère en ce moment, la prévint-il.

Il passa devant elle pour aller fermer la porte, ce qui était fort inconvenant, mais, curieusement, elle ne protesta pas. Un frisson la secoua.

— Je l'ai appris par Sarah, reprit-il. Nous avions rendez-vous il y a une heure, et vous étiez son unique sujet de conversation.

— Je vois.

Francesca avait accepté de ne parler à personne des événements de la veille, mais Sarah était une amie proche, la fiancée de son frère, et elle n'avait pu lui mentir quand elle l'avait questionnée sur son bandage.

— Je m'inquiète énormément à votre sujet.

Elle se radoucit et sourit malgré elle.

— C'est gentil de votre part, Hart. J'en conclus que vous n'êtes plus fâché contre moi?

Elle fut infiniment surprise de constater à quel point leur amitié avait de l'importance pour elle.

— Je suis fou de rage! explosa-t-il. Et je ne suis pas gentil! Seigneur! Vous êtes pratiquement en larmes tant vous souffrez. Comment avez-vous pu…?

Elle le fixait, incrédule. D'un côté, elle avait horreur qu'on la malmène, qu'on lui donne des ordres. Mais… comptait-elle tant pour lui?

— La vie de Maggie était en jeu, Calder. Je n'ai rien trouvé d'autre à faire.

— Je veux entendre le récit de ce qui s'est passé, du début à la fin, déclara-t-il sombrement. De votre bouche, pas la version de Sarah.

Il lui prit le bras avec fermeté, et elle se raidit instinctivement en jetant un coup d'œil inquiet à son profil dur.

Il la guida vers un petit sofa.

— Le médecin ne vous a-t-il pas ordonné de prendre du laudanum pour calmer la douleur ? poursuivit-il.

— Si, mais cela m'endort, et je ne parviens plus à réfléchir.

Il avait passé le bras autour d'elle alors qu'elle n'avait aucun besoin de soutien. Il était très musclé, plus grand qu'il n'y paraissait, plus large, plus solide.

— Asseyez-vous, dit-il.

Elle s'exécuta sans broncher. En fait, elle était soulagée, car elle ne subissait plus sa présence physique, dont elle n'était que trop consciente. Elle le regarda se diriger vers le guéridon des alcools et remplir un verre de whisky. C'était, d'une certaine manière, un splendide animal, un mâle parfait. Dans sa façon de se mouvoir, dans ses gestes, ses paroles. Tout en lui était agressif, voire primitif.

Non, elle était injuste. Sa garde-robe, son manoir, ses voitures, son personnel, sa collection d'œuvres d'art, tout était au contraire extrêmement civilisé.

Enfin… sauf quelques toiles trop explicites, trop sensuelles.

Il revint vers elle et lui tendit le verre.

— Buvez ça… Pourquoi m'observiez-vous ainsi ?

Elle se sentit rougir.

— Je vous ai toujours trouvé très intrigant.

Il eut l'air surpris, puis son regard s'adoucit.

— On m'a affublé de nombreux qualificatifs, mais « intrigant », jamais.

— Je ne voulais pas être désagréable.

— Je sais, Francesca. Je vous connais mieux que vous ne l'imaginez. Buvez.

— C'est du whisky, objecta-t-elle.

— Vous êtes le genre de femme qui devrait apprécier un bon verre de scotch, déclara-t-il en s'asseyant près d'elle. Faites-moi confiance.

L'idée la tentait grandement, d'autant que les femmes ne buvaient que du vin, du champagne, du punch ou du sherry. Sa mère s'évanouirait, si elle la surprenait en train de siroter un alcool fort.

Elle en but une gorgée, faillit s'étrangler. Hart eut un petit rire. Il glissa la main dans son dos, comme lorsqu'on tapote un enfant qui a avalé de travers, mais s'immobilisa tandis que le whisky se frayait un chemin brûlant dans sa gorge. Elle trouva délicieux le goût qui s'attardait sur sa langue, et troublante la main de Hart dans son dos.

Elle prit une autre gorgée.

— Vous allez faire de moi une alcoolique, remarqua-t-elle d'un ton qu'elle voulait léger.

Les yeux mi-clos, il la contempla sans mot dire.

Sa paume lui brûlait le dos comme un fer rouge.

— C'est plutôt bon, reprit-elle d'une voix un peu rauque.

— Oui.

Il n'ajouta pas « je vous l'avais bien dit », mais elle le lut dans ses yeux.

— Vous êtes de ces femmes qui apprécieraient un bon havane, Francesca.

Elle but une troisième gorgée, et ne toussa pas, cette fois, se délectant du fort parfum tandis qu'il ôtait la main de son dos.

— Êtes-vous en train de me suggérer de fumer ? s'exclama-t-elle.

— Non.

— Pourtant vous venez de dire…

— Je suis certain qu'un jour ou l'autre, vous apprécierez un cigare de qualité.

Elle était stupéfaite. Certaines femmes fumaient des cigarettes, mais un cigare ? Comme un homme ?

— Me trouveriez-vous virile, Calder ?

— Certainement pas.

Son regard avait changé. Elle connaissait cette lueur, elle l'avait vue la veille. Mais la veille, elle était une tentatrice en soie rouge, alors qu'aujourd'hui, elle était malade, souffrante. Il n'y avait aucune raison pour qu'il la considère comme une proie éventuelle.

Il se leva brusquement, et elle en fut infiniment soulagée.

— Racontez-moi ce qui s'est passé, sans omettre aucun détail.

Elle ne répondit pas tout de suite, tant son esprit, un peu embrumé par l'alcool, était concentré sur lui et l'intérêt qu'il lui portait. De quoi s'agissait-il au juste ? Et pourquoi cela l'ennuyait-il à ce point ? Ce n'était pas la première fois qu'un homme s'intéressait à elle, et d'ordinaire, elle n'y accordait aucune importance. En plus, Hart était son ami. Il avait même déclaré qu'il n'avait pas de vues sur elle. Elle se rappela qu'il aimait les femmes mariées, les divorcées, et les prostituées comme Daisy et Rose, mais cela ne la rasséréna pas. Elle n'arrivait tout simplement pas à se détendre quand elle était près de lui.

— Alors ? insista-t-il avec brusquerie.

Les mains sur les hanches, il se tenait à peu de distance d'elle, la dominant de toute sa taille. Francesca renonça. Elle n'avait ni la force ni la volonté de se lever pour l'affronter, et c'était plutôt agréable de le voir jouer les protecteurs, en fin de compte.

— Ne me bousculez pas, Hart, fit-elle d'un ton désinvolte.

Elle se rendit compte que l'alcool avait fait son effet et que, même si sa main l'élançait encore, elle avait moins de mal à l'ignorer. Elle commença son récit, depuis l'arrivée de Newman à la soirée des Channing, en passant par la fouille de la demeure de Lincoln Stuart, et l'arrestation de ce dernier, jusqu'au face-à-face avec Lizzie O'Brien et son épilogue à la fois heureux et tragique.

Il la fixa longuement, les mâchoires serrées.

— Il n'y a que vous pour être aussi incroyablement courageuse, lâcha-t-il finalement.

Elle s'empourpra de plaisir.

— J'aime bien que vous me complimentiez, Calder.

— Ne flirtez pas avec moi en ce moment ! répliqua-t-il farouchement.

Flirtait-elle ? Oui, peut-être…

— Je n'arrive pas à croire que mon frère vous permette de participer à des enquêtes aussi dangereuses, continua-t-il. Il serait temps de lui mettre un peu de plomb dans la cervelle.

Elle se leva maladroitement, et il la saisit par le coude pour l'aider à retrouver son équilibre.

— J'ai la tête qui tourne, annonça-t-elle.

Elle se rendit soudain compte que si sa mère la voyait en ce moment, elle interdirait à Hart de s'approcher d'elle à l'avenir. Et ses absurdes projets de mariage tomberaient à l'eau.

— Pourquoi souriez-vous ? s'enquit-il, méfiant.

Alors ils pourraient redevenir des amis, sans arrière-pensée.

— Je souris ?

Il soupira sans la lâcher pour autant.

— Je suppose que la douleur vous a fait monter l'alcool directement à la tête.

Il la dévisagea, apparemment contrarié.

— N'était-ce pas le but ?

— Si, sans doute. Mais vous avez l'air de vous moquer de moi. Votre mère ne sera pas contente.

Le sourire de Francesca s'évanouit.

— Vous êtes toujours tellement intuitif !

— Quel rapport ? En tout cas, j'insiste pour que vous cessiez ces enquêtes ridicules.

Elle tenta de se dégager, sans succès, et ne réussit qu'à tituber davantage. Il la maintint aussitôt.

— Vous n'avez pas à insister, sur aucun sujet, en ce qui me concerne, Hart.

Il eut un sourire inquiétant.

— Oh, vraiment ?

Des sonnettes d'alarme tintèrent dans sa tête. Il n'avait aucune moralité, aucun scrupule ! Il pourrait tout aussi bien s'offrir un tête-à-tête avec Bragg, à l'issue duquel les deux frères se ligueraient contre elle. Pire, il pouvait aller aussi trouver directement ses parents. Elle frémit intérieurement rien que d'y songer.

— Je ne me vois guère pourchasser des criminels pour l'instant, répliqua-t-elle. Et que vous vous permettiez de vous ingérer dans ma vie me déplaît profondément.

Il était visiblement exaspéré.

— Je me moque de ce que vous pensez de ma prétendue «ingérence». Il faut que quelqu'un vous bride. Si Rick en est incapable, alors, ce sera moi, Francesca.

— Mais enfin, pourquoi? s'écria-t-elle.

— Pourquoi? explosa-t-il. Vous ne cessez de vous mettre en danger. Sans arrêt! C'est intolérable... incroyable, à vrai dire! Pourquoi diable ne pouvez-vous vous comporter comme toutes les autres jeunes filles?

— Je ne suis pas «toutes les jeunes filles», grinça-t-elle en se libérant enfin de son étreinte.

Elle posa machinalement les mains sur ses hanches, et laissa échapper un cri de douleur en vacillant.

Aussitôt, il la prit dans ses bras.

— Bon sang! Vous voyez? Vous souffrez horriblement!

Elle se mordit la lèvre tout en essayant de se ressaisir. Comme la douleur refluait, elle s'aperçut qu'il la tenait aux épaules, leva vers lui un regard noyé de larmes. Il semblait sincèrement inquiet.

— Ça va, murmura-t-elle. Lâchez-moi.

Il hésitait.

— Je vous en prie, Calder.

Sa voix était presque suppliante, et son envie de pleurer n'avait plus rien à voir avec la souffrance physique.

Il obtempéra.

Elle inspira à fond et se laissa retomber sur le sofa. Elle avait l'impression qu'on l'avait rossée avec une batte de base-ball.

— Je suis très lasse, souffla-t-elle sans le regarder.

— Excusez-moi, dit-il vivement. S'il vous plaît, pardonnez-moi.

Il s'assit près d'elle et prit sa bonne main entre les siennes. Francesca se raidit, frappée par un brusque souvenir. Bragg lui avait tenu ainsi la main la veille, dans une autre pièce, sur un autre divan.

— Je passerai vous voir demain, reprit-il d'un ton calme. Je n'avais nullement l'intention d'accroître vos souffrances.

Elle s'efforça de sourire, n'y parvint pas.

— Mais j'insiste pour que vous mettiez un terme à vos enquêtes, Francesca. C'est mon rôle en tant qu'ami.

Elle était trop fatiguée pour se disputer avec lui.

— Insistez si ça vous chante, Hart.

Il lui releva le menton.

— Je peux être un allié de poids, Francesca.

Elle le fixa, stupéfaite.

Il sourit, se leva. Ils se regardèrent un long moment en silence.

Le charme fut rompu quand Julia pénétra dans le salon. Francesca fut instantanément prise de soupçons. Sa mère avait tout écouté derrière la porte, elle en était certaine.

— Puis-je vous offrir un rafraîchissement, monsieur Hart ? Une tasse de café ? Un verre de brandy ?

Elle lui souriait, tout charme dehors.

— J'allais partir, fit-il poliment. Merci, madame Cahill.

Julia lança un coup d'œil à Francesca, au verre sur la table basse, puis revint à Hart.

— Ma fille est parfois trop intelligente, et trop forte tête pour son bien, observa-t-elle.

Oui, elle avait entendu au moins une partie de la conversation !

Par défi, Francesca s'empara du verre qu'elle termina d'une traite.

— Je suis absolument de votre avis, répondit Hart, et elle sentit dans sa voix qu'il se retenait de rire.

Elle reposa le verre si bruyamment que tous deux la regardèrent.

— Je suis là, leur rappela-t-elle, irritée. Ne parlez pas comme si je me trouvais dans la pièce voisine.

Julia s'adressa à Hart.

— Elle a besoin d'une main ferme…

— Je ne suis pas un cheval, marmonna Francesca.

S'ils l'entendirent ils n'en montrèrent rien.

— En effet, admit Hart posément.

Elle lui lança un regard noir.

Il s'inclina.

— Bonne soirée, Francesca. À demain.

Elle fut saisie de l'envie puérile de ne pas répondre, mais elle se contenta de soupirer.

— Bonne soirée, Calder.

Une petite étincelle satisfaite s'alluma dans les yeux de Hart.

— Je vous raccompagne, proposa Julia.

Ils se dirigèrent vers la porte.

— À propos, monsieur Hart, enchaîna-t-elle, accepteriez-vous de vous joindre à nous pour dîner dimanche ? En toute simplicité, avec Evan et Sarah Channing, lord et lady Montrose, Francesca, mon époux et moi.

Francesca n'en croyait pas ses oreilles.

— J'en serai honoré, madame Cahill, répondit-il.

— Alors, c'est entendu, fit Julia, ravie.

— Je ne manquerais cela pour rien au monde, assura-t-il sans un regard pour Francesca.

Elle les suivit des yeux, bouche bée, tandis qu'ils sortaient du salon, et un flot de panique la submergea.

Elle savait ce que sa mère avait en tête, mais, à présent, elle éprouvait un mauvais pressentiment.

Elle n'aimait pas du tout l'idée que Hart se range du côté de Julia. Elle avait beau tenter de se rassurer, de se persuader que rien n'en sortirait, elle était affreusement angoissée.

Jeudi 13 février 1902, midi

Francesca était descendue à l'heure habituelle pour prendre son petit-déjeuner. Mais elle se sentait encore un peu faible, et s'était allongée dans le salon de musique où elle s'était rapidement rendormie.

Elle était plongée dans un rêve étrange. Une foule s'était rassemblée autour d'elle et chuchotait, mais elle ne parvenait pas à comprendre un traître mot de ce qui se disait. Hart était là, incroyablement viril, ses parents aussi, conspirant contre elle. Bragg était présent également, déterminé à la sauver d'une menace qu'elle n'arrivait pas à identifier. Il y avait en outre des enfants qui parlaient à voix basse et semblaient curieux.

— Dot ! Non !

De petits doigts lui picotaient les lèvres et la joue.

— Ne la réveille pas, disait Bragg dans son rêve. Elle est malade, elle doit se reposer.

— Frack ! Frack ! Frack ! glapit Dot.

Elle ne rêvait pas. Elle cligna des yeux, et la première chose qu'elle découvrit fut le petit visage souriant de Dot tout près du sien.

— Frack ! répéta l'enfant, ravie. Plus dodo !

Bien que complètement réveillée, Francesca était encore un peu groggy, mais la douleur de sa main était supportable. Elle se rappela vaguement que, en dépit de ses protestations, sa mère avait insisté pour qu'elle prenne une dose de laudanum au petit-déjeuner. Derrière Dot, Bragg l'observait d'un air soucieux. Un peu plus loin se tenait Peter, une main ferme posée sur l'épaule de Katie, comme s'il craignait qu'elle ne se sauve.

— Francesca ? Tu es enfin réveillée, fit Julia d'un ton un peu acerbe. Le préfet a insisté pour te voir, et de toute évidence, il ne s'agit pas d'une visite officielle.

Francesca battit des paupières, et discerna sa mère à la gauche de Bragg, à la limite de son champ de vision. Elle fit mine de se redresser.

Aussitôt, Bragg fut près d'elle et glissa les mains derrière son dos afin de l'aider. Elles étaient chaudes, solides, terriblement familières. Elle croisa le regard d'ambre et se sentit fondre comme neige au soleil.

— Merci, murmura-t-elle. Les enfants?

Il cala des coussins derrière elle.

— Dot a fait un caprice, elle voulait absolument voir «Frack». Je ne comprenais mais, apparemment, Peter parle sa langue, dit-il, si doucement qu'elle fut sûrement la seule à l'entendre. Cela m'a fourni une bonne excuse pour vous rendre visite. Comment vous sentez-vous? Votre mère m'a dit que vous vous étiez levée à 8 heures, aujourd'hui.

— En effet, mais je ne sais pas pourquoi, répondit-elle, étrangement soulagée.

Bragg était la personne dont elle avait le plus besoin. Si seulement sa mère les laissait, elle lui saisirait la main et la presserait contre son cœur.

— Je n'ai plus mal, reprit-elle, mais maman insiste pour que je prenne du laudanum.

— Elle a raison. Je déteste vous voir souffrir, fit-il, toujours à mi-voix, avant de se redresser. Katie, tu peux dire bonjour à Francesca, ajouta-t-il à l'adresse de la fillette.

Celle-ci lui décocha un regard noir avant d'offrir à Francesca un sourire aussi angélique qu'édenté.

— Bragg! Elle a perdu deux dents! s'écria Francesca.

Katie ouvrit davantage la bouche.

— Oui, tu as perdu deux dents, et j'espère que la petite souris a laissé une pièce sous ton oreiller, reprit Francesca en souriant.

Bragg soupira.

— J'ai complètement oublié.

— Bragg, dit-elle d'un ton de reproche, comment avez-vous pu?

— Très facilement, confessa-t-il dans un sourire.

L'esprit encore un peu confus, elle dut faire un effort pour déchiffrer le sous-entendu.

— Lizzie a-t-elle avoué ? demanda-t-elle.

Il haussa les sourcils.

— Vous voulez vraiment parler de cela maintenant ? Tout va bien. Elle va être jugée, puis reconnue coupable, n'en doutez pas.

Francesca se détendit, et son regard se posa sur Peter.

— Bonjour, Peter. Comment allez-vous ?

— Bien.

— Il a cessé de me demander de trouver une nurse quand il a appris ce qui vous était arrivé, intervint Bragg.

Seigneur, elle avait complètement oublié la gouvernante ou la famille d'accueil !

Elle lui agrippa la main.

— Vous n'allez pas jeter les petites dehors, n'est-ce pas ?

Katie n'en manquait pas une miette, et il y avait de la peur et de la colère dans son regard.

— Ne vous inquiétez surtout pas pour cela, la rassura Bragg. Elles peuvent encore rester quelques jours. J'ai chargé Peter du recrutement.

— Je pourrai m'en occuper demain, proposa Francesca, en espérant qu'elle serait alors suffisamment remise.

— Non, vous ne pourrez pas, car vous devez garder la chambre. J'ai parlé avec le Dr Finney, Francesca.

— Le préfet a raison, renchérit Julia d'un ton ferme. Cela dit, Rick, si vous voulez, je peux me charger de vous trouver une nurse dans l'après-midi.

Francesca ouvrit des yeux ronds.

— C'est très aimable à vous, Julia. J'avoue que je n'ai pas le temps de le faire moi-même et...

— Bien sûr ! Vous êtes un homme fort occupé, coupa Julia avec un sourire, sans toutefois déployer tout son charme comme avec Hart. Voulez-vous que je fasse déjeuner les petites ?

— Je ne voudrais pas vous déranger.

— Quelle bonne idée, maman ! s'exclama Francesca, sincèrement reconnaissante. Je suis certaine qu'elles ont faim.

— Je ne suis pas un monstre, Francesca, fit remarquer Julia avec un demi-sourire.

— Katie ne mange pratiquement rien, l'avertit sa fille.

— Vraiment ?

Julia se tourna vers la fillette.

— Eh bien, il va falloir que cela change, parce qu'elle est maigrichonne. Suivez-moi avec les filles, Peter, ajouta-t-elle en ouvrant la marche.

Ce dernier prit Dot dans ses bras.

— J'espère que vous allez vous remettre très vite, mademoiselle Cahill, dit-il avant de sortir.

Katie le suivit à contrecœur, non sans jeter des regards inquiets à Francesca par-dessus son épaule.

Ils se retrouvèrent seuls…

Le cœur de Francesca se mit à battre plus vite. Bragg la contemplait intensément.

— Ne vous inquiétez pas tant, dit-elle avec douceur.

— Ça m'est impossible lorsqu'il s'agit de vous, avoua-t-il.

Il approcha un fauteuil afin de s'asseoir près d'elle, et repoussa d'un geste tendre une mèche égarée sur sa joue.

— J'ai du mal à me concentrer, Francesca. Ce qui vous est arrivé m'a bouleversé.

— Vraiment ?

Elle sourit, ravie. Curieux comme les sentiments se libéraient sous l'influence des drogues…

— Vraiment, et n'affichez pas cet air enchanté. Cessez aussi de me regarder ainsi, ajouta-t-il presque sombrement.

Elle soupira.

— C'est difficile, et vous savez pourquoi, je pense.

Il se pencha vers elle.

— Non, je ne le sais pas, mais n'oubliez pas que nous sommes chez votre mère, et qu'elle ne me porte guère dans son cœur en ce moment.

— Elle vous apprécie, mais vous n'êtes pas libre, alors elle préfère garder un œil sur nous, expliqua Francesca, étonnée de s'exprimer de manière aussi directe.

— Elle a bien raison, reconnut Bragg après un bref silence.

— Vous êtes de son côté, à présent ?

Il hésita un moment avant de hocher la tête.

— Qu'est-ce que cela signifie ? s'écria-t-elle, alarmée.

— Que je suis malade d'inquiétude depuis cette nuit dramatique où vous avez échappé de peu à la mort, rétorqua-t-il d'un ton brusque. Que j'ai alors réalisé à quel point je tenais à vous… et c'est effrayant. Je dois être franc : rien de bon ne peut sortir de cette histoire.

Elle se sentait affreusement oppressée, soudain.

— Je n'arrive pas à croire que vous puissiez parler ainsi.

— Moi non plus, reconnut-il. Parce que je ne peux même pas imaginer ma vie sans vous. Ce qui est certainement la solution la plus raisonnable, pourtant.

Une telle tension émanait de lui que la peur envahit Francesca.

— Vous n'êtes pas sérieux.

— Si, mais j'en suis arrivé à une conclusion totalement différente.

Elle était paralysée d'angoisse.

— Laquelle ?

— Je vais demander le divorce.

Francesca en eut la tête qui tournait.

— *Quoi ?*

— Vous avez parfaitement entendu.

Il était si sombre, si déterminé.

— Mais…

Elle n'arrivait plus à penser normalement, surtout avec ce satané laudanum. Ils s'étaient rencontrés le 18 janvier, moins d'un mois auparavant. Et si peu de temps après, il voulait changer de vie, se séparer de sa femme ? Qu'advenait-il de son avenir, de ses espoirs, de ses rêves ?

— Mais… vous souhaitiez être élu au Congrès. C'est votre devoir… votre destin, balbutia-t-elle, sous le choc.

— Je commence à me demander si ce n'est pas vous mon devoir… et mon destin.

La signification de ses paroles la frappa de plein fouet. Il avait l'intention de renoncer à tout : son épouse, ses responsabilités, sa respectabilité, ses rêves de Sénat, afin qu'ils puissent être ensemble.

— Mon Dieu ! souffla-t-elle.

Pouvait-elle le laisser tout abandonner ainsi ?

Bien sûr, elle pouvait ! Il s'agissait de son rêve à *elle*. Son rêve le plus secret, le plus intime.

Mais son rôle de serviteur de l'État était tellement plus important que son bonheur personnel !

Il lui caressa la joue, et elle plongea son regard dans le sien, se demandant s'il lisait dans ses yeux la peur qui l'habitait.

— Je n'aurais pas dû me montrer aussi brutal. J'ai passé des nuits entières à réfléchir à tout cela avant d'en arriver à prendre cette décision. Certes, votre mère se battra bec et ongles pour empêcher cela, et la procédure de divorce peut durer des années. Je ne vous demanderai jamais d'attendre, Francesca.

À présent, les larmes coulaient sans retenue sur les joues de Francesca.

— J'attendrai. J'attendrai toute la vie, murmura-t-elle

Pourtant, au fond de son cœur, elle était terrifiée. Non parce que Julia s'opposerait à ce mariage, mais parce qu'elle n'était pas le destin de Bragg. Son destin, c'était la ville, la politique, la nation.

Seigneur! Que devait-elle faire?

Que *pouvait*-elle faire?

Il hésitait, et elle le comprenait. Mais son hésitation ne concernait pas la décision qu'il avait prise; il était homme à aller jusqu'au bout... Elle glissa la main derrière sa nuque et l'attira à elle. Leurs lèvres se caressèrent.

C'était doux-amer. Et ô combien poignant!

Une voix hurlait dans la tête de Francesca: «Ne le laisse pas faire!»

Il la serra contre lui, doucement, puis croisa son regard, et, comme s'il devinait le conflit qui faisait rage en elle, il se raidit.

— Ne vous inquiétez pas, souffla-t-elle.

Elle pressa de nouveau sa bouche sur la sienne, et cette fois, il la prit avec ardeur, angoisse, désespoir et amour. Lorsque leur baiser prit fin, Francesca était remuée jusqu'au tréfonds.

Seigneur, elle l'aimait tant! Elle l'admirait tellement! Elle croyait à sa vocation d'homme d'État, aux bienfaits qu'il pourrait apporter à ce pays.

Tandis qu'elle se débattait dans un tourbillon d'émotions contradictoires, elle sentit qu'on les observait. Lui également.

Tandis qu'il se retournait brusquement, Francesca tendit le cou vers la porte.

Dot se tenait sur le seuil, rayonnante, visiblement très contente d'elle.

— Nous avons un chaperon, murmura Bragg, soulagé que ce ne fût qu'un enfant.

— On dirait, en effet, acquiesça-t-elle. comme il la regardait de nouveau.

Ils ne purent s'empêcher de sourire... Dot était arrivée à point nommé!

— Nous ne devrions pas lui montrer un aussi mauvais exemple, observa-t-il en secouant la tête.

— Non, nous ne devrions pas.

Elle était encore tout étourdie de passion.

— Bisou, Frack ! Bisou ! cria Dot en frappant dans ses mains.

Francesca frémit, s'attendant que sa mère se rue dans le salon à tout moment.

— Je crois que je commence à aimer cette petite, murmura Bragg.

— J'en étais sûre !

Dot souriait béatement.

En voyant la petite mare sur le sol, Francesca comprit de quoi la petite était si fière.

Francesca prit le bras de Bragg, dans l'espoir de détourner son attention. Mais c'était trop tard.

Il se leva d'un bond.

— Je ne le crois pas ! Cette chipie a enlevé sa couche !

Il appela sévèrement la petite, qui continuait à sourire sans faire mine de lui obéir.

Francesca soupira. La trêve n'aurait pas duré longtemps !

Comme Dot s'avançait enfin, sentant que Bragg n'était pas d'humeur à jouer, puis se dérobait au dernier moment, Francesca réalisa combien la vie était imprévisible.

Elle ne soucierait pas de l'avenir pour l'instant, décida-t-elle. Elle ne se tracasserait pas non plus au sujet du divorce de Bragg qui mettrait un terme à ses ambitions politiques. Elle ne s'inquiéterait pas à propos de ce portrait que Hart avait commandé ou des absurdes projets de sa mère. Demain serait un autre jour, et il était impossible de prévoir quel tour prendrait les événements. Dans l'immédiat, il s'agissait de se reposer, de soigner sa main, au cas où un autre crime lui tomberait du ciel.

Cette pensée la fit sourire.

Au moins son existence n'était ni triste ni monotone !

— Elle m'échappe ! s'exclama Bragg. Cette gamine a plus d'aplomb que deux malfrats réunis !

Francesca le gratifia d'un sourire serein.

— Dot ! Viens ici, s'il te plaît, et montre à Bragg comme tu es sage et obéissante.

La petite hésita.

Bragg en profita pour la saisir par le bras.

— Voilà, je te tiens, déclara-t-il sévèrement.

À quoi la fillette répondit d'un éclat de rire. Il se tourna vers Francesca et sourit.

— Je vais la ramener auprès de Peter, j'ai rendez-vous avec le maire à 13 heures.

— Bonne chance, se contenta-t-elle de dire, bien que sa curiosité fût piquée quant à la raison de cet entretien.

Elle les regarda sortir, mais dès qu'ils eurent disparu, l'angoisse s'empara de nouveau d'elle. Il était impossible de ne pas être bouleversée par la décision de Bragg de divorcer.

Elle entendit ronronner le moteur de la Daimler.

Elle se leva, s'approcha de la fenêtre d'un pas mal assuré, et écarta le rideau. L'automobile descendait déjà l'allée en direction de la Cinquième Avenue. Elle soupira.

— Mademoiselle Cahill?

Bette se tenait sur le seuil avec un petit plateau à courrier en argent.

— On vient juste d'apporter ceci, mademoiselle, dit-elle.

— Merci, Bette.

Le nom de Francesca était écrit d'une belle cursive, celui de l'expéditeur, en revanche, ne figurait pas au dos. Curieux...

Elle ouvrit l'enveloppe. Le message était daté du 12 février.

Chère mademoiselle Cahill,

Je dois venir à New York sous peu, et j'aimerais vous rencontrer le jour qui vous conviendra. Je résiderai au Waldorf Astoria.

J'ai hâte de faire votre connaissance.

Sincèrement,

Mme Rick Bragg

8820

Composition
CHESTEROC LTD

Achevé d'imprimer en France (La Flèche)
par CPI BRODARD ET TAUPIN
le 14 décembre 2008 - 50269.

Dépôt légal décembre 2008.
EAN 9782290013473

ÉDITIONS J'AI LU
87, quai Panhard-et-Levassor, 75013 Paris

Diffusion France et étranger : Flammarion

Vengeance
sous la neige